D1941922

Bildungsideen und Schulalltag im Revolutionsjahr 1848

Herausgegeben von

Heidemarie Kemnitz
Hans Jürgen Apel und Christian Ritzi

Schneider Verlag Hohengehren GmbH

Umschlaggestaltung: Wolfgang H. Ariwald, BDG, 59519 Möhnesee

Gedruckt auf umweltfreundlichem Papier (chlor- und säurefrei hergestellt).

Die Deutsche Bibliothek – CIP-Einheitsaufnahme

Bildungsideen und Schulalltag im Revolutionsjahr 1848 /
hrsg. von Heidemarie Kemnitz .... –
Baltmannsweiler : Schneider-Verl. Hohengehren, 1999
ISBN 3-89676-108-0

Alle Rechte, insbesondere das Recht der Vervielfältigung sowie der Übersetzung, vorbehalten. Kein Teil des Werkes darf in irgendeiner Form (durch Fotokopie, Mikrofilm oder ein anderes Verfahren) ohne schriftliche Genehmigung des Verlages reproduziert werden.

© Schneider Verlag Hohengehren, 1999.
Printed in Germany – Druck: Wilhelm Jungmann Göppingen

Die Versammlung unter den Zelten in Berlin am 4. März 1848

Kampf der Republikaner und der Parlamentarier zu Frankfurt a. M.
am 21. März 1848

Inhaltsverzeichnis

Vorwort

Nach heutigem Geschichtsverständnis war die Revolution noch nicht zu Ende, als Johann Karl Friedrich Hupe, Schulinspektor in Lübben, 1849 im ersten Heft des Schulblattes für die Provinz Brandenburg bereits Bilanz zog. Vor allem „verhängnisvoll" sei dieses Jahr 1848 gewesen, in dem sich „wie kaum je zuvor, die kühnsten Hoffnungen und die schwersten Befürchtungen wild durch einander gedrängt, und Leid und Freude, Jubel und Klage ... fast in jeder Minute ... auf Leben und Tod miteinander gerungen" hätten. „Bei ganzen Ständen und Klassen der Gesellschaft" sei wahrzunehmen gewesen, „daß sie im Ganzen mehr gehoben oder mehr gebeugt, mehr aufgeregt oder niedergeschlagen wurden". Für die Lehrer könne man allerdings „unstreitig" behaupten, daß sie zu den „Glücklichen, denen die Revolution nur Hoffnung und freudige Erregung gebracht habe", gehörten. In der vor sich gehenden „Staatsumwälzung" sei die Erziehung mehr als sonst in den Vordergrund getreten, zumal sich „pädagogische Motive, Mittel und Zwecke" durch die bevorstehende Umgestaltung geradezu „hindurch ziehen" müßten.[1]

Wie dieses Beispiel zeigt, hatten die Zeitgenossen rasch ein Bewußtsein dafür entwickelt, daß die Revolution von 1848 nicht nur als ein allgemein politisches, sondern auch als ein bildungspolitisch markantes Datum in die Geschichte eingehen könnte und daß eine Gesellschaftsreform mit pädagogischen Ideen und Bildungsreformen einhergehen müsse.

Der Blick, den die bildungshistorische Forschung heute auf das Jahr 1848 richtet, ist freilich einer aus der Distanz von 150 Jahren, doch auch er konzentriert sich auf den – nunmehr als systematisches Problem begriffenen – Zusammenhang von Politik und Pädagogik. Wenn heute nicht mehr in Frage steht, daß die 1848er Revolution auch für die Bildungsgeschichte eine wichtige Zäsur darstellt,[2] dann allerdings nicht wegen ihrer unmittelbaren, ereignisgeschichtlichen Folgen im Bildungswesen, denn diese waren gegenüber den emphatischen Bildungsideen und -programmen eher gering, sondern, weil die bis heute zentralen Fragen der Modernisierung von Bildung und Gesellschaft in der Revolution von 1848/49 erstmals gebündelt diskutiert wurden.

---

1 Hupe, Johann Karl Friedrich: Die Revolution und die Schule, ein Rückblick in das Jahr 1848. In: Schulblatt für die Provinz Brandenburg 14 (1849), S. 6 bis 34, hier S. 6 f.

2 Vgl. Tenorth, Heinz-Elmar: Bildungsreform als Gesellschaftsreform. Die Revolution von 1848 als Zäsur der Bildungsgeschichte. In: Dowe, Dieter; Haupt, Heinz-Gerhard; Langewiesche, Dieter (Hrsg.): Europa 1848. Revolution und Reform. Berlin 1998, S. 961 - 984.

Darüber, wie die „moderne Volksschule" auszusehen habe (staatlich, weltlich, einheitlich, demokratisch), wem die Aufsicht über die Schule zukäme, in welcher institutionellen Gestalt die Bildung des Volkes organisiert werden solle, wie die bestehenden Schulen zu reformieren seien, aber auch, wie die „Nationalerziehung" in Gang zu bringen bzw. umzugestalten sei, debattierten die Lehrer 1848 in ihren Versammlungen nahezu allerorten in Deutschland. Die Wahrnehmung des Schulinspektors Hupe trog nicht: zumindest die pädagogisch und politisch mobilisierten Lehrer erblickten in der Revolution die Chance, als Volkserzieher anerkannt zu werden und damit dem Lehrerstand ein höheres gesellschaftliches Ansehen zu verschaffen. Gleichzeitig erfaßten sie – im Licht der Revolution deutlicher denn je – die politische Dimension von Bildungsideen und eigenem pädagogischen Handeln.

Daß darüber hinaus Bildungsideen, aber auch der Alltag von Schule und Unterricht im Kontext von Revolutionen mitunter ungewollt und unabhängig von den Intentionen der Subjekte politisch interpretiert werden können, ist nun ein historisches Phänomen, das den Zusammenhang von Pädagogik und Politik in spezifischer Weise in Erscheinung treten läßt. So gesehen stellt das Ereignis der Revolution von 1848/49 für die Bildungsgeschichte ein geradezu klassisches Beispiel dar, an dem das Politisch-Werden des Pädagogischen studiert werden kann.

Diese Perspektive bildet die Klammer für die in diesem Band zusammengestellten Beiträge. Sie gehen auf eine Tagung zurück, die am 12. Juni 1998 in Verbindung mit der Ausstellung „Friedrich Fröbel und das Jahr 1848" in der Bibliothek für Bildungsgeschichtliche Forschung in Berlin stattfand. Das Thema der Ausstellung aufgreifend, beschäftigten sich die Vorträge zum einen mit Friedrich Fröbel und seinem Projekt des Kindergartens im Umfeld der Revolution, zum anderen mit den Lehrern und dem Schulalltag im Jahr 1848. Zum großen Teil gestützt auf bislang kaum bekannte oder von der Forschung bisher eher weniger zur Kenntnis genommene Quellen, ist hier der Blick von den Bildungsideen und -programmen verstärkt auf die Subjekte selbst und die personellen und politischen Kontexte ihres Handelns gerichtet worden.

Im Hinblick auf die Revolution von 1848/49 gründet sich das Interesse an Friedrich Fröbel nicht zuletzt auf das mit dem Jahr 1851 verfügte Verbot der Fröbelschen Kindergärten in Preußen, das im Kern mit dem Vorwurf der areligiösen und atheistischen Erziehung operierte. Ob dieses Verbot „eine Antwort auf Fröbels Einstellung und Verhalten während der Revolution" war, oder ob „das Verbot nur auf einem Mißverständnis, einer Verwechslung mit Fröbels Neffen Karl"[3], dem radikalen Demokraten beruhte, ist mehrfach kontrovers diskutiert worden. Die hier zu dieser Frage vorgelegten Beiträge und Thesen über den „politischen Fröbel" (Heiland) und die „Politisierung des Fröbelschen Kindergartenprojekts durch die Revolutionen von 1848/49" (Baader) düften schon deswegen in der bildungsgeschichtlichen Forschung Beachtung finden.

Um welche Aspekte das Thema „Fröbel und die Märzrevolution" erweitert werden muß, um näher an das Selbstverständnis des engagierten Pädagogen heranzukommen, zeigt der Eröffnungsbeitrag. Nach dem Studium des im Duisburger Fröbel-Archiv inzwischen vollständig erschlossenen Briefmaterials rekonstruiert Helmut Heiland Fröbels Verhältnis zur 1848er Revolution und stellt dem – für die Durchsetzung des Kindergartens – politisch handelnden und insofern „politischen" Fröbel den „sphärephilosophisch" denkenden und argumentierenden Pädagogen Fröbel gegenüber. Die daraus erwachsene Ambivalenz der Beziehung Fröbels zur Revolution wird dabei in der Auseinandersetzung mit Fröbels Begriff des Politischen herausgearbeitet.

Während diese Rekonstruktion die (auto)biographischen Quellen in den Mittelpunkt stellt, geht Meike Sophia Baader in ihrem Beitrag jenen Quellen nach, die Fröbels Auffassungen von Politik und Pädagogik aus der Perspektive der sozialen und politischen Bewegungen von 1848 vor Augen führen. Sie thematisiert die Frage, in welcher Weise die Revolution von 1848/49 das Fröbelsche Kindergartenprojekt politisiert hat und entfaltet ihre Thesen u.a. vor dem Hintergrund der Frauenbewegung. Dabei stellt sie Fröbels Ansatz einer „Einigung von Politik und Pädagogik", nach dem die Politik das männliche, die Pädagogik hingegen das weibliche Prinzip repräsentiere, dar und hebt die daraus sich ergebende Präferenz weiblicher Berufstätigkeit im Sinne der „Mütterlichkeit als Beruf" hervor.

Hans-Ulrich Grunder beschäftigt sich mit dem Entstehungskontext der Idee des Kindergartens und stellt dazu Fröbels pädagogisches Wirken und dessen Scheitern in der Schweiz in den Mittelpunkt. Er untersucht sowohl die personenbezogenen als auch die konzeptionellen und sozialhistorisch relevanten Gründe, die zu diesem Scheitern beigetragen haben und wirft aus der Schweizer Perspektive die Frage auf, ob Fröbel, der aus der Sicht der Burgdorfer und Berner Bildungspolitik lediglich einen wirkungslosen Pädagogen darstellte, vielleicht (und gerade) infolge der widrigen Umstände in Burgdorf früher, als dies anderswo geschehen wäre, die Idee des Kindergartens hat denken können.

3 Friedrich Fröbel und das Jahr 1848. Eine Ausstellung in der Bibliothek für Bildungsgeschichtliche Forschung. Berlin 1998, Vorwort.

Der unabhängig von der Tagung in diesen Band aufgenommene Aufsatz von Horst Fleischer kommentiert drei Quellen, die Fröbels Wirken für den Kindergarten vor dem Hintergrund der Revolution im thüringischen Rudolstadt deutlich machen. Fröbel wird hier als Initiator der Rudolstädter Lehrerversammlung vorgestellt, die vor allem der Präsentation seines pädagogischen Projektes diente.

In den beiden folgenden Beiträgen thematisieren Heidemarie Kemnitz und Hans Jürgen Apel Aspekte von Bildungspolitik, Lehrer- und Schulalltag, die bislang weitgehend unbeachtet blieben, für das Verständnis der Vorgänge im Revolutionsjahr aber bedeutsam sind. Heidemarie Kemnitz hinterfragt die These Thomas Nipperdeys, nach der die Volksschullehrer „eine in ihrer Mehrheit zur Revolution disponierte Gruppe" dargestellt hätten, indem sie die spektakulären Aktionen der Lehrerbewegung mit dem Vereinsalltag der Lehrer im Revolutionsjahr kontrastiert. Damit werden zentrale Zusammenhänge zwischen politischen und alltäglichen Aktionen der Lehrer erhellt. Hans Jürgen Apel untersucht, wie Gymnasiallehrer und ältere Gymnasiasten auf die revolutionäre Situation reagierten. Anhand bayerischer und preußischer Quellen stellt er heraus, daß sich die Situation in einigen Gymnasien für die Lehrer vor allem dadurch verschärfte, daß ältere Schüler Ideen des revolutionären Alltags aufgriffen und über die Ordnung der Schule nachzudenken begannen. In beiden Beiträgen wird ein neues, alltagsgeschichtlich orientiertes Kapitel bildungsgeschichtlicher Analysen zum Revolutionsjahr aufgeschlagen.

Wir als Herausgeber hoffen, daß die vorgelegten Ergebnisse die bildungsgeschichtliche Diskussion über die „pädagogischen Bewegungen" des Jahres 1848 erneut anregen und über den kleinen Kreis von Bildungshistorikern, die sich mit der Revolution von 1848/49 beschäftigen, hinausheben können. Gleichzeitig möchten wir uns bei allen beteiligten Autoren für die schnelle Lieferung und Korrektur der Manuskripte bedanken, insbesondere aber für das Eingehen auf die Wünsche der Herausgeber. Unser Dank gebührt darüber hinaus allen, die an der redaktionellen Bearbeitung der Manuskripte und der Fertigstellung des Buches beteiligt waren sowie der Bibliothek für Bildungsgeschichtliche Forschung des Deutschen Instituts für Internationale Pädagogische Forschung und der Historischen Kommission der Deutschen Gesellschaft für Erziehungswissenschaft für ihre Unterstützung.

Berlin/Bayreuth/Berlin im September 1998

Heidemarie Kemnitz / Hans Jürgen Apel / Christian Ritzi

HELMUT HEILAND

Fröbel und das Jahr 1848

Das Thema „Fröbel und die Märzrevolution 1848" steht im Rahmen der Rückbesinnung auf das 150jährige Jubiläum dieser für die Deutschen so wesentlichen, aber gescheiterten Revolution. Wie zahlreiche Aktivitäten FRÖBELs im Revolutionsjahr 1848 zeigen, liegt eine weitgehend positive Einstellung FRÖBELs zur Märzrevolution vor. Nachdem FRÖBEL zunächst im Mai Teile der sächsischen und thüringischen Volksschullehrer aktivieren konnte, auf ihren Versammlungen jeweils zu beschließen, die neuen Landesregierungen aufzufordern, Fröbelsche Kindergärten als erste Stufe des staatlichen Bildungswesens einzurichten, strebte er eine umfassendere „Lehrer- und Erzieherversammlung" an, die vom 17. - 19. August in Rudolstadt stattfand. Sie verabschiedete eine Petition an die Frankfurter Nationalversammlung, von Seiten des Staates, also durch die Regierungen und das Frankfurter Parlament, bei der geplanten Bildungsreform den Kindergarten FRÖBELs zu berücksichtigen (vgl. KRECKER 1961, S. 156 ff.). Angestrebt wurde also die weitere Ausbreitung der Kindergärten durch deren staatliche Einrichtung als erste Stufe des allgemeinbildenden Schulwesens. Anfang September wirkte FRÖBEL in dieser Hinsicht auf den Schwarzburger Lehrerverein in Blankenburg ein. Am 29./30. September nahm er mit gleicher Zielsetzung an der Eisenacher Lehrer- und Erzieherversammlung teil und begann Mitte Oktober dann den bis Mai 1849 dauernden Ausbildungskurs für Kindergärtnerinnen und Erzieher in Dresden, der ebenfalls der weiteren Ausbreitung des Kindergartens dienen sollte.

Friedrich Wilhelm August Fröbel

In diesem Sinne ist FRÖBEL also durchaus ein „politischer" Pädagoge gewesen: Die Revolutionsjahre 1848/49 veranlassen ihn zu intensiver Öffentlichkeitsarbeit. FRÖBEL steht ganz im Banne der äußeren gesellschaftlichen Veränderungen, die ihm den Spielraum für die nationale Etablierung seiner Pädagogik „sphärischer" Erziehung weiten. In dieser Zeit reflektiert FRÖBEL auch des öfteren über den Zusammenhang von Pädagogik und Politik, aber nicht in Form von systematischen Analysen, sondern in sporadischen Klärungsversuchen in seinen Briefen. Das inzwischen vollständig erschlossene Briefmaterial erlaubt die Rekonstruktion von FRÖBELs Selbstverständnis der Beziehung von Politik und Pädagogik zur Revolutionszeit 1848/49 in diesen Briefen. Diese zeigen, das Ergebnis sei hier vorweggenommen, eine deutliche Dominanz des Pädagogischen in Relation zum Politischen.

So ergibt sich die *These*: FRÖBEL hat zwar die politischen Veränderungen 1848/49 zunächst begrüßt und den bildungspolitischen Spielraum für die Ausbreitung des Kindergartens als Teil seiner „Deutschen Volks- und Nationalerziehung" durch eine aktive Öffentlichkeitsarbeit (Lehrer- und Erzieherversammlungen, Petitionen, Ausbildungskurse) genutzt. Diesem „politisch" *handelnden* Pädagogen FRÖBEL stehen aber zahlreiche *Reflexionen* FRÖBELs in seinen Briefen entgegen. Diese zeigen ein anderes Bild: FRÖBEL instrumentalisiert nicht nur die politischen Veränderungen seiner Zeit. Er findet für diese durchaus auch kritische, ja ablehnende Kennzeichnungen. Pädagogik hat eben auch in dieser Zeit für FRÖBEL uneingeschränkte Präferenz. Dies zeigen auch seine systematischen Klärungsversuche der Relation von Pädagogischem und Politischem in den Briefen. Diese führen aber nicht zu einem präzise definierten und kontinuierlich verwendeten Begriff des „Politischen". Die Beziehung FRÖBELs zum Jahr 1848 stellt sich also als eine *ambivalente Größe* heraus: Handelnd verhält sich FRÖBEL als „politischer" Pädagoge. In seinem Denken aber überwiegt die Pädagogik. „Sphärische" Erziehung bringt generell wahre Humanität, den Menschen in seinen Wesensmöglichkeiten, hervor. Sphärische Erziehung bedarf nicht unbedingt der demokratisch-republikanischen Staatsverfassung, sondern vermag etwa auch in der Monarchie wirksam zu sein. „Freiheit" ist bei FRÖBEL zunächst ein Grundbegriff der Theorie der sphärischen Erziehung, erst sekundär ein politischer Begriff. Das gilt auch für den Begriff „Einigung", der bei FRÖBEL eine völlig andere, nämlich pädagogisch-anthropologische Bedeutung als in der Optik der nationalliberalen Revolutionäre im März 1848, besitzt. Für FRÖBEL ist daher auch die politische „Einigung" aller Deutschen in einem Nationalstaat sekundär in Relation zur sphärephilosophischen „Lebenseinigung".

Aus der These bzw. dem Forschungsproblem ergeben sich die folgenden vier Teile: Zunächst wird der Forschungsstand umrissen (I). Dann werden FRÖBELs Reflexionen zur Nationalerziehung (Keilhauer Werbeschriften 1820/23), zur Junirevolution („Grundzüge der Menschenerziehung" 1830/33) und zum Staat („Erneuung des Lebens fordert das neue Jahr 1836"/1835) zusammengefaßt (II). In einem weiteren Schritt werden anhand des unveröffentlichten handschriftlichen Briefmaterials von 1848/49 FRÖBELs Aktivitäten, vor allem aber seine Reflexionen über Pädagogik und Politik analysiert, also hermeneutisch FRÖBELs Auffassung der Beziehung von Pädagogik und Politik bzw. FRÖBELs Präferenz für das Pädagogische in diesem Quellenmaterial nachgewiesen (III). Abschließend wird nochmals das grundsätzliche Problem des „politischen" FRÖBEL diskutiert (IV).

I. Forschungsbericht

Die Beziehung FRÖBELs zur Märzrevolution ist bis vor kurzem kaum Gegenstand der Forschung gewesen. Vor KÖNIGs ausführlicher Untersuchung Mitte der 80er Jahre (KÖNIG 1984/87, bes. KÖNIG 1985) bietet die Fröbelforschung nur in geringem Maße Aussagen zu dieser Thematik (vgl. HANSCHMANN 1874, S. 351 ff.; PRÜFER 1920, S. 95 ff.; HOFFMANN 1951, S. 175 ff.; MUNDORF u.a. 1952, S. 122 ff.; SCHUFFENHAUER 1962, S. 59 f. und BOLDT/EICHLER 1982, S.109 ff.).[1]

Das spielpragmatische wie das geisteswissenschaftlich-biographische Interesse an FRÖBELs Werk verhinderte die genauere Erforschung der gesellschaftlich-zeitgeschichtlichen Kontexte der Pädagogik FRÖBELs. Diese beiden Forschungstrends werden erst durch die Fröbel-Historiographie der DDR bzw. durch die Ausweitung des geistesgeschichtlichen Interpretationsansatzes durch die sozialhistorische Perspektive in Westdeutschland überwunden.

---

[1] Diese zunächst verwunderliche Tatsache läßt sich begründen. Die Rezeption FRÖBELs im 19. Jahrhundert wird bestimmt durch die weltweite Fröbelbewegung, die sich pragmatisch-handlungsstrategisch vor allem auf die Spielpädagogik FRÖBELs konzentriert, um die Institution „Kindergarten" zu legitimieren. Dagegen treten die persönlich-biographischen und gesellschaftlich-zeitgeschichtlichen Kontexte der Spielpädagogik FRÖBELs wie überhaupt FRÖBELs Pädagogik als systematischer und wissenschaftstheoretischer Gesamtzusammenhang zurück. Im 20. Jahrhundert bilden sich parallel zur reformpädagogisch-entwicklungspsychologischen Überformung der Kindergartenpädagogik FRÖBELs erste Ansätze der historisch-quellenkritischen Erforschung seiner Pädagogik heraus, die dann, geisteswissenschaftlich fundiert, in den 20er und 30er Jahren, auch noch zur NS-Zeit (vgl. HEILAND 1997), neben quellenkritischen Teileditionen durch HALFTERs biographische Arbeiten (HALFTER 1930 und 1931) zu einem Höhepunkt biographischer Fröbelforschung führen.

Die eigentliche Bilanz der biographischen Fröbelforschung der DDR bietet KÖNIG mit seiner umfangreicheren Untersuchung: „Friedrich Fröbels Verbindungen zur kleinbürgerlichen Demokratie in der ersten Hälfte des 19. Jahrhunderts" (KÖNIG 1984/87). Diese Untersuchung greift zeitlich weit über die Jahre 1848/49 hinaus und will im Grunde den „politischen" FRÖBEL in seiner Gesamtheit, also auch während der Berliner und Keilhauer Zeit FRÖBELs bzw. im Vormärz bis zum Kindergartenverbot von 1851 darstellen. In dieser Breite war bislang das Leben FRÖBELs, seine Beziehungen zu politischen Gruppierungen, sozialhistorisch noch nicht erfaßt worden. Für die Fröbelforschung bedeutsam sind neben den neu erschlossenen FRÖBEL-Briefdokumenten (aus den Archiven BN und BIM) zahlreiche Berichte und Zeugnisse von Zeitgenossen FRÖBELs.

Mit dieser Untersuchung, seinem späten Hauptwerk, knüpft KÖNIG an frühere Arbeiten zur Nationalpädagogik FRÖBELs an (KÖNIG 1959), deren Ergebnisse nun im Kontext neuer Quellen diskutiert werden (vgl. KÖNIG 1984, S. 53 - 63). So vergleicht KÖNIG in diesem Zusammenhang FRÖBELs „gesellschaftskritischen" Text „Erneuung des Lebens fordert das neue Jahr 1836" mit der Schrift des Burschenschaftlers KARL FOLLEN: „Plan einer deutschen Bildungsanstalt in Nordamerika" von 1819 und stellt fest: „Aber im Gegensatz zu dieser Schrift zeigte Fröbel hier nochmals, daß die von ihm angestrebte bürgerlich-demokratische Nationalerziehung nur als ein- und untergeordnet in seine humanistischen und demokratischen Grundauffassungen von der 'entwickelnd-erziehenden Menschenbildung' gesehen werden kann" (KÖNIG 1984, S. 62).

Diese durchaus angemessene, den Primat des Pädagogischen bei FRÖBEL unterstreichende Einschätzung des Verhältnisses von Pädagogik und Politik bei FRÖBEL hält KÖNIG aber nicht durch, obwohl er noch mehrmals diesen Primat des Pädagogischen bei FRÖBEL betont (vgl. HEILAND 1991, S. 440 f.). In seinem Schlußkapitel „Der politische Fröbel – der weithin unbekannte Fröbel" (KÖNIG 1987, S. 110 - 117) dominiert dann doch das marxistische Erkenntnisinteresse, werden die eigenen Ergebnisse neu gewichtet. Aus dem am politischen Leben seiner Zeit aktiv teilnehmenden FRÖBEL wird ein „politischer" Pädagoge, der durch die „kleinbürgerliche" „Klasse" „determinierte" FRÖBEL:

„Friedrich Fröbel war ein von seiner Grundanschauung der entwickelnd-erziehenden Menschenbildung und auf ihre Umsetzung im Kindergarten *besessener* Pädagoge. Ziele, Inhalt und Methode seiner Theorie und Praxis waren in Opposition zu den herrschenden Auffassungen und Praktiken demokratisch *determiniert*. Er reihte sich schon damit als *politischer* Pädagoge in die weitgefächerte kleinbürgerlich-demokratische Bewegung in der ersten Hälfte des 19. Jahrhunderts ein – mit ihr deren Stärken und Schwächen teilend" (KÖNIG 1987, S. 110).

Daß KÖNIG in ganz erheblichem Maße das gesellschaftliche Umfeld der pädagogischen Tätigkeit FRÖBELs aufgehellt, also erfolgreich mentalitätsgeschichtlich gearbeitet hat, ist unbestreitbar. Insofern stellt seine Analyse einen erheblichen Erkenntnisfortschritt zum Thema des „politischen" Pädagogen FRÖBEL dar. Mit der ideologischen Etikettierung der eigenen Befunde gerät KÖNIG allerdings in die mißliche Situation, seinen eigenen Untersuchungsergebnissen nicht mehr gerecht zu werden. Damit wiederholt auch er, trotz Betonung der Relativität des Quellenmaterials und eines breiteren „Erbe"-Begriffs (KÖNIG 1987, S. 116), in gewisser Weise erneut die Problematik der früheren DDR-Fröbelrezeption. Diese nahm FRÖBELs Pädagogik und Biographie in ihrer Quellenbasis nur unzulänglich wahr bzw. klammerte bestimmte Teile der Pädagogik (etwa die Sphärephilosophie FRÖBELs) einfach aus und stellte dann die unangemessen und nicht in ihrer ganzen Breite erfaßte Pädagogik FRÖBELs in einen geschichtlich-gesellschaftlichen Kontext, dessen Maßstab und Kriterium die orthodoxe marxistisch-leninistische Geschichtsdeutung war, welche die Produktivität der geschichtlichen Persönlichkeit zugunsten klassenspezifischer Massenbewegungen einebnete und funktionalisierte.[2]

So wirkt KÖNIGs Untersuchung in Ansatz und Ergebnis ambivalent. Als Spezialuntersuchung zum „politischen Fröbel" zeigt sie trotz vielfacher editorischer und systematischer Fortschritte in den Details eben wie die vorausgehenden Fröbelbiographien, daß das Thema „Fröbel und die Revolution" noch nicht genügend erforscht ist. Es fehlt eine Analyse des Selbstverständnisses FRÖBELs vom Politischen. Dieses Defizit verweist ferner auf das Problem des Quellenmaterials.

II. FRÖBELs Bruchstücke einer Theorie des Politischen

FRÖBEL hat keine systematische Theorie des politischen Lebens geschrieben. Seine Äußerungen zur Nationalerziehung der Keilhauer Werbeschriften (1820/23), zur Junirevolution 1830 in den „Grundzügen der Menschenerziehung" (1833) und über den Staat: „Erneuung des Lebens

[2] Diese Ideologisierung zeigt KÖNIG deutlich im letzten Teil seiner Untersuchung. Dort notiert er z. B. in einer Anmerkung: „Die hier [im BN 50] als korrigierte Reinschrift enthaltene 'Denkschrift' [„Zweite und weitere öffentliche Erklärung in der Friedrich Fröbel'schen Angelegenheit und in der Sache der Kindergärten für die Freunde derselben wie für das prüfende Publikum. Eine Denkschrift"] ist wohl die bedeutendste Ausführung über die philosophische (pantheistische) Grundlegung seines [sc.: Fröbels] gesamten Werkes, das er mit großem Einsatz verteidigt" (KÖNIG 1987, S. 102). Aber bei dieser Bemerkung bleibt es dann. Denn auf dieses „bedeutendste" Dokument FRÖBELs vom Oktober 1851 geht KÖNIG bei seiner Analyse des „politischen Fröbel" überhaupt nicht ein. Dieses Dokument entspricht nicht KÖNIGs primärem Erkenntnisinteresse, obwohl dessen Bedeutung für FRÖBELs pädagogisches Selbstverständnis von KÖNIG durchaus erkannt wurde.

fordert das neue Jahr 1836" (1835) kann man höchstens als eine fragmentarisch gebliebene Lehre des Politischen bezeichnen. Diese Bruchstücke einer politischen Theorie bleiben zwar unverbunden. Die Pädagogik sphärischer Erziehung stellt aber deren „roten Faden" dar. Mit einer vorkritischen, metaphysisch und theologisch begründeten Erziehungsphilosophie bezieht sich FRÖBEL auf die gesellschaftlich-politische Situation seiner Zeit.

Seine Philosophie des „Sphärischen" hat FRÖBEL 1811 in ersten Umrissen bestimmt und dann vor allem in seiner Schrift „Durchgreifende, dem deutschen Charakter erschöpfend genügende Erziehung ist das Grund- und Quellbedürfnis des deutschen Volkes" (1821) genauer dargestellt. Es handelt sich um ein christlich wie pädagogisch geprägtes metaphysisches Weltbild. Die absolute Einheit (Gott) bringt den Kosmos, Welt als „Schöpfung" hervor. Jedes Seiende (Dinge, Pflanzen, Tiere, der Mensch) ist Kreatur Gottes, enthält als „Wesen" „Göttliches", den göttlichen „Funken" als Einheit, den es in „Mannigfaltigkeit" und „Einzelnheit", also in der Differenziertheit seiner Einzelgestalt ausbildet. Dabei verweist diese sichtbar gewordene „Einheit" als relative, bezügliche Einheit auf die absolute Einheit (Gott). Das Sein bzw. Leben des Seienden ist also selbst schon re-ligio, Rückbindung, Verweis auf Gott. Diese Rückbezüglichkeit der relativen Einheit auf die absolute Einheit ist das Sphärische. Alles Seiende ist in seinem Sosein schon sphärisch. Der Mensch ist in doppelter Weise sphärisch, indem er diese Rückbezüglichkeit nicht nur selbst lebt, sondern sie bewußt zu leben und als allgemeines Gesetz philosophisch zu erfassen vermag (oder aber dieses Bewußtsein nicht entwickelt). Dieses sphärische Potential *bei jedem Menschen* zu entfalten ist nun die Aufgabe der Erziehung. Sie ist damit „Menschenerziehung", Erziehung des Menschen, *jedes* Menschen als Hinführen und Hinweisen auf sein sphärisches Sein, das bewußt gelebt werden soll. Erziehung mündet in re-ligio, die identisch mit Philosophie (Wissenschaft) ist. Insofern verbindet FRÖBEL in der Sphärephilosophie seine christlichen, pädagogischen und naturwissenschaftlichen Erfahrungen. Er besitzt daher einen negativen und positiven Begriff von Freiheit. Der negative (theologische) Begriff besagt: Der Mensch besitzt die Freiheit, ohne re-ligio, ohne Selbst- und Gottes-Bewußtsein zu leben. Der positive (pädagogische) Begriff von Freiheit besagt: Erziehung regt die Einsicht in das sphärische Wesen alles Seienden an, bringt den heranwachsenden Menschen zum Bewußtsein seiner selbst als sphärischem Wesen und zum Wissen um die grundsätzliche sphärische Verfaßtheit der Wirklichkeit, der Natur. Erziehung wird so zur sphärischen Erziehung, indem sie den heranwachsenden Menschen auf seine eigentliche Freiheit, seine Bindung an Gott, seine Festgelegtheit auf die re-ligio, auf das „Gesetz" des Sphärischen, hinweist. Sphärische Erziehung bedeutet also: Entwicklung *aller* leiblichen, psychischen und geistigen Kräfte *jedes* Menschen durch die Bereitstellung entsprechender Anregungspotentiale wie Spielmaterialien, Beschäftigungsmittel, unterrichtliche Sachbegegnungen und kulturelle Orientierungen (vgl. HEILAND 1998a, S. 202 ff.).

Eine so fundierte Erziehungskonzeption muß gesellschaftliche Rahmenbedingungen ausdünnen. FRÖBEL nimmt die konkrete politisch-soziale Situation seiner Zeit nur mediatisiert wahr: Gesellschaftlich-beruflich notwendige Funktionen werden von ihm zwar nicht geleugnet, rücken aber an die Peripherie bzw. werden ins „Menschheitliche" vertieft. „Standeserziehung" wie "Nationalerziehung" sind daher bei FRÖBEL vor allem „Menschen-Erziehung".

Hier geht er mit dem Zeitgeist des Neuhumanismus konform und lehnt indirekt die Berufs- und Gesellschaftspragmatik der Aufklärungspädagogik ab. Die entscheidenden pädagogischen Impulse erhielt FRÖBEL von PESTALOZZI. Zur Philosophie des Politischen hat er von FICHTE wie von ARNDT erhebliche Einflüsse erfahren. ARNDT setzt in „Germanien und Europa" (1803) das „Volk" dem „Staat" gegenüber. Das Volk ist ein durch gemeinsame Sprache, Traditionen, Sitten und Bräuche bestimmter, von Gefühl und Emotionen („Gemüt") geprägter „Organismus". Hingegen ist der Staat ein künstliches Gebilde, Ausdruck des „Geistes": Die Französische Revolution ist Ausdruck dieses modernen Staatsdenkens, das Rationalität, aber auch Egoismus, „Entmenschung und Inhumanität" hervorbringt (ARNDT 1803, S. 174). Doch ist die generelle Bedeutung des Staates nicht zu leugnen. So ist der positive Staat zu fordern. Dieser legitimiert seine Gesetzgebung vor dem Volk. Das Volk bejaht den Staat durch „Vaterlandsliebe" und die „Freiheit" des einzelnen. ARNDT geht es um die im Nationalen gelebte Humanität, um das Menschsein im Volkhaften. Erziehung ist bei ARNDT daher Menschenerziehung durch Nationalerziehung.

Auch wenn FRÖBEL selbst eine direkte Übernahme von ARNDTs Auffassung der Nationalerziehung nicht vornimmt, liegen teilweise Übereinstimmungen vor. Dies gilt vor allem für die Differenz von „Menschenerziehung" und „Nationalerziehung". Dies gilt auch für den Begriff der Revolution. Die „Grundzüge der Menschenerziehung" (1830/33) zeigen am deutlichsten FRÖBELs Auffassung von Revolution.

FRÖBEL bekennt, man lebe gegenwärtig in „der das Innerste wie das Aeußerste erregenden, in der den Menschen in seinem innersten Empfinden und Denken wie in seinem äußersten Handeln gewaltsam erfassenden Zeit, in der Zeit, welche dem Menschen das eigene wie das fremde, das einzelne wie das Familien- und Volksleben, das häusliche Leben wie das öffentliche zur Prüfung vorführt; in der Zeit, welche den Menschen auf das unerläßlichste zur Erkenntnis und Anstrebung seiner Einigung mit Natur, Menschheit und Gott hinführt" und fordert auf, die Bedeutung der Erziehung zu erkennen. Denn „wir würden [sonst] dieser empfangenden, erzeugenden und gebärenden, dieser neu gestaltenden Gegenwart nicht würdig sein [...] wenn wir engherzig und durch Seitenblicke eingeschüchtert der großen Zeit- und Weltoffenbarung nicht Organ sein, wenn wir der stummen, aber gewaltig durch Zeichen redenden nicht Menschensprache geben wollten, da sie immer nur das *Eine* sagt: könnt und vermögt ihr, ihr doch immer sinnenden und denkenden, ja klügelnden Deutsche, könnt und vermögt ihr nicht mehr im Einklange mit der Welt und der Menschheitsentwicklung nach den von Gott selbst in der Natur niedergelegten Gesetzen, nach der Stimme der Weltgeschichte und nach dem Gange Gottes in der Entwicklung der Menschheit, des Menschheitsgeistes euch zu bilden, zu erziehen, so bildet und erziehet doch eure Kinder nach diesen von Gott selbst geschriebenen Erziehungsbüchern" (FRÖBEL 1833 / ZIMMERMANN 1913, S. 277 f.).

Die politischen Zielsetzungen der Junirevolution greift FRÖBEL hier also überhaupt nicht auf. Revolution ist für ihn vielmehr Indiz für einen Epochenwechsel, der Anbruch einer „höhere[n] Entwicklungsstufe" der „Menschheit", wo das „Leben endlich seiner steinernen, gefesselten, mechanischen Gestalt entbunden, von ihr gelöst" wird. Von der politischen Umbruchsituation erhofft sich FRÖBEL die Realisierung pädagogischer Reformen. Sie macht radikale Änderungen im Bereich der Erziehung und ihrer Institutionen möglich. Und ausschließlich um diese *radikalen pädagogischen Veränderungen* geht es FRÖBEL. Für FRÖBEL ist der durch Revolution zustande gekommene gesellschaftliche Zustand der 'äußere Rahmen', in dem sich die stets *revolutionäre*, weil *„radikal"* definierte Erziehung als „sphärische" Erziehung verwirklicht. FRÖBEL bezieht seine Pädagogik also im Grunde gar nicht direkt auf einen bestimmten gesellschaftlichen bzw. politischen Zustand. Er strebt keine „Standes"-, „Klassen"- oder schichtspezifische Erziehung an. Er will auch nicht zum „Bürger" erziehen. Seine Erziehung hebt auf den „Menschen" ab, ist „Menschenerziehung" bzw. „erziehend-entwickelnde Menschenbildung". „Revolution" ist nicht mehr und nicht weniger als die situative Öffnung gesellschaftlicher Verhältnisse für die allgemeine Realisierung sphärischer Erziehung. Aber sie *unterstützt* nur die Erziehung zum Sphärischen, die Entfaltung der Kräfte des Menschen. Sie selbst bringt aber das sphärische Wesen des Menschen nicht hervor. Der Mensch ist zunächst und zutiefst bei FRÖBEL ein durch Erziehung zustande gekommenes „sphärisches" Wesen, erst sekundär und nachrangig zoon politikon.[3]

---

[3] Nach dem derzeitigen Forschungsstand ergibt sich überhaupt eine generell geringe Verwendung des Begriffs „Revolution" in FRÖBELs Schriften und Briefen. So zeigt die Durchsicht des Briefmaterials, daß FRÖBEL insgesamt viermal von „Revolution", allerdings in ganz unterschiedlichen Kontexten, spricht. An WEISS gebraucht FRÖBEL 1813 den Begriff geographisch (F. an WEISS v. 8.12.1813 / GNM Bl 64). Der Redaktion der „Dorfzeitung" schreibt FRÖBEL 1851 sehr vage von der „Zeit", „wo für mich weder das Wort Revolution, noch die Sache selbst weder *Demagogie* noch *Demokratie* [...] noch weniger *Communismus* und *Socialismus* usw. geboren waren" (F. an Dorfzeitung v. 28.8.1851 / BIM XXI,7e, Bl 361R), läßt also die Bedeutung des Begriffs offen. KRELL schreibt er am 12.5.1849: „Jetzt habe ich mich aber eben an einen Ort hinbegeben wo eine zu fürchtende Revolution gewiß am spätesten wenigstens in ihren graußigen Seiten eintreten wird" (Brief an RICHARD KRELL v. 12.5.1849 / BIM XXVII, Verschied. Briefe II, 36,1). „Revolution" hat hier die Bedeutung gewaltsamer politischer Reaktion. Am deutlichsten hat FRÖBEL 1844 einen positiven Begriff von „Revolution" formuliert. Im Brief an MIDDENDORFF und BAROP spricht er von der „Idee" der „Französischen Revolution", vom „neuen Kleide der Selbstbeherrschung durch das Bewußtseyn der Selbst- und Menschenwürde ihren Rechten, Pflichten, Forderungen und Gaben" (Brief an MIDDENDORFF/BAROP v. 18.11.1844 / KN 56, 5 - 5R). Dabei bezieht der sphärephilosophische Kontext des Briefes diese positive Be-

Für die weitere Analyse von FRÖBELs Lehre des Politischen sind vor allem seine beiden Schriften „An unser deutsches Volk" (1820) und „Durchgreifende, dem deutschen Charakter erschöpfend genügende Erziehung ist das Grund- und Quellbedürfnis des deutschen Volkes" (1821) von Interesse, weil sie die Beziehung von Einzelmensch und Staat präziser diskutieren und damit ein weiteres wichtiges Bruchstück der politischen Theorie FRÖBELs sichtbar werden lassen.

In der Werbeschrift „An unser deutsches Volk" (1820) beschreibt FRÖBEL die Gebundenheit des einzelnen Menschen an die Familie, den „Stamm", das „Volk", aber auch an den Staat. (Im Gegensatz zu ARNDT geht FRÖBEL 1820/21 von einem positiven Staatsbegriff aus.) Den biologisch-emotionalen Bindungen an Familie und Stamm entspricht die Geprägtheit durch das Volk, durch die gemeinsame Sprache. Alle diese Prägungen und Bindungen gilt es aber durch sphärische Erziehung nicht aufzulösen, sondern bewußt, transparent zu machen, so daß diese Beziehungen bejaht und bewußt, das heißt, in „Freiheit" gelebt werden. Dies gilt auch für die Beziehung des einzelnen Menschen zum Staat, also für das politische Handeln (ZIMMERMANN 1914, S. 131).

Zur „Humanität" als Ziel der sphärischen Erziehung gehört das „Zutrauen". Das „Zutrauen" ist die entscheidende *pädagogisch-politische Kategorie* FRÖBELs in dieser Schrift. Dieser Grundbegriff lehnt sich an den naturwüchsigen, durch Emotionalität besetzten Status der Familienmitglieder zueinander an, wo das Vertrauenkönnen eine selbstverständliche Größe ausmacht. Dieses Modell überträgt FRÖBEL auf den gesellschaftlich-politischen Bereich. FRÖBEL bezieht hier die politischen Erfahrungen seines kleinen thüringischen Heimatfürstentums Schwarzburg-Rudolstadt mit ein, wo die Fürstin als „Landesmutter" die damit verbundene Emotionalität und Bindekraft repräsentiert *und* lebt. Dieses „Zutrauen" bedarf der einzelne wie auch die „Gesamtheiten" Familie, Stamm, Volk und Staat. Zutrauen ist emotionale Bezüglichkeit, schließt aber auch das Wissen um Pflichten und Rechte mit ein. Das Volk bindet den einzelnen indirekt über Familie und „Stamm", direkt durch „Festhalten der Sitte, Festhalten des Volkstums und der Volkstümlichkeit zur Festhaltung innerer Einigkeit". Indem der einzelne diesen Forderungen entspricht, hat er Zutrauen zum „Volk" (ZIMMERMANN 1914, S. 133 ff.). Das „Zutrauen" postuliert FRÖBEL aber auch bei der Beziehung des einzelnen zum Staat. Denn der Staat ist nach FRÖBEL eine „mit Überlegung [...] *mit Freiheit gewählte Vergesellschaftung*" (Hervorhebung H.). Der Staat hat sein Dasein „durch gegenseitiges Übernehmen von Obliegenheiten und Pflichten erhalten, durch das Erkennen und Anerkennen der Wahrheit, daß alles echte, wahre und unverkümmerte Bestehen nur im lebendigen Wechselverhältnisse zwischen Teil und Ganzem begründet sei". Der Staat muß seine Autorität und Verpflichtungen legitimieren: „Gehorsam setzt schon voraus, daß ich etwas höre; Pflichten setzen voraus, daß etwas zu pflegen sei; Hingabe setzt Zutrauen, Opferung setzt ein Unsichtbares, Ewiges voraus. Also findet und erkennt er [der einzelne Mensch] [...] daß Lehre, Unterricht, Erziehung wieder das

stimmung lediglich auf die Ideen der Französischen Revolution, lehnt aber eindeutig den faktischen Verlauf dieser Revolution ab.

Quellbedürfnis des Staates ist, daß die erste und letzte Forderung des Staates die Erziehung für Zutrauen ist" (ZIMMERMANN 1914, S. 136 f.).

Nach FRÖBEL handelt es sich beim „Staat" um eine durch menschliche „Vernunft" konstitutierte Institution, an der jeder einzelne als Vernunftwesen beteiligt ist. Dem „vernünftigen" Handeln des Staats entspricht das „vernünftige" Handeln des einzelnen. Insofern vermittelt der positive Staat dem einzelnen das „Zutrauen" zu sich, zur „Menschheit" und zu Gott. Die Staatsvernunft weist zurück auf die Vernunft des einzelnen und verweist auf die Kumulierung der Vernunft in der Menschheitsgeschichte bzw. auf den sich dadurch aussprechenden Ursprung der Vernunft (Gott). Der Gang der Geschichte geht also zur „Vernunftherrschaft". Interessant sind bei diesen Hegelschen Affinitäten doch zugleich die liberalen Töne bei FRÖBEL. Der einzelne ist dem Staat in „Gehorsam", „Hingabe", ja „Aufopferung" inkorporiert, dies aber „in Freiheit", weil er kraft seiner Vernunft die staatliche Vernunftherrschaft mitkonstituiert bzw. bewußt bejaht. „Gehorsam" setzt 'Hörenswertes' voraus, verpflichtende Hingabe verlangt das Vorhandensein von Pflegenswertem. Aufopferung setzt Opfernswertes voraus. Alle drei Argumente führen wieder auf den entscheidenden Punkt, auf die in der religio begründete Vernunftherrschaft des Staates zurück. Der Staat muß geradezu sphärische Erziehung um seiner selbst willen fordern bzw. diese unterstützen, weil diese der re-ligio verpflichtet ist, das gewünschte Zutrauen hervorbringt und damit den Staat selbst in seiner Vernünftigkeit legitimiert, ja erneut konstituiert. Ganz eindeutig steht also der *einzelne* bei FRÖBEL in einem *prinzipiell gleichwertigen Verhältnis zum Staat*. Beide bedürfen einander. Beide konstituieren sich durch den jeweils anderen in der Mediatisierung durch die sphärische Erziehung. Der Vernunftstaat gewährt der Pädagogik den Spielraum zur Realisierung der „entwickelnd-erziehenden Menschenbildung", ermöglicht so, daß der einzelne durch sphärische Erziehung zu seinem Selbstsein gelangt und gewinnt diesen dann zugleich als bewußtes Teil, als Vernunftmitglied seiner selbst. Diese Beziehung von politischem Leben, sphärischer Erziehung und Einzelexistenz ist also Zentrum von FRÖBELs normativer Lehre des Politischen. Diese ist normativ, weil sie nicht bestehende Ausprägungen des Staats beschreibt, sondern den wünschenswerten, auf „Humanität" abhebenden Vernunftstaat fordert. Dieser aber kommt nur durch sphärische Erziehung zustande.

Um den Staatsbegriff FRÖBELs abzurunden bzw. seine politische Theorie zu ergänzen, sollen zwei Aspekte aus der zweiten Keilhauer Werbeschrift sowie einige Zusammenhänge aus der Schrift „Erneuung des Lebens" noch mit einbezogen werden. Die soeben gewonnene Grundformel FRÖBELs für das Politische verändert sich dadurch allerdings grundsätzlich nicht.

In der Schrift „Durchgreifende, dem deutschen Charakter erschöpfend genügende Erziehung ist das Grund- und Quellbedürfnis des deutschen Volkes" (1821) definiert FRÖBEL die politischen Begriffe „Herrschaft" bzw. „Unabhängigkeit" (Freiheit) sphärephilosophisch:
„Herrschaft ist da, wo alle Dinge erkannt und ihrem Wesen nach geachtet und behandelt werden. [...] Das Streben nach Herrschaft ist nicht ein Streben nach Herrschaft an sich, sondern nur nach beziehungsweiser Herrschaft (oft Knechtschaft in anderer Beziehung); wäre es auch nur ein Streben nach dem, woraus alles, was als Herrschaft erscheint, hervorgeht, so wäre es schon ein Streben nach Herrschaft der ewigen Vernunft, des klaren, reinen, des heiligen Geistes, des Geistes Gottes; denn nur das Ewige, Bleibende, Unvergängliche kann herrschen; so wäre es wieder ein Streben nach Bildung des Geistes und des Körpers, als Werkzeug dieses Geistes (Hieraus geht deutlich, was wahre Volksherrschaft ist, hervor)". „Unabhängigkeit ist da, wo ein das Wesen alles Irdischen erkannt habender, sich bewußt gewordener Geist in einem zum tüchtigen Werkzeug desselben ausgebildeten Körper wohnt [...]. Das Streben nach Unabhängigkeit" ist „ein Streben nach Unabhängigkeit des Geistes, als des Ewigen, Göttlichen im Menschen von dem Vergänglichen, Irdischen, Zeitlichen, so wäre es ein Streben nach Bildung des Geistes und des Körpers, als Organ dieses Geistes. (Hierdurch spricht sich klar das Wesen wahrer Volksfreiheit aus)" (ZIMMERMANN 1914, S. 168 f.).

FRÖBEL sieht die politische Bedeutung beider Begriffe, formuliert sie aber sphärephilosophisch um. „Herrschaft" ist letztlich Bewußtsein, das Wissen um die sphärische Verfaßtheit alles Seienden. FRÖBEL spricht von „Vernünftigkeit". „Vernünftigkeit" ist aber ein Begriff der re-ligio, der Sphärephilosophie, meint nicht die totale Weltbemächtigung durch den Menschen, nicht die Herrschaft der Subjektivität, sondern die Akzeptanz von Wirklichkeit als göttlicher „Schöpfung". „Wahre Volksherrschaft" im Fröbelschen Sinne ist dann das Bewußtsein jedes Mitgliedes dieses Volkes um die sphärische Verfaßtheit von Wirklichkeit. Das bedeutet zugleich die „Unabhängigkeit", die „Freiheit" des einzelnen Menschen, dessen sphärephilosophisch gebildeter Geist in einem trainierten Körper wohnt, der ihn zum Philosophieren befähigt, nicht davon abhält. „Wahre Volksfreiheit" ist dann die entsprechende sphärische Existenz eines jeden Mitglieds dieses Volkes und damit des Volkes selbst.

In der Schrift „Erneuung des Lebens fordert das neue Jahr 1836" umreißt FRÖBEL 1835 nochmals sein normatives Modell des Staates und setzt dieses in Kontrast zur bestehenden staatlichen Realität. Im Mittelpunkt dieser Schrift steht die „Familie".

FRÖBEL geht nicht vom einzelnen Menschen aus, sondern von der Familie in ihrer Grundstruktur von Mann (Vater), „Weib" (Mutter) und Kind (Sohn, Tochter). Dabei verwendet FRÖBEL nun den Begriff des „Gliedganzen". Er setzt die Familie in Bezug zur „Menschheit". Dies geschieht über die Vermittlung durch Volk (Sprache) und Staat. Unter „Staat" versteht FRÖBEL die Einheit von Familie, Land und Volk mit jeweils spezifischen Integrationsleistungen. Die Familie erreicht ihre eigentliche Zielsetzung, das „Veräußerlichen", das produktive Darstellen ihres Wesens, ihres Sphärischen, nur dann, wenn sie nicht nur in das Volk als dessen Teil („Gliedganzes") integriert ist, sondern wenn das Volk sich im Staat, in dessen „Grundgesetz", seine Lebensgesetze konkretisiert, dieses Grundgesetz seine, des Volkes, Gesetze und Regeln manifestiert. Das ist zunächst eine klare Forderung nach Volksherrschaft (Demokratie). Ist es dem Volk aber nicht gelungen, seine Lebensgesetze in der Institution Staat zu kodifizieren, so muß die Familie ihr sphärisches Leben in der Weise realisieren, daß sie als Teil des Volkes immerhin *„allseitige Entfaltung ihres Wesens und freien Gebrauch ihrer Kräfte als mehrseitigem Gliedganzen gewährendes"*, aus sich entwickelt (LANGE 1863, S. 525).

FRÖBEL legt zugleich eine Analyse der *bestehenden gesellschaftlichen Situation* vor. Diese ist ernüchternd, ja negativ und mündet in den Vorschlag, die Keilhauer Großfamilie, die schon sphärische Erziehung praktiziere und damit der menschheitlichen Zielsetzung der Familie entspreche, möge in die USA auswandern. Begründung: Weder finde die Familie in Deutschland das Staatsgrundgesetz vor als die Zusammenfassung der Lebensgesetze des Volkes, dessen Teil die Familie sei. Noch sei die einzelne Familie selbst imstande, als ein *„ursprünglich mehrseitig lebenvolles Gliedganze[s] [sich] allseitig frei- und selbsttätig aus sich entwikkeln und darleben [zu] können"*. Sie könne nicht „Mitbestimmerin des Staatsgrundgesetzes sein" (LANGE 1863, S. 528 f.).

Ganz offensichtlich variiert FRÖBEL in der „Erneuung des Lebens" (1835) seine Staatslehre von 1820/21. Er hebt die Familie als zentrale Instanz sphärischer Erziehung hervor. Der einzelne, in Familie, Verwandtenkreis (Geschlecht/Stamm) und Volk integriert, gelangt in der *Familie* zu seiner Wesensbestimmung. Diese Akzentuierung ergibt sich aus der pädagogischen Neuorientierung FRÖBELs auf den Bereich der Früherziehung bzw. auf das Spiel. Hingegen stand zur Keilhauer Zeit noch die pädagogische Entwicklung des einzelnen Heranwachsenden im schulischen Unterricht im Zentrum. Doch sind diese Akzentuierungen belanglos für die Wesensbestimmung von Volk und Staat, die im Text von 1835 mit den Festlegungen von 1820/21 übereinstimmen.

Das Volk ist durch Sprache, Sitte und Brauch, unbewußtes, gelebtes Leben bestimmt. Der (positive) Staat stellt das bewußtgemachte, in seiner „Vernünftigkeit" herausgearbeitete Leben des Volkes dar und ist insofern „Gegen-Bild", das „Entgegengesetztgleiche" zum Volk und dessen gemüthaft-emotionaler Geistigkeit. In beidem aber, im Volksleben, wie in der Staatsvernünftigkeit steckt das dynamische Element des Fortschreitens zur „Menschheit", zur Totalität der Vernünftigkeit. Einzelmensch, Familie, Volk und Staat stehen so mit gewissen Akzentuierungen in Gleichwertigkeit zueinander. Ihre gemeinsame Grundlage ist das Sphärische. Der Einzelmensch drängt zum Bewußtsein seiner selbst. Aber dieses Bewußtwerden geschieht in und durch die Familie bzw. in und durch die Traditionen des Volkes bzw. die Ordnungsstrukturen des

Staates, vor allem durch erziehenden schulischen Unterricht (Keilhau). Dieser sphärephilosophischen Dynamik beim einzelnen entspricht die emotionale Verfaßtheit der Familie (Zutrauen, Liebe), die ganze Breite der geschichtlichen Prägungen (Sprache, Tradition, Kultur) des Volkes und die Konstituiertheit des Staates in der Dynamik seiner Vernunft. Der Staat ist in FRÖBELs normativer Staatslehre das Gegenbild des Volks, bewußtgewordene Geistigkeit des gemüthaft-emotionalen Volkslebens, Rationalität, Vernünftigkeit, die aber an das Volkhafte gebunden bleibt. Der Staat wird durch das Volk hervorgebracht und durch die Vernünftigkeit des Einzelmenschen getragen und erneut konstituiert. *Der Staat hat keinen Selbstzweck, sondern ist Mittel für die Realisierung des „Wesens" des einzelnen Menschen als sphärisches Leben in der Familie bzw. im Umfeld des Volksganzen*. Dabei hebt die sphärische Erziehung auf die Selbstverwirklichung des einzelnen im Kontext von Natur, Volk (Nation) bzw. Staat ab, den sie im Fundament der re-ligio auf die „Menschheit" hin überschreitet. Diese national-volkhaften Voraussetzungen bzw. Bindungen gilt es dem einzelnen bewußt zu machen, so daß dieser sie bewußt bejahen kann. *Insofern geht es FRÖBEL letztlich um die Erziehung des einzelnen Menschen zum „Menschen" im gesellschaftlich-nationalen Kontext*. Die Dimension des „Nationalen" ist also eine wesentliche Kategorie von FRÖBELs Lehre des Politischen.

Bei der Einschätzung der *real existierenden Staatsformen* schwankte FRÖBEL übrigens zeitlebens in ganz erheblichem Maße zwischen konstitutioneller Monarchie und Demokratie (republikanische Verfassung).[4]

---

[4] In einem Tageblatt von 1821 verweist FRÖBEL auf die sphärische Grundlage des politischen Lebens wie der Erziehung und benennt hier deutlich die konstitutionelle Monarchie als gewünschte politische Struktur. Ganz offensichtlich ist das überschaubare, patriarchalisch konzipierte kleine thüringische Fürstentum Schwarzburg-Rudolstadt, FRÖBELs Heimat, wirksam: „Die sphärischen Gesetze sind die Gesetze der deutschen Volks- und Nationalerziehung, der deutschen Politik und des deutschen Volkstums. [..] In dem sphärischen Gesetz liegt das nur einzig haltbare politische System der konstitutionellen Monarchie d.h. der durch die gegenseitige Gesetzmäßigkeit bedingten" [Staatsform] (RINKE 1935, S.133 ff.). Diese Tendenz FRÖBELs zur konstitutionellen Monarchie läßt sich auch in anderen Briefdokumenten der 20er und 30er Jahre nachweisen. Diese Auffassung ändert FRÖBEL während seines Aufenthaltes in der Schweiz. Er entwickelt nun eine Präferenz für die republikanische Staatsverfassung. Aber in einem Brief von 1835 heißt es, beide Staatsverfassungen, Monarchie und Republik, seien „dem Wesen nach gleich vollkommen und unvollkommen" (Brief an BAROP v. 7.2.1835/KN 51). Beide Staatsverfassungen mißt FRÖBEL an der personalen Repräsentanz seines Heimatstaates sowie am Kriterium der Sphäre, also an der personalen, einheitsstiftenden Mitte, nicht an der grundrechtlichen Qualität beider Verfassungsformen. Sein Vergleich ist sphärephilosophisch, nicht politisch-

FRÖBELs Lehre des Politischen läßt trotz aller Bruchstückhaftigkeit einige Essentials erkennen. Ausgangspunkt ist die sphärische Verfaßtheit der menschlichen Existenz, die auf Bewußtheit und Entfaltung aller Kräfte beim einzelnen Menschen abhebt. Diese Einzelexistenz entfaltet sich im religiös begründeten Lebensraum von Familie, Stamm/Geschlecht und Volk (Nation) im Kontext von Natur und Staat. In diesem Lebensraum findet politisches Leben statt, das der Entfaltung des Sphärischen beim einzelnen Menschen dienen soll. Entscheidend ist sphärische Erziehung, die auf die Transparenz aller dieser Bezüge, zunächst beim einzelnen, abhebt. Das ist die normative, also utopische Dimension von FRÖBELs Lehre des Politischen. Mit dieser Auffassung der Beziehung von Politik und Pädagogik als Leitfaden soll nun anhand des Briefmaterials von 1848/49 FRÖBELs Beziehung zur Märzrevolution rekonstruiert werden.

III. Die Briefe FRÖBELs von 1848/49

Im Gegensatz zu KÖNIG, der in durchaus verdienstvoller Weise den gesellschaftlich-politischen Kontext dieses Lebensabschnitts FRÖBELs, FRÖBEL also gewissermaßen „von außen", erschlossen hat, geht es hier um das Selbstverständnis FRÖBELs von den Märztagen und den weiteren Veränderungen der Revolutionszeit 1848/49, wie es sich in seinen Selbstzeugnissen, vor allem in dem inzwischen vollständig erschlossenen Briefmaterial aus dieser Zeit spiegelt. Dabei werden in der folgenden Analyse aus Raumgründen nicht stets alle Briefdetails beschrieben und auch auf die Kennzeichnung quellenkritischer und editionsgeschichtlicher Kontexte verzichtet.

Von den 1848 verfaßten Briefen FRÖBELs sind 73 erhalten geblieben. Dazu gehört auch FRÖBELs Brief-Aufruf an die deutschen Frauen vom 16.6.1848 (PÖSCHE 1887, S. 199 - 205). Weitere relevante Texte stellen die „Einladung" zur Rudolstadter Lehrer- und Erzieherversammlung vom 1.6.1848 (HANSCHMANN 1874, S. 351 - 354) und die Petition der Rudolstadter Versammlung „An die deutschen Regierungen und den Reichstag zu Frankfurt" (MUNDORF 1952, S. 137 f.) dar. Da die „Einladung" zur Rudolstadter Versammlung wie auch deren „Petition" an die Nationalversammlung durch die Forschung bereits angemessen gewürdigt wurden, wird hier auf diese beiden Dokumente nicht eingegangen. Aus dem Jahre 1849 sind 95 Briefe (von vermutlich 110 verfaßten) erhalten geblieben.

---

grundrechtlich begründet. Für FRÖBEL ergibt sich die humane Qualität der Grundrechte aus der Praxis der sphärischen Erziehung.

Für KÖNIGs Interpretation, FRÖBEL sei ein vom „Kleinbürgertum determinierter" „politischer" Pädagoge, ist sein Umgang mit dem Quellenmaterial entscheidend.[5]
KÖNIG bezieht sich also ausschließlich auf Briefe FRÖBELs, die auf das politisch-gesellschaftliche Gegenwartsgeschehen der Märztage gerichtet sind. Und in der Tat: Diese Briefe zeigen deutlich FRÖBELs Außenorientierung und geben Einblick in sein mit der aktuellen politischen Lage befaßtes Bewußtsein. So können sie zum Beleg für den „politisch determinierten" FRÖBEL werden. Aber was steht in den anderen Briefen FRÖBELs aus diesem Jahr? Nach KÖNIGs Auffassung offensichtlich nichts Beachtenswertes. Sie können daher ausgeklammert werden! Aber auch diese übrigen 62 Briefe stellen Äußerungen FRÖBELs dar, bieten also, sofern es sich nicht um reine Geschäftsbriefe handelt, Einsicht in FRÖBELs Selbstverständnis. Worin besteht der Inhalt der restlichen Briefe FRÖBELs von 1848? Es müssen sowohl die Quantitäten des Briefmaterials wie auch die sich in diesen Briefen spiegelnden unterschiedlichen Aktivitäten FRÖBELs beachtet werden. FRÖBELs Briefe belegen nämlich, beachtet man sie *alle*, daß sich FRÖBEL nach kurzer Euphorie der Märztage unter Kenntnisnahme der politischen Veränderungen vor allem wieder seinem pädagogischen Alltag, nämlich der weiteren Formulierung seiner Pädagogik und der Verbreitung seiner Kindergärten zuwandte.

Die 73 zu analysierenden Briefe von 1848 lassen sich in fünf Gruppen teilen. Zum einen haben wir die Briefe vor dem März 1848. Es handelt sich um neun Briefe vom Januar/Februar 1848. Sie spiegeln in ganz unterschiedlicher Weise das Bewußtsein FRÖBELs, schildern aber in nur geringem Maße direkte Bezüge zum politisch-gesellschaftlichen Leben. – Dann folgen acht Briefe vom März. Diese Briefe beziehen sich direkt auf die politischen Veränderungen der Märztage und begrüßen diese.

Die folgende Gruppe umfaßt FRÖBELs Briefe vom April bis Juli 1848. Diese zwanzig Briefe sind in ihren Aussagen sehr ambivalent. Einerseits hat FRÖBEL in zwei Briefen versucht, den Zusammenhang des Politischen und Pädagogischen zu klären. Andererseits ist FRÖBEL nun wieder zur Tagesordnung übergegangen und beschäftigt sich mit der weiteren Ausbreitung der Kindergärten und dem damit verbundenen Bedarf an

---

[5] Von den 73 Fröbelbriefen des Jahres 1848 greift er auf elf Briefe zurück. Gründlicher ausgewertet werden von diesen elf Briefen bei KÖNIG vier. Im dritten Teil seiner Untersuchung greift KÖNIG auf die Briefe FRÖBELs von 1849 zurück. Von den 95 erhaltenen Briefen, die FRÖBEL 1849 schrieb, erwähnt bzw. zitiert KÖNIG fünf. FRÖBELs Brief-Aufruf an die Frauen vom 16.6.1848 beachtet KÖNIG nicht. Die meisten der elf Fröbelbriefe von 1848, die KÖNIG berücksichtigt, nämlich sechs, stammen aus der direkten Umbruchszeit des März, einige weitere sind Juni/Juli geschrieben worden. Zwei entstanden Ende des Jahres 1848.

Kindergärtnerinnen. Deshalb diskutiert er in diesen Briefen bereits die Notwendigkeit einer größeren Lehrer- und Erzieherversammlung der sächsisch-thüringischen Region.

Dann folgen die Briefe vom August/September, insgesamt vierzehn Briefe. Sie alle kreisen um die Rudolstadter Lehrerversammlung, ihren Verlauf, ihren Beschluß, verweisen auf die in diesem Zeitraum erscheinende Schrift MIDDENDORFFs „Die Kindergärten, Bedürfnis der Zeit, Grundlage einigender Volkserziehung" und unterstellen die weitere, schnellere, staatlich geförderte Ausbreitung der Kindergärten und den damit verbundenen Ausbildungsbedarf.

Die fünfte Gruppe der Briefe umfaßt FRÖBELs Briefe aus der Zeit von Oktober bis Dezember 1848. Es handelt sich um 22 Briefe. In ihnen setzt sich FRÖBEL zunächst mit den Ergebnissen der Eisenacher Erzieher- und Lehrerversammlung auseinander und schildert seinen Dresdner Ausbildungsalltag. Vor allem in den Briefen an LUISE LEVIN, seine zukünftige (zweite) Frau, kehrt FRÖBEL dann zu den erziehungsphilosophischen Grundlagen seiner Pädagogik bzw. zu seiner Spielpädagogik zurück, ohne die äußere gesellschaftliche Realität allerdings vollständig aus den Augen zu verlieren.

Nun die Analyse der ersten Briefgruppe.

Es handelt sich um folgende Briefe: Schreiben an H. v. ARNSWALD v. 19.1.; an J. STANGENBERGER v. 23.1.; an FRIEDERIKE SCHMIDT und ROBERT FELSBERG v. 7.2.; an LUISE FRANKENBERG und HILDEGARD MUTHER v. 13.2.; an FRIEDERIKE SCHMIDT v. 17.2.; an JOHANNES STANGENBERGER v. 17.2. und an IDA SEELE v. 18.2.1848.

Diese erste Briefgruppe hebt sich deutlich von der folgenden zweiten Gruppe von Fröbelbriefen zum politischen Geschehen im März 1848 ab. Während die folgenden acht Briefe FRÖBELs aus den Märztagen die veränderten Machtverhältnisse begrüßen und einen FRÖBEL zeigen, der sich scheinbar bewußt aktiv in das politische Alltagsgeschehen integriert, ja sich mitreißen läßt, wirken die neun Briefe vom Januar/Februar 1848 zunächst nüchtern und geschäftsmäßig. Sie enthalten aber vier Zusammenhänge, die teilweise indirekt, teilweise zentral das Problem „Fröbel und die Revolution" berühren.

Zum einen werden die *Kontakte FRÖBELs zur Volksschullehrerschaft* sichtbar, die FRÖBEL eigentlich schon Ende der 30er Jahre anbahnte und in den 40er Jahren forciert hat. Denn neben den von ihm ausgebildeten Kindergärtnerinnen sind es vor allem Pfarrer und Volksschullehrer gewesen, die für FRÖBELs Kindergartenidee als „Multiplikatoren" wirksam geworden sind. Diese Kontakte verlaufen meist so, daß FRÖBEL seine Spielpädagogik (Material, Verfahren und Theorie) auf Besuchen und Versammlungen vorstellt und die Gründung eines Kindergartens anregt, zugleich auch auf die Bedeutung des „Spielgaben- und Beschäftigungsmittel-Ganzen" für die Volksschule hinweist und dies mit einem Spielfest als Kinder-, Jugend-, ja Volksfest verbunden wird. So liefen etwa Kontakte in der Region Halle ab und führten zum Quetzer Kindergarten und Spielfest von 1847 (vgl. HEILAND 1997/98). Diese Kontakte sind von gesellschaftlich-politischer Bedeutung, haben aber eine pädagogische Zielsetzung und sind sphärephilosophisch begründet. FRÖBEL geht es primär um die optimale Entfaltung aller Kräfte des einzelnen Menschen mit Hilfe der Erziehung. Diese bewußte Kräfteentfaltung des einzelnen ist zugleich, so FRÖBELs Position, die Voraussetzung bzw. Grundlage für dessen aktiven Beitrag zur Verbesserung der polis, des gesellschaftlichen Lebens: FRÖBEL sagt für polis bzw. Gesellschaft „Volk" (Nation) bzw. „Staat" (als verfaßte, kodifizierte Organisationsform des durch Sprache integrierten „Volkes"). Die Entfaltung des „Sphärischen" beim einzelnen Menschen ermöglicht die Entfaltung des Sphärischen von Volk (Nation) und Staat, weil beide in ihrer Bewußtheit rückbezüglich werden, sich auf ihre religiöse Basis beziehen. Spielfeste als Volksfeste vereinen Kinder, Jugendliche und Erwachsene, bringen gesellschaftlich-soziales Leben zustande, schaffen „Zutrauen", „Lebenseinigung". So entsteht die polis. Diese Kontakte FRÖBELs zu Pfarrern und Volksschullehrern sind daher in diesem Sinne auch „politisch". Insofern erschließen also auch diese vorrevolutionären Briefe FRÖBELs, gewissermaßen noch aus dem „Vormärz", den „politischen" FRÖBEL.

Im Brief an JOHANNES STANGENBERGER v. 17.2.1848 charakterisiert FRÖBEL dieses gemeinsame Arbeiten des „gemüthaft" dynamischen jungen Menschen (also STANGENBERGER bzw. die Volksschullehrerschaft) und des „geistigen" alten Menschen (hier meint FRÖBEL sich selbst), um aktives, „thätig wirksames Leben" als „Einigung zwischen Gemüt u Geist – (man könnte auch sagen innern und äussern Lebenserfahrungen)" zustande zu bringen: „Könnte die so edel, so begründet strebende Gegenwart, besonders noch in der erwachten und erwachenden jungen erziehenden Lehrerwelt diese Einigung der Gegensätze durch Vermittelung ahnen und wahren, der Friede, das Wohl, das Glück des Menschengeschlechtes und ein reiner Stand wäre geboren, der Stand der entwikkelnd erziehenden Lehre und Lehrer, der Menschenbildung, welchen alle nach Emanzipation strebenden Lehrer u[n]bewusst in sich ersehnen, ein Stand dem eigentlich in seiner Allgemeinheit aufgefasst jeder, auf welcher Stufe es immer sey, sich bewusste Mensch angehören solle, der dann darum auch die ganz allgemeine die ihm Achtung, Würdigung und organische Stellung im grössten Gesammtleben finden würde, die ihm gebührt! – Auflösen, Zerfallen und Entwickelung, Neugestaltung müssen wie im grossen Welt-, Natur- und Geschichtsganzen so auch im augenblicklich gegenwärtigen Leben fast gleichzeitig durchdringen, das ist das ganze Entwickelungs- und Fortbildungsgesetz was uns unser Schöpfer und Vater in der und durch die richtige Auffassung des Welt-, Natur- und

Lebensganzen lehrt. Nicht Auflösen, Zerfallen und dann wieder Entwickelung und Neugestaltung jede allein, sondern beide stets innig geeint" (BN Anh. 43, LC 61b - 62b).

Zweitens verdeutlichen diese Briefe, die man leicht übersieht, wenn man nach dem revolutionspolitischen FRIEDRICH FRÖBEL sucht, die *autobiographische Dimension der Pädagogik FRÖBELs*. Man kann einwenden, Pädagogik sei Theorie und habe nichts mit der Subjektivität ihres Autors zu tun. Gegen solch säuberliche Trennung von Werk (Theorie/Pädagogik) und Person (Biographie) spricht die grundsätzliche Gebundenheit von Theorie bzw. Wissenschaft an Praxis. Gemäß dem hermeneutisch-geisteswissenschaftlichen Forschungszugriff ist es völlig legitim, ja geradezu förderlich, existenziell-biographische Spuren im Werk zu finden. Denn diese binden Abstraktes, erstarrtes Leben, wieder an autobiographisch umrissenes konkretes Leben. Nun ist FRÖBEL in dieser Hinsicht ein exzellenter Pädagoge, der wie kaum ein anderer immer wieder auf sein eigenes Leben, seine leidvolle Kindheit, das eigene Lebensschicksal zurückgreift. In diesen Briefen finden sich zwei bemerkenswerte autobiographische Aussagen.

Am 31. Dezember wanderte der 65jährige FRÖBEL von 6 Uhr morgens an von Poppenwind über Katzhütte durch das winterliche Schwarzatal über Schwarzburg und Blankenburg nach Keilhau, um dort gerade noch „Middendorfs Abschiedsworte vom alten und Bewillkomm[nun]gsworte des neuen Jahres zu hören und so noch den Sylvester im Heimischen Kreise, was ich mir vorgesetzt hatte zu feyern". Diese 18stündige Silvesterwanderung „in völliger Dunkelheit den Weg durch das enge, oft ganz, wie ohne allen Ausgang verschlossene von beiden Seiten durch die mit schwarzem Walde bedeckten Berge begrenzte Schwarze Thal [suchend], welches hier recht den Namen das *schwarze* Thal trug", spiegelt FRÖBEL sein Leben und zeigt ihm, „wie der Mensch nothwendig dadurch auf und in sich und auf die unsichtbare allwirkende Lebenseinheit zurück geführt werden" muß (Brief an H. v. ARNSWALD v. 19.1.1848 / BIM XVIII,2,21 - 21R) Mit der Schilderung dieses weitgehend im Dunkeln vonstatten gehenden Wanderreisetages verbindet FRÖBEL einen Rückblick auf seine Kindheit und erinnert an die religiöse Basis seiner Pädagogik: Bei seinem Eintritt in die Oberweißbacher Mädchenschule im Jahre 1788 sprachen die Mädchen den Bibelspruch: „Trachtet am ersten nach dem Reiche Gottes und nach seiner Gerechtigkeit, so wird Euch das andere Alles zufallen". Dieser Spruch wird ihm zum „Lebensspruch" und „Grundlage und Regulator vieler meiner Unternehmungen, in welchem er sich, – wie z.B. auch in dem mehr als 30jährigen Bestehen des, nur in der Wahrheit des Wollens gegründeten Keilhaus – stets in seiner Wahrheit bestätigte [und] bewährte" (BIM XVIII,2,21 - 21R).

Die erfolgreiche Wanderung in der Dunkelheit der Winterdämmerung ist ihm Bild seines Lebens, das in der Düsternis seiner Kindheit beginnt, in der aber schon früh leitende Kräfte (der erste Bibelspruch der Mädchenschule in Oberweißbach) wirksam sind. – Ferner wird ihm der Hinweis der Kindergärtnerin LUISE FRANKENBERG auf die Zuneigung ihrer Kindergartenkinder zum Anlaß, sich an die Zuwendung eines Mädchens in seiner frühen leidvollen Kindheit zu erinnern:

„So freue ich mich selbst jetzt, als ein Mann, der seinem Grabe zugeht, der sinnigen Pflege, welche ich in meinen ersten Lebensjahren, wie ich später hörte, von einem Mädchen erhalten habe, die selbst fast noch Kind war. Es ist mir ein lieber Gedanke, wenn ich mir sage, und der Kindesäußerungen entsprechend sagen darf, daß meine kleinen Kinderhände ihr dafür dankbar die Wange gestreichelt haben mögen." Hier spricht indirekt der nie ganz verwundene Schmerz um die früh verlorene Mutter mit (PÖSCHE 1887, S. 182).

Aus diesen beiden autobiographischen Zusammenhängen ergibt sich systematisch der *dritte* Schwerpunkt dieser frühen 48er Briefe: die *religiöse Basis der Pädagogik FRÖBELs*. Diese Position trägt FRÖBEL in mehreren dieser Briefe, am deutlichsten im Brief an FRIEDERIKE SCHMIDT v. 17.2.1848 vor:

„Nur die innere Ansicht der Dinge, des Lebens und dessen Erscheinungen, nur die Beziehung alles dessen auf die innere LebensEinheit kann uns hinsichtlich der Erreichung unseres Berufes, und somit unserer Erziehungsbestrebungen, zu dem ächten u. wahren Ziele führen" (BIM XIV, 63, 215R; LÜCK 1929, S. 150).

Im übrigen ist zu diesem Zusammenhang zu sagen, daß trotz aller liberalen Geprägtheit dieser Basis des Religiösen FRÖBEL sich eindeutig als „christlich" in seiner religiösen Fundierung verstand, wie wissenschaftlich bzw. philosophisch dieses Selbstverständnis nun auch immer im einzelnen bestimmt war. Entscheidend für die Analyse dieser frühen 48er Briefe FRÖBELs ist, daß deren autobiographische Abschnitte auf das religiöse Fundament von FRÖBELs Leben verweisen, das auch seine Pädagogik und damit zugleich deren Durchsetzung in der gesellschaftlichen Praxis geprägt hat.

Aus diesem dritten Zusammenhang, der religiösen Fundiertheit der Pädagogik FRÖBELs, ergibt sich der *vierte* Schwerpunkt dieser Briefe, nämlich die Deutung der Menschheitsgeschichte als Naturgeschichte, die *Ableitung der Gesetze der Menschheitsgeschichte aus den Gesetzen der Natur*. Dieser schon früher konzipierte Zusammenhang taucht in diesen Briefen wieder auf und ist für die Beurteilung, wie FRÖBEL die Märzrevolution bewertet hat, sehr wichtig. FRÖBEL schreibt darüber im Brief an STANGENBERGER vom 17.2.48. Er kennzeichnet gesellschaftliche Widersprüche am Beispiel der Gruppe der Volksschullehrer, die eine verbesserte Allgemeinbildung praktizieren wollen, deren Dynamik ihm aber problematisch erscheint. Und so gelangt er zu einer Theorieskizze *gesellschaftlicher Evolution*: Gesellschaftliche Veränderung geschieht, wie in der Natur, nicht gewaltsam, sondern als Kontinuität des aus dem scheinbaren Absterben sich neu vorbereitenden Lebens. Hier hat

FRÖBEL die Pflanze, den Baum im Herbst und Winter vor Augen, der bereits zu dieser Zeit Kräfte zum neuen Leben im Frühjahr sammelt. Diese Auffassung gesellschaftlicher Veränderung nicht durch gewaltsame Eingriffe, sondern letztlich durch Erziehung, durch Bewußtmachung, durch Vermittlung und Integration, kristallisiert sich wiederum in FRÖBELs Impuls, bei der Volksschullehrerschaft für den Kindergarten, für sein Spielmaterial zu werben und Spielfeste anzuregen, deren integrierende Qualität zugleich evolutionär die gesamtgesellschaftliche Praxis verändern hilft. Damit ist der erste Zusammenhang, FRÖBELs Kontakte mit der Volksschullehrerschaft, wieder angesprochen und ein Gesamtzusammenhang aller vier Bereiche sichtbar geworden. Diese vier Themen zeigen Zusammenhänge, die generell konstitutiv sind für FRÖBELs Pädagogik und deren Begründung, wie auch für deren praktische Umsetzung im gesellschaftlichen Leben seiner Zeit. Insofern sind diese neun Briefe FRÖBELs von Januar/Februar 1848 durchaus aufschlußreich, eben auch für den scheinbar so eminent „politisch" agierenden FRÖBEL im Revolutionsjahr 1848, weil sie zeigen, daß diese „politischen" Aktivitäten FRÖBELs nicht nur längst vor 1848 beginnen, sondern diese eben eine pädagogisch-sphärephilosophische bzw. religiöse und autobiographische Fundierung haben. FRÖBELs eigentliche „revolutionäre Radikalität" läßt sich gerade nicht an seinen Aktivitäten im März 1848 ablesen, sondern liegt in der Radikalität seiner sphärephilosophischen Pädagogik vor.

Nun zur zweiten Briefgruppe, den acht Briefen vom März 1848.

Es handelt sich um folgende Briefe: Drei Schreiben FRÖBELs an FRIEDRICH HOFMANN in Hildburghausen v. 16., 18. und 22.3.; ein Brief an STANGENBERGER v. 19./20.3.; ein Brief an FELSBERG und an J. MEYER v. 21.3.; ein Brief an FRIEDERIKE SCHMIDT v. 20./22.3. und ein Brief an FRÖBELs Neffen ARTHUR FRÖBEL, Arzt in Stadtilm (Sohn seines Bruders TRAUGOTT) v. 28.3.1848.

KÖNIG hat vor allem den Brief an HOFMANN v. 18.3.48 sowie an ARTHUR FRÖBEL v. 28.3.48 akzentuiert und Teile aus beiden Teilen ediert. Interessant ist KÖNIGs Behandlung des Fröbelbriefs an den mit dem Quetzer Pfarrer HILDENHAGEN befreundeten Pfarrer FELSBERG v. 19.3.48. Aus diesem Brief zitiert KÖNIG FRÖBELs Beschwörung der Bedeutung der im „Wesen der Deutschen" gegründeten „Volks- und Nationalerziehung", die, wie die „jetzige Zeit" zeige, „Not tut" und zu deren „Verwirklichung" der „Freund und Bruder" FELSBERG ihm [FRÖBEL] „Hand und Herz" reichen solle, die „wir es mit unserm Volke im Ganzen sowohl, als mit [KÖNIG: in] jedem Einzelnen desselben, weß Standes und Lebensverhältnisses er auch sei, wahrhaft gut meinen" (vgl. KÖNIG 1985, S. 52). Die sich anschließende Passage FRÖBELs läßt KÖNIG (entsprechend seiner marxistisch-materialistischen Wissenschaftsposition) weg. Dieser Abschnitt mindert nämlich die realen politischen Veränderungen zugunsten der evolutionären Kraft der Naturgesetze. Denn FRÖBEL schreibt weiter: „Laß uns alles aufbieten, die Ur- und Grundgesetze aufzusuchen, aufzufinden; es muß nothwendig solche ewige Gesetze derselben geben, und sie müssen, – sie müssen so einfach, als leicht erkenn- und leicht anwendbar, d.h. es muß ihnen leicht nachlebbar sein; die ganze Natur spricht dafür, alle Erscheinungen derselben, und der Mensch ist auch ein Glied der Natur, aber gleichsam die Blüthe, die Frucht derselben, in der sich das gesammte Wesen derselben bewußt, selbst ihrer eigenen Quelle und Urgrunde bewußt werden soll [...]. Freund, Bruder oder Sohn, es gibt ganz gewiß einfache, ewige Entwickelungsgesetze des Menschen, des Einzelnen, wie des Menschengeschlechtes und der Menschheit im Allgemeinen; der Deutsche, so trage ich die Überzeugung in mir eben als Deutscher, muß diese Gesetze alle zuvor erkennen, anerkennen und ihnen nachleben" (KÖHLER 1871, S. 57 f.). Also auch hier FRÖBELs eindeutige Präferenz der gesellschaftlichen Evolution, der sphärephilosophischen Pädagogik gegenüber gewaltsamer Veränderung bzw. gegenüber dem Politischen überhaupt.

Diese acht Briefe enthalten vier Akzente: Sie weisen auf die Begründetheit gesellschaftlicher Veränderungen in „ewigen Ur- und Grundgesetzen" hin. Sie begrüßen emphatisch den „Volks- und Vaterlandsfrühling" der Deutschen. Sie beschreiben kommunale und regionale politische Veränderungen. Und sie empfehlen die Durchsetzung von FRÖBELs Kindergarten bzw. Spielpädagogik als Grundlage der benötigten „Volks- und Nationalerziehung". Generell markiert FRÖBEL diese Briefe vom März und alle weiteren Briefe aus dem Revolutionsjahr 1848, indem er die Jahreszahl mit einem Kreis umschließt, also mit dem Bild der „Sphäre" versieht. – Da diese Briefe in ihren Details hier aus Raumgründen nicht vorgestellt werden können, sollen nur drei Briefe etwas genauer analysiert werden und zwar der Brief an F. HOFMANN v. 18.3., an J. STANGENBERGER v. 19./20.3. und an den Verleger JOSEPH MEYER v. 21.3.1848.

Der Brief an FRIEDRICH HOFMANN v. 18.3.48 stellt ein ergänzendes Begleitschreiben zum vorausgehenden Brief v. 16.3.48 dar, in dem FRÖBEL erneut das bereits mit HERMANN v. ARNSWALD diskutierte Projekt einer umfassenden „Bildungsanstalt" – er nennt sie nun „Anstalt für urgeistige deutsche Volks- und NationalErziehung" – beschreibt. Diese Anstalt umfaßt die Einrichtungen: Kindergarten, Ausbildungsinstitut, Periodicum, Produktionsbetrieb und Verlag. Von HOFMANN erhofft er sich die Empfehlung einer günstig gelegenen Stadt zur Realisierung dieses Projekts. Lediglich die Schlußpassage des Briefs v. 16.3. gibt einen vagen Hinweis auf die veränderte gesellschaftlich-politische Situation. FRÖBEL spricht von der baldigen „Ausführung des Planes", „denn was im Frieden aufgehen soll muß im Kriege gesäet werden". Und seiner Unterschrift fügt FRÖBEL noch bei: „welcher jung werden wird wie ein Adler, wenn ihm zunächst nur die Ausführung dieses seines schönsten Lebenswerkes gelingt und dann denn dazu beitragen soll es, daß unser Volk werde wozu es im Gebiete der Menschheit im Reiche der Geistes bestimmt ist, unser Vaterland ein Garten der Menschen auf der Erde" (LB Coburg, S. 1R). – Etwas deutlicher sind die revolutionären Impulse im Begleitschreiben vom 18.3.48 zu spüren. Der Brief beginnt mit der emphatischen Anrede: „Mein theurer Freund und geliebter Bruder. Vor allem laß Dich, wenn auch nur geistig, an mein Herz drücken, damit zwei deutsche für das Wohl und Heil ihres Volkes und Vaterlandes durchglühte Herzen zur stärkenden Einigung in einander schlagen wie ein Herz. Doch nicht Gefühlssteigerung, sondern Thaten zu vollbringen giebt [sc.: gilt] es jetzt, darum gleich zur Sache" (BN, Anh. 30, 29b/237/57). FRÖBEL diskutiert hier vor allem die arbeitsplatzsichernde Funktion der „Industrie-Anstalt", des Produktionsbetriebs (Herstellung der Spielmaterialien) für eine „große Anzahl Brot und Arbeit bedürfender Brüder und Schwestern der verschiedensten Bildungsstufen einer ganzen Umgegend", gelangt dabei aber wiederum, gewissermaßen im Nebensatz, zu einer typischen, sprich sphärephilosophischen Begründung der Spielmaterialien bzw. Spielpflege, die er im „reinsten Naturprinzip" begründet sieht, deren *„stetig Lebenvolle"* sich dem zeigt, „in dessen Besitz *nur die*, wohl seit 50 Jahren gepflegte *Idee* ist, das Magische im Kinde [auszubilden]". Diese „IndustrieAnstalt", so FRÖBEL weiter, ist „für uns Deutsche [...] so unentbehrlich wie Wasser, Brod und Salz, wenn wir auf der einen Seite eine wahrhaft deutsche Volks- und Nationalbildung erreichen und auf der anderen Seite die Forderungen der Proletarier gründlich befriedigen, d. h. mit Arbeit und Brod zugleich Belehrung, Bildung, somit Sittlichkeit und Sittigkeit, Mäßigkeit, Selbstbeherrschung überhaupt alle socialen, bürgerlichen und menschlichen Tugenden geben wollen. Dies ist der letzte Zweck aller meiner Bestrebungen" (BN, Anh. 30, 30/238/58). Zwei Seiten weiter schreibt er: „geistig und leiblich, physisch und psychisch in seine rechte Stellung und Wirksamkeit versetzt [zu] werden, das bringt – davon bin ich tief in mir überzeugt – ewig unvergänglichen Gewinn. Das ist es aber, was ich nicht allein für mich, sondern für alle Menschen, alle, alle anstrebe, für den Begabtesten wie für den mindest Begabten" (BN, Anh. 30, 31/240/60).

Dieser Brief vom 18.3.1848 bündelt also zweierlei, FRÖBELs seit 1836 intensiv entwickelten Ansatz der Spielpädagogik für den Kindergarten bzw. Elementarschulstufe einerseits und die Durchsetzung einer allgemeinen Volksbildung andererseits, hier nun in der Variante der Produktionsanstalt, die zugleich Arbeit („Brot") und Bildung vielen Menschen der „verschiedensten Bildungsstufen", so auch dem einfachen Arbeiter („Proletarier") zu vermitteln vermag und so diese alle in ihre „rechte Stellung und Wirksamkeit" bringt. (FRÖBEL greift hier übrigens das Projekt einer „Volksbildungsanstalt" von 1828/29 bzw. der Schweizer Jahre wieder auf, transponiert diese Schulkonzeption nun aber in den industriellen Bereich.) Interessant ist FRÖBELs Definition des „letzten Zwecks aller meiner Bestrebungen", nämlich mit „Arbeit und Brod zugleich Belehrung, Bildung, somit Sittlichkeit und Sittigkeit, Mäßigkeit, Selbstbeherrschung überhaupt alle socialen, bürgerlichen und menschlichen Tugenden geben [zu] wollen" (BN, Anh. 30, 30/238/58). FRÖBEL geht also von der Überwindung der Klassengegensätze durch Arbeitsplatzsicherung *und* Bildung, sicherlich indirekt auch Weiterbildung, aus. Das Proletariat wird bei FRÖBEL zu seiner Humanität gebracht, indem eine das Auskommen sichernde Berufsarbeit mit Bildung verbunden wird, bürgerliche Einstellungen („Tugenden") aufgebaut und so aus dem Arbeiter letztlich der bürgerlich lebende Mensch entsteht. Unverkennbar liegt hier eine politische Utopie vor. Aber diese Utopie einer harmonischen Gesellschaft der bürgerlich lebenden Menschen setzt die Sicherung humaner Bedingungen der Arbeit voraus, über die FRÖBEL allerdings nicht spricht und deren entmenschte industriellen Aspekte für das Proletariat FRÖBEL wohl nicht gekannt hat. Diese politische Utopie setzt zugleich die Basis allgemeiner Menschenbildung voraus. Um diese Bildung zum Menschen durch „Volks- und Nationalerziehung" geht es FRÖBEL hier. Sie ist ihm „der letzte Zweck aller meiner Bestrebungen".[6]

Beim zweiten wichtigen Brief handelt es sich um das Schreiben an den Volksschullehrer J. STANGENBERGER vom 19./20.3.48, der inzwischen Deputierter der Bürgerschaft von Schalkau geworden ist. Dieser Brief bietet Informationen über lokale, regionale und überregionale politische Veränderungen, betont die Notwendigkeit, für Veränderungen zu kämpfen und beschreibt in aller Deutlichkeit die sphärische Erziehung als notwendiges Fundament politischen Lebens:

„Deutschland, mein theurer Freund, ist geistig schon vielseitig ein einziges. Lassen Sie es uns auch immer mehr im Handeln sein [...] allein sprechen Sie kein Wort dem man es nicht anfühlt, dass Sie auch entschlossen sind dafür Leib u Leben, Gut und Blut einzusetzen. Sie haben Recht: es ist eine Lust so Mitten im Volksleben und für des Volkes Recht und Ehre einzustehen, es ist eine Lust auch wenn man zu verlieren hat und wenn ich mich dazu aufgefordert fühle, werde ich wie vor 35 Jahren mit Gut u Blut dafür eintreten". Dann beschreibt FRÖBEL die Relation zwischen politischer Revolution und pädagogischer Reform, die Sicherung politischer Veränderung durch Erziehung: „Zunächst müssen Sie mit allen Ihren Freunden in Deutschland eine Volks- und National Erziehung mit anzubahnen und zu begründen helfen. Diess ist das grosse Gesammtwerk für welche[s]

---

6 KÖNIG hat beide Briefe bei seiner Analyse FRÖBELs als „kleinbürgerlich-politischer Pädagoge" mit einbezogen. Dabei unterlief ihm ein bemerkenswerter Lesefehler: Anstelle der „socialen, bürgerlichen und menschlichen Tugenden" steht bei ihm: „überhaupt alle sozialen Dinge liefern und menschliche Tugenden geben wollen" (KÖNIG 1985, S. 54). Bei KÖNIG geht FRÖBELs prozessuale Reihung des Sozialen, Bürgerlichen und Menschlichen zugunsten einer Polarität von verdinglichtem Sozialen und menschlicher Tugend verloren. KÖNIG eliminiert so unfreiwillig den Status des Bürgers, den FRÖBEL gerade durch Erziehung und Arbeitsplatzsicherung im Arbeiter aufbauen will, so daß dieser *in* seiner Arbeitssituation *durch* Bildung zu seiner Humanität, seinem Mensch-sein gelangen kann (vgl. GEBEL/HEILAND/PROLL 1997, S. 387). KÖNIG hat ferner FRÖBELs doppelte Akzentuierung des „letzten Zwecks" seiner Bestrebungen in diesem Brief übersehen und sich auf die genannte Zielsetzung beschränkt. Erst beide Akzentuierungen aber bieten FRÖBELs „letzte" Zielsetzung seiner Pädagogik, die hier übrigens etwas an PESTALOZZIs Diktum der „Erziehung zur Armut" erinnert. Es geht FRÖBEL eben um die „rechte Stellung und Wirksamkeit" für jeden Menschen, die durch eine industrielle Arbeitspädagogik zustande kommt. Diese wiederum ermöglicht zugleich den Aufbau bürgerlicher „Tugenden", nämlich „Mäßigkeit" und „Selbstbeherrschung" und entfaltet so das „sphärische" Wesen des Menschen.

wir insgesammt wie Ein Mann eintreten müssen, wenn der Staatskörper etwas geordnet ist, diess [...] ist unsere heiligste und erste Pflicht wenn wir unserem Vaterlande dem [sc.: den] allseitig politischen Fortschritt sichern wollen. Volks- und NationalErziehung im Urgeiste desselben, diese müssen wir hervorrufen, begründen, wollen wir unseres Volkes Bestehen, den Frieden, die Freude an die Freite d.i. das Gefühl und Bewusstsein ächter Freiheit jedem Einzelnen wie dem Ganzen sicher[n]. Darum – alles für deutsche politische Nationale und volksthümliche Institution!!! alles für ächte deutsche d.i. urgeistige Volks[-] und NationalErziehung!!!" (BN, Anh.43, LC 68b - 70).

Der dritte wichtige Brief ist an JOSEPH MEYER, Verleger in Hildburghausen, gerichtet und arbeitet die politisch-sphärephilosophische Kategorie des „Menschenrechts" (Grundrecht) heraus:

Es handelt sich um ein Dankschreiben FRÖBELs für eine von J. MEYER an Herzog BERNHARD von Meiningen geschickte und im ganzen Herzogtum Meiningen diskutierte Petition. FRÖBEL feiert den Verleger als „Thurmwart der deutschen Freyheit", der es wagte „den durch eisernen Druck tief im Innersten zurückgedrängten heiligen Gefühlen Gedanken und Bestrebungen [...] klare bestimmte entschiedene Worte zu geben" (BN 722, 4 - 4R). Er betont im ersten Entwurf dieses Briefs: „auch wir werden mit unser[em] erkannten Recht wie für die Erfüllung unserer erkannten heiligen Pflicht durch uns selbst eintreten es nicht nur uns, sondern auch unsern Kindern wahren" (BN 722, 5R) und preist, daß Meiningen wie Schwarzburg-Rudolstadt „edle Fürsten" besitzen, die der „Wahrheit" „willig" ihr Ohr leihen, auch wenn sie an der „Verschleierung des menschlichen Geistes für die Wahrheit" teilgenommen haben (BN 722, 5). Im zweiten Entwurf arbeitet FRÖBEL den Begriff des Rechts weiter aus. Er spricht vom „göttlichen darum heiligen Menschenrecht und urgeistigen deutschen Volks- u Nationalgefühl" (BN 722, 6R), bezieht auch deutlicher die pädagogische Dimension mit ein und spricht von der „urgeistige[n] u. so auch die Lösung der socialen Lebensfragen in sich setzende[n] deutsche[n] Volks- und Nationalerziehung" (BN 722, 7). Im dritten Entwurf ist vom „unseren bisher schmachvoll niedergebeugten Volke" die Rede (BN 722, 8). Aber die Funktion der Dankadresse verhindert dann doch, daß FRÖBEL deutlicher die politische Bedeutung seiner Pädagogik sichtbar macht.

Unbestreitbar enthalten diese Märzbriefe FRÖBELs mehr an „Politischem" als die vorausgehenden Briefe vom Januar/Februar 1848. Aber die genauere Analyse zeigt, wie sehr doch diese Briefe, auch unter dem direkten Eindruck der gerade sich vollziehenden politisch-gesellschaftlichen revolutionären Veränderungen, noch deutlich der Konzeption der „deutschen Volks- und Nationalerziehung" verpflichtet bleiben, deren Zielsetzungen wie Grundlagen FRÖBEL längst geklärt hatte. In jedem Falle aber sieht FRÖBEL alle politischen Veränderungen, auch die revolutionären, als gesetzmäßige Entwicklungen und betrachtet diese mit der Perspektive der Sphärephilosophie. Entwicklungen in der „Natur" wie gesellschaftliche Veränderungen unterliegen dem gleichen Gesetz, und dieses Gesetz ist deutlicher in der Natur, im pflanzlichen Entwicklungsprozeß, als im „Sturm" radikaler gesellschaftlicher Veränderungen zu erkennen. Mit diesem „Erklärungsmodell" von Revolution, sofern man solche sporadischen brieflichen Aussagen FRÖBELs überhaupt mit dieser Etikette versehen will, kann FRÖBEL aber weder präzise die Ursachen von Revolutionen noch revolutionäre Prozesse selbst angemessen erfassen. Seine sphärephilosophisch-pädagogische Interpretation von gesellschaftlicher Wirklichkeit führt ihn zwangsläufig zu einer evolutionären Sicht gesellschaftlicher Prozesse und damit indirekt zu einer latenten bzw. manifesten Kritik gewaltsamer Umbrüche, zur Kritik von Revolution überhaupt. Diese Akzentuierung zeigen auch die acht Märzbriefe FRÖBELs in unterschiedlicher Schärfe recht eindeutig. FRÖBELs latente Kritik an der Revolution schlägt, wie die späteren Briefe von 1848 noch zeigen werden, dann rasch in manifeste Kritik um.

Wir kommen zur dritten Briefgruppe.

Es handelt sich um folgende Briefe: Schreiben an F. SCHMIDT v. 1.4., an H. v. ARNSWALD v. 8.4.; an F. HOFMANN v. 8.5.; an L. LEVIN v. 29.5.; der Briefaufruf v. 16.6.; an J. STANGENBERGER und an KRELL v. 18.6.; an MEY / ARNSWALD v. Juni(?); an Leiterinnen v. Kindergärten v. 4.7.; J. STANGENBERGER v. 5.7.; an F. HOFMANN v. 6.7.; an H. v. ARNSWALD v. 7.7; Rundschreiben v. 7.7.; an L. WOEPCKE v. 8.7.; an I. SEELE v. 12.7.; an S. MÜLLER v. 16.7.; an K. HAGEN v. 17.7.; an R. KRELL und an die Dresdner Frauen v. 23.7. und an L. WOEPCKE v. 30.7.1848.

Von diesen 20 Briefen, die FRÖBEL in den Monaten April bis Juli geschrieben hat, müssen drei Briefe hervorgehoben werden. Da gibt es den Briefaufruf an die deutschen Frauen vom 16.6.1848 sowie die beiden Briefe an STANGENBERGER v. 18.6. und an HAGEN vom 17.7.1848, die sich mit dem soeben angedeuteten Problem auseinandersetzen. Die übrigen Briefe beschäftigen sich zumeist mit der Vorbereitung der Rudolstadter Lehrer- und Erzieherversammlung im August 1848. Der wichtigste Brief ist FRÖBELs Schreiben an KARL HAGEN, weil FRÖBEL hier direkt das Problem der Beziehung von Pädagogischem und Politischem systematisch angeht. Dieses Problem wird ebenfalls, aber weniger gründlich im Brief an STANGENBERGER diskutiert, während der Briefaufruf mehr den Zusammenhang von Spielpflege und weiblicher Anthropologie bzw. Geschlechtermetaphysik anspricht und ganz ohne politische Anklänge auskommt, also überhaupt nicht direkt auf die Märztage Bezug nimmt.

Zunächst der Briefaufruf v. 16.6.1848 (BIM, BN, ed. PÖSCHE 1887). Dieser von der Stimmung der Morgendämmerung mit Morgenstern und aufgehender Sonne geprägte Brief vergleicht dies Naturgeschehen mit dem weiblichen Wesen mit seinen entscheidenden Erziehungsleistungen, welche die neue gesellschaftlich-politische Realität vorbereiten: „in der Erfassung der hohen weiblichen Würde und Bestimmung [...] geht der klare Morgenstern der neuen Zeit auf, welcher uns zunächst das baldige Erscheinen der Sonne: deutscher, freudiger Eintracht, deutschen, friedlichen Zusammenwirkens und deutschen, freien Volks- und Nationallebens, verkündigt". Die „Begeisterung für deutsche Frauen- und Jungfrauen-Einigung zu echter Kindheits-Pflege, Erziehung und Bildung [verkündet] nicht nur die Erscheinung eines neuen Geschlechtes, nein, das Erstehen eines neuen Volkes, einer zu einem höheren Dasein wiedergeborenen deutschen Nation, ja einer ihrer selbst würdigen Menschheit" (PÖSCHE 1887, S. 200). Der Aufruf fordert die deutschen Frauen auf, sich ihrer Erziehungsaufgabe bewußt zu werden. Die Erziehung, vor allem des kleinen Kindes, könne aber nur gelingen, wenn sich auch das männliche Geschlecht an ihr beteiligt. Dies sei in einzelnen Familien durchaus der Fall, solle aber jetzt als Teil der Einigung der Deutschen als Volk „Allgemeingutes", „soll jetzt die Frucht der, aus dem höchsten einigen Leben geborenen, sich klar bewußten, allgemeinen Menschheitsvernunft werden" (PÖSCHE 1887, S. 203). Diese gemeinsame und generell praktizierte Pflege der „Kindheit" wird die „in die 'beiden Geschlechter' getrennte eine Menschheit, gleichsam als ihr Gärtner zur freien, friedigen und freudigen Erfüllung ihres Berufs, zu voller Erreichung ihrer Bestimmung wieder [...] einigen" (PÖSCHE 1887, S. 203) Diese Einigung der Geschlechter durch gemeinsame Erziehung (Spielpflege) wird von FRÖBEL sphärephilosphisch-religiös fundiert. Sie ist zugleich re-ligio: „Wie er, der größte Menschenfreund, der höchste Menschenerzieher sagt: –,den Kindern ist das Reich des Friedens und der Klarheit, der Einigung und der Wahrheit; und: nur durch die Rückkehr zu der Kindheit erringen wir es selbst wieder, dieses Reich" (PÖSCHE 1887, S. 204).

Diesen predigtartigen Brief FRÖBELs aus den Tagen der 48er Revolution hat KÖNIG aufgrund seines marxistisch bestimmten Erkenntnisinteresses in seine Analyse nicht mit einbezogen. Denn dieser sphärephilosophisch-christliche Hymnus paßt eben gar nicht zum Bild des „politischen" Pädagogen FRÖBEL. Aber dieser Text drückt sehr markant FRÖBELs Selbstverständnis von der Aufgabe der Erziehung, auch und gerade in der Revolutionszeit, aus. Er zeigt, daß FRÖBEL die politisch-gesellschaftlichen Veränderungen begrüßt, sie ihm aber Mittel zum Zweck verbesserter, allgemeiner Familien- und Früherziehung werden. In der Familie müssen die entscheidenden Einigungs- und Bewußtseinsprozesse ablaufen. Nur sie können eine neue politische Ordnung stabilisieren und erhalten. Dieser Brief belegt auch die Instrumentalisierung des Politischen bei FRÖBEL als Mittel zum Zweck der Erziehungsreform. Diese pädagogische Dimension bestimmt eben zum Großteil die Briefe FRÖBELs von 1848, nicht die Spiegelung der politischen Veränderung selbst. Die entscheidenden Begriffe sind daher in diesem Zusammenhang „Freiheit" und „Einigung". Sie werden sphärephilosophisch, d.h. mehr individualistisch-pädagogisch als gesellschaftlich-politisch konnotiert.

Doch nun zu den beiden Briefen an STANGENBERGER bzw. HAGEN, die sich systematisch mit Begriff bzw. Relation von Pädagogik und Politik befassen. Im Brief an J. STANGENBERGER v. 18.6.48 berichtet FRÖBEL von seiner Reise nach Leipzig, Bautzen und Dresden Ende Mai/Anfang

Juni und dem Plan einer größeren Lehrerversammlung in Rudolstadt im August sowie über die Beschlüsse der thüringischen und sächsischen Volksschullehrer. Diesem Bericht voraus geht eine kritische Bemerkung FRÖBELs zu STANGENBERGERs letztem Brief:

„Wie mich sonst der Inhalt [...] gefreut hat, so hat mich doch der Zusatz [...], dass Sie sich fast mehr zu dem rein Politischen als zu dem Pädagogischen der Zeitfragen hingezogen fühlen – fast geschmerzt wenigstens auf den ersten Augenblick; aber auch wenn ich länger darüber nachdenke, so kann ich [mich] auch des Leidgefühles darüber nicht erwehren; und warum? – Ich sage mir, für das rein Politische giebt es Kämpfer und Vorkämpfer genug für das rein Pädagogische, diess besonders von seiner volksthümlichen Seite aufgefaßt, giebt es der Kämpfer und ganz besonders der Vorkämpfer noch wenige; sie sind noch überall in der Minorität, wir dürfen sie deßhalb nothwendigerweise jetzt nicht verlassen, freylich können werden Sie mir darauf antworten – 'wenn nur erst das rein Politische durchgefochten und durchgekämpft ist, dann findet sich schon das rein Pädagogische auch' – es hat dieß einigen Schein der Wahrheit für sich allein ich blicke bei solchen schwierigen Fragen und Antworten in die Natur, und da sehe ich dann z.B. in Beziehung auf den vorliegenden Fall, daß, wenn es sich in der Natur um die Ausführung und Darstellung eines Gesammtorganismus handelt, wie z.B. jetzt um den Organism[us] des deutschen Volkes- und Nationallebens – dass da sich nicht erst ein System z.B. das des Blutes oder der Nerven rein ausbildet, ehe die Ausbildung des andern auch gleichsam mit in Angriff genommen wird, sondern dass diess wenigstens der Anlage nach so ziemlich zugleich geschiehet, [...] doch wünsche ich nur, dass Sie das Politische nicht so ganz dem Pädagogischen entziehen werden [sc.: werde]" (BN Anh. 43, LC 72 - 73).

An diesem Text fällt auf, daß FRÖBEL keine Präferenz erkennen läßt, sondern das Politische als *gleichwertig* und als mit dem Pädagogischen gleichzeitig notwendig bestimmt. Politische Reformen, die zu begrüßen sind, fordern zwingend zugleich die Reform der Erziehung. Ferner zeigt sich wieder die eigentümliche Argumentationsstruktur FRÖBELs bei der Begründung dieser Gleichwertigkeit. Er greift auf das Modell des Organischen, der Naturprozesse zurück. Das Ganze wächst zusammen mit den Teilen. Im Hintergrund steht die Sphärephilosophie.

Ähnlich wie gegenüber STANGENBERGER berichtet FRÖBEL Professor KARL HAGEN am 17.7.1848 von den Beschlüssen der thüringischen und sächsischen Volksschullehrer in Sachen staatlicher Kindergarten, weist auf die Rudolstadter Lehrerversammlung hin und bittet HAGEN um entsprechende Multiplikatorendienste. In diesem Schreiben klärt FRÖBEL aber auch und erneut, aber systematisch gründlicher, wiederum teilweise in Bildern argumentierend, das Verhältnis von Politik und Pädagogik:

„Wir aber wollen, daß sich das gesamte deutsche Volk, wie jetzt die gesamte deutsche Volkserzieher- und Volkslehrerschaft für die deutsche Volkserziehung und ihre echte Begründung nicht nur interessiere, nein, nein! dabei wahrhaftig tätig, förderlich tätig beteilige. Dazu kommt, daß Politik und Pädagogik (jede in ihrem umfassenden Sinne genommen) die Namen der beiden Ehegatten des Menschheits- wie des Volkslebens sind, Mann und Weib, die durch Gott geeint sind – und was Gott geeint hat, das soll der Mensch nicht scheiden. Daß beide weibliche Namen tragen, tut nichts zur Sache [...]. Doch eine mir so höchst wichtige, wie tiefgegründete, wenn auch hier nur angedeutete Überzeugung ist diese: in der bisherigen, naturwidrigen Trennung beider hat alles Unheil seinen Grund, welches die Menschheit von Anbeginn der Welt bis jetzt getroffen hat. Mit ihrer naturgemäßen Einigung wird die Menschheit, werden die Völker und Familien, wird der Einzelne die Freiheit, den Frieden und die Freudigkeit im Leben erreichen, nach welchem sie alle, ich möchte sagen von Anbeginn des Menschengeschlechtes, gestrebt haben. Seit 43 Jahren suche ich diese Einheit wieder herzustellen." FRÖBEL verweist auf SCHILLERs Wort „Gar hoher Sinn liegt oft im kind'schen Spiel", das „Wort *unseres* deutschen, echt deutschen Dichters, welcher eben dadurch groß ist [...], weil er Politik und Pädagogik sich so innig gegenseitig durchdringend einigte, daß man sie eben gar nicht von einander mehr unterscheiden konnte, ja keines von beiden mehr als ein verschiedenes von dem andern sah und sieht. Da sprach er jenes ewig große göttliche Wort! So groß, so göttlich ist dieses Wort wie das des Menschheitserziehers: 'Den Kindern ist das Himmelreich'. Dieser [Jesus] sieht in dem Kinde das Wesen desselben und jener [Schiller] sieht das Wesen des Kindes in seinem Tun, seinem Schaffen. Beide sehen in dem Kinde, gleich wie in dem Samenkorne, noch die Einigung von beiden ganz ungetrennt, welche aber später in der Blüte als Staubfäden (männlich Politik) und Staubwege (weiblich Pädagogik) getrennt hervortreten, allein bloß um die beide wieder einigende Frucht, d.i. für uns Menschen und Völker: das freie, friedige und freudige Leben zu erzeugen [...]. Hierdurch veranlaßt darf und will ich Ihnen, teurer Freund, etwas aussprechen, was bisher als tiefes Geheimnis gleichsam in meinem Innersten schlummerte: Prüfen Sie all mein erziehendes Tun in seinem innersten Kern, – ich erziehe und bilde seit einem Menschenalter für die Republik und zu ihr hin, ich bilde und erziehe für die Ausübung der republikanischen Tugenden. Welcher echte Staat, und der es zu werden strebt, bedürfte sie nicht? Darum muß meine Erziehweise in jedem solchen Staate eine erfreuliche, eine zu fördernde Erscheinung sein" (HOFFMANN 1948, S. 90 f., 94).

FRÖBEL fordert hier, bei aller Betonung der Gleichwertigkeit des Politischen und Pädagogischen, die Aufhebung der Trennung von Erziehung und politischem Handeln. Mit dem Hinweis auf den „Menschheitserzieher" Jesus und auf den Kindergarten stellt FRÖBEL zugleich sein Ideal des „freien, friedigen und freudigen" Lebens der Menschen vor. Dies Ideal ist das spielende Kind im Familienkreis, das sich der Freiheit seiner Kräfte in der aktiven Auseinandersetzung mit den Gesetzmäßigkeiten dinglich-sozialer Wirklichkeit bewußt wird, so frei wird in den Bindungen und sich in Freiheit bindet. (Man denke an FRÖBELs „Bewegungsspiele".) Dieses pädagogisch freisetzende Binden des einzelnen Kindes wird Modell für das gesellschaftliche Leben und dessen Grundlage, bringt letztlich auch die polis, das staatlich geordnete soziale Miteinanderleben, zustande. „Freiheit" und „Einigung" (Bindung / Einheit) sind eben sphärephilosophische Termini. Der Mensch entfaltet sein Sein, seine Sphäre, sein Kräftepotential, nur dann, wenn dies dialektisch in der Freiheit seines Selbstseins *und* der Gebundenheit an Familie (Stamm), Volk (Nation) / Staat und Natur geschieht. Diese Entfaltung bedarf der erzieherischen Pflege *und* der staatlichen Ordnung. FRÖBEL sieht beides, Erziehung und politisches Leben als Einheit, allerdings mit einer Präferenz für das Pädagogische, für seine sphäre-philosophische Pädagogik, weil diese die Notwendigkeit des Zusammenwirkens, ja, der Einheit von Pädagogischem und Politischem zu denken vermag. Dem politischen Leben unterstellt FRÖBEL ein entsprechendes Denken grundsätzlich nicht. So vermag FRÖBEL dann auch den kühnen, scheinbar eindeutig „politisch" klingenden Satz zu formulieren, der in Wirklichkeit sein Programm sphärischer Erziehung umreißt:

„Prüfen Sie all mein erziehendes Tun in seinem innersten Kern, – ich erziehe und bilde seit einem Menschenalter für die Republik und zu ihr hin, ich bilde und erziehe für die Ausübung der republikanischen Tugenden" (HOFFMANN 1948, S. 94).

Beim „innersten Kern" der sphärephilosophischen Pädagogik handelt es sich um das spielende Kind, das sich die Grundlagen seiner persönlichen wie sozial-politischen Existenz selbst „erspielt". Insofern sind die im Kindergarten bzw. in der familialen Spielpflege im Kind durch dieses selbst aufgebauten Haltungen durchaus „politische" „Tugenden". Und da sie der Dialektik von Freiheit und Gesetz entsprechen, können sie nur „republikanische" Tugenden sein. Denn die „Republik" als Staatsform setzt diese Dialektik, das *Bewußtsein* von der Notwendigkeit der *Freiheit des einzelnen* und dessen *sozial-politischer Bindungsbereitschaft* voraus. Eine Präferenz des Politischen bei FRÖBEL läßt sich diesem Zitat aber nicht entnehmen.

Nun die vierte Gruppe der Fröbelbriefe von 1848. Diese insgesamt vierzehn Briefe vom August/September 1848 kreisen um die Rudolstadter Lehrerversammlung, deren Verlauf und Beschluß. Sie verweisen ferner auf die wohl im Juli / August 1848 erschienene Schrift MIDDENDORFFs „Die Kindergärten, Bedürfnis der Zeit, Grundlage einigender Volkserziehung". Sie gehen von der schnellen weiteren, staatlich geförderten Ausbreitung der Kindergärten aus und postulieren einen zunehmenden Bedarf an Kindergärtnerinnen. Dies ist dann auch der Ausgangspunkt für den Dresdner Ausbildungskurs, dem thematischen Schwerpunkt der sich anschließenden fünften und letzten Gruppe der Briefe FRÖBELs. Diese Briefe haben tendenziell durchaus meist den Charakter eines Geschäftsbriefes.

Es handelt sich um folgende Briefe: Schreiben an Redaktion des Allgemeinen deutschen Volksfreunds in Braunschweig v. 17.(?) 8.; an Redaktion der Didaskalia, an Redaktion der Dorfzeitung u. an Redaktion der Weserzeitung v. 25.8.; an Frankfurter Nationalversammlung v. Ende Aug.; an L. WOEPCKE v. Ende

Aug./Anfang Sept.; an H. v. ARNSWALD u. A. BLUMRÖDER v. 3.9.; an L. LEVIN v. 11.9.; an M. CHRIST v. 13.9.; an J. STANGENBERGER v. 14./15.9.; an J. MEYER v. 16.9.; an L. LEVIN v. 18./19.9. und an I. SEELE v. 21.9.1848.

Beachtenswert ist der Brief FRÖBELs an L. LEVIN v. 18./19.9.1848. Er berichtet nicht nur über die aktuellen Entwicklungen und über seine Spielpädagogik. Er diskutiert auch J. H. WICHERNs „Fliegende Blätter für innere Mission" und die darin enthaltene Beziehung von Kirche und Politik:

„Wichern betrachtet [...] den Menschen in einer innern und einer äußeren in *religiöser* und *staatlicher* Hinsicht, in Beziehung auf *Kirche* und *Staat* und sucht diese Doppelansicht des Menschen zu einigen indem er ausspricht, *Staat* und *Kirche* widersprechen sich eigentlich in sich nicht sondern sind nur die zwei verschiedenen Seiten des menschlichen Lebens, der Mensch muß also so wohl *in sich* als außer sich für Staat und Kirche als eines Einigen erzogen werden." Soweit WICHERN; nun fügt FRÖBEL seine eigene Position hinzu: „Hierin liegt nun aber nach meiner Ansicht das Unklare, Unvollständige, Ungenügende, ja das noch Unfreie, Fesselnde und sogar in einer gewissen Hinsicht Tödtende seiner Auffassungsweise: *Staat* und *Kirche* sind in ihrer Schärfe aufgefaßt zwei so verschiedene Dinge, die in *dieser* Verschiedenheit sich gar nicht unmittelbar einigen lassen. Über *Staat* und *Kirche* liegt aber ein Drittes beide Einigendes und das ist der *Mensch*, das *Menschthum*, die *Menschheit*. Als *Glied* der Menschheit, als *Mensch* muß das *Kind* und der Mensch in der Erscheinung vor allem erfaßt werden; das in ihm schlummernde Wesen: –"*Mensch"* muß *in ihm geweckt, entwikkelt*, aus ihm hervorgezogen, *erzogen*, an ihm ausgebildet werden, dann wird der Mensch aus sich wie wahrhaft als Mensch und für die *Menschheit*, so auch für die ächte freie, geistige *Kirche* und für den in sich ebenso freien *Staat*, somit für Gott-, Natur- und Selbsteinigung, also für wahre *Lebenseinigung* erzogen, denn Gott *ist* das Leben, die Natur *offenbart* das Leben und der Mensch wird sich des Lebens *in sich* selbst durch sich selbst und in der Menschheit *bewußt*, und stellt es so wieder, lebt es so wieder in und mit Bewußtseyn – wenn auch auf den verschiedensten Stufen von der *Ahnung* an – bis zur klaren Selbsterfassung im stetig schönen Thun – dar" (BN 441,4 - 4R).

Hier ist doch wieder ganz deutlich gesagt, was vom „politischen" Pädagogen FRÖBEL zu halten ist. Es gibt ihn im strengen Sinne nicht. FRÖBELs Pädagogik ist weder an politischer Praxis noch an einer bestimmten politischen Theorie orientiert. Als Pädagogik der „Menschenerziehung" strebt sie die Erziehung des Menschen zu seinem Selbst, also die Entfaltung des sphärischen Wesens des Menschen, bei jedem Menschen, an. Wenn das Kind seine Kräfte im Spiel frei und an die Gesetze gebunden entfalten kann, kann es auch als Heranwachsender und als erwachsener Mensch im kirchlichen und staatlichen Bereich frei sein und sich doch binden, sich in Freiheit binden, sich bewußt binden, sich bewußt einfügen, Mitglied werden. Insofern muß FRÖBEL auch WICHERNs dogmatisch-konfessionellen Kirchenbegriff ablehnen, weil WICHERN

„sich [...] dabei an bestimmte *Glaubenssätze* und somit an einen bestimmten *Satzglauben* hält, wie er sich in *Ur-* darum von ihm *heilig* gehaltenen *Schriften* des Menschengeschlechtes gestaltet ausspricht, ich dagegen von dem *Wesen* des Menschen und der Menschheit ausgehe, wie es sich in der Gesammtheit der Welt- der Lebens- und Wesensentwickelung, in der *Gesammtheit* der Menschheitsentwickelung kund giebt und offenbart" (BN 441,4R).

Entscheidend ist: Ohne sphärische Erziehung kein freier Staatsbürger und kein freier religiöser Mensch! „Freiheit" meint hier Bewußtheit und autonomes Entscheidungsrecht für Bindungen, deren grundsätzliche Notwendigkeit allerdings zugleich mitgesetzt sind. Insofern ist bei FRÖBEL derjenige „freier" Staatsbürger, der kraft seiner bewußten Verpflichtung für den Staat sich an dessen soziale und politische Regelungen und Ordnungen bindet und diese bejaht. Gleiches gilt für den religiösen Menschen, der sich frei an die Institution Kirche und ihre konfessionellen Regelungen und Ordnungen bindet, indem er sich für diese entscheidet und sie bejaht. Die Pluralität der Staatstheorien bzw. parteipolitischen Programme sowie die Pluralität der christlichen Konfessionen diskutiert FRÖBEL also nicht, sondern setzt fundamental beim Begriff des Politischen bzw. Kirchlich-Religiösen an. Voraussetzung für die Existenz des freien Staatsbürgers bzw. Kirchenmitglieds ist das *unbeeinflußte Bewußtsein*, das durch die sphärische Erziehung hervorgebracht wurde, indem alle Kräfte aktiviert, also der *„Mensch [...] in ihm geweckt, entwickelt*, aus ihm hervorgezogen, *erzogen*, an ihm ausgebildet" wird.

FRÖBEL muß also letztlich doch stets von der Erziehung, vom Pädagogischen aus das Politische sehen. Im Grunde ist auch das Politische, das konkrete staatsbürgerliche Verhalten, Ausübung und Kontrolle von Macht, im Sphärischen begründet bzw. vor dem Sphärischen zu rechtfertigen. Wer seine Sphäre nicht entwickelt hat, setzt sich entweder selbst als Absolutes oder wird zum Mitläufer. Aber beide Positionen lehnt FRÖBEL ab und verweist auf das Sphärische, das freisetzend bindet, weil es mit Bewußtsein verbunden ist. Daß FRÖBEL zu dieser Zeit im Brief an BLUMRÖDER (3.9.1848) das sich 1848 politisch verändernde gesellschaftliche Leben als ein „alles zu vernichten strebendes Irren u. Wirren" interpretiert, von dem sich die an den Naturgesetzen orientierte sphärische Erziehung positiv abhebt, wirkt zwar überraschend und irritiert zu diesem Zeitpunkt der Blüte der Märzrevolution sehr, unterstreicht aber letztlich doch wieder die Dominanz des Pädagogischen gegenüber dem Politischen bei FRÖBEL.

Zum Schluß der Briefrecherche die fünfte Gruppe der Briefe FRÖBELs. Sie umfaßt Briefe aus der Zeit von Oktober bis Dezember 1848, insgesamt 22 Briefe. In ihnen schildert FRÖBEL das Ergebnis der Eisenacher

Lehrerversammlung und seinen Dresdner Ausbildungsalltag. Hier kehrt FRÖBEL, vor allem in den Briefen an LUISE LEVIN, zur Diskussion seiner Spielpädagogik zurück, die hier nicht Gegenstand sein kann (vgl. HEILAND 1998b). Immerhin zeigt diese Wendung FRÖBELs zurück zur Klärung seiner Theorie der Spielpflege, wie substanziell und wichtig ihm dieser Zusammenhang auch im Revolutionsjahr 1848 geblieben ist und wie seine Pädagogik des Spiels gegen Jahresende wieder an Bedeutung zunimmt. Die Briefe kennzeichnen meist Probleme bzw. Details der Spielbzw. Ausbildungspraxis in Dresden.

Es handelt sich um folgende Briefe: Schreiben an R. FELSBERG v. 4.10.; an A. MIDDENDORFF v. 5.10.; an L. LEVIN v. 3./6.10.; an R. KRELL u. E. STIELER v. 21.10; an L. LEVIN v. 21./22.10.; an R. KRELL v. 29.10.; an L. LEVIN v. 11./14.11.; an L. WOEPCKE, C. PILZ u. E. FRÖBEL v. 19.11.; an L. STORCH v. 26.11.; an L. LEVIN v. 27.11./1.12. u. v. 8.12.; an F. HOFMANN v. 10.12.; an I. SEELE v. 14.12.; an A. MIDDENDORFF/L. LEVIN v. 12./18.12.; an E. FRÖBEL v. 21.12.1848 sowie zwei undatierte Geschäftsbriefe (wohl von Ende 1848).

Um die Analyse des Selbstverständnisses FRÖBELs von der Revolution 1848/49 abzurunden, sollen in einem überblickhaften Abriß noch „politische" Aspekte der Briefe FRÖBELs von 1849 zusammengefaßt werden.[7]
FRÖBEL hat in diesen Briefen des Jahres 1849 bis in den Mai hinein und dann nochmals im Oktober auf die politischen Veränderungen Bezug genommen. Diese Aussagen ergänzen FRÖBELs Selbstverständnis vom Politischen bzw. von der Märzrevolution in seinen Briefen von 1848. Zu einer systematischen Klärung des Verhältnisses von Politischem und Pädagogischem wie gegenüber HAGEN bzw. STANGENBERGER oder in Auseinandersetzung mit WICHERN 1848 gelangt FRÖBEL in dieser Zeit nicht mehr. Mit der erstarkenden politischen Reaktion findet er sich offensichtlich ab. Nun strebt er verstärkt die Realisierung der neuen Bildungsanstalt in Bad Liebenstein, später Marienthal, an, will eine neue Zeitschrift („Wochenschrift") für den Fröbelkreis bzw. die Kindergartenbewegung etablieren, seine Beziehung zu LUISE LEVIN ordnen. Schließlich besteht das Angebot, in Hamburg ab November 1849 einen Ausbildungskurs zu günstigen finanziellen Konditionen durchzuführen. Alle diese Trends spiegeln sich in seinen Briefen aus dieser Zeit. FRÖBEL resigniert nicht, als er das Erstarken der konservativen Kräfte und dann deren Sieg über die politische Reform im Mai 1849 erleben muß. Denn die Ziele der politischen Revolutionäre 1848 stimmen mit FRÖBELs Erziehungsphilosophie nur formal, aber nicht inhaltlich, im Gedanken der „Einigung" und der „Freiheit" überein. FRÖBEL versteht seine Erziehung

[7] Es handelt sich um 95 erhaltene Briefe, die aus Raumgründen hier nicht mit Adressat und Datierung aufgeführt werden. Auch wird hier nicht auf einzelne Briefe genauer eingegangen.

als von den „Zeitereignisssen unabhängig" (Brief v. 25.5.49 an HEINRICH HERZ/GSA 96/4238,1 - 1R). „Einigung" und „Freiheit" sind für FRÖBEL zunächst und vor allem neuhumanistisch-sphärephilosophische Begriffe, die das Individuum zwar nicht ausschließlich, aber doch dominant in seiner Selbstbezogenheit und Selbstbefindlichkeit beschreiben. Das Scheitern der politischen Reform 1848/49, das Scheitern ihrer Forderung nach staatlicher Einigung aller Deutschen und nach Verwirklichung des Verfassungsstaates, des Parlamentarismus bzw. der Parteienherrschaft auf der Basis demokratischer Grundrechte, bedeutet für FRÖBEL nicht das Scheitern seiner Erziehungsphilosophie „sphärischer" Erziehung. Im Gegenteil. FRÖBELs vager und idealisierter Begriff des "Politischen" in Verbindung mit der Dominanz des „Pädagogischen" vor dem „Politischen" führt dazu, daß er das Scheitern der politischen Revolution zum Teil auch auf das Übersehen sphärischer Erziehung als gesellschaftlicher conditio sine qua non, als Grundrecht, zurückführt. Das entscheidende und durchgehende Argument dieser Briefe von 1849 ist der nun ganz deutlich vorgetragene Gedanke einer Ablehnung politischer Revolution zugunsten der Evolution.

In einem Brief formuliert er dieses Credo so: „Alles mit der Natur, nichts wider die Natur, alles auf dem entwickelnden Wege, nur diesen aber in seinem Erscheinen, seinen Ursachen und Wirkungen, Zweck und Ziele stets klar und fest im Auge. Das Neue, Folgende soll nicht aus und durch gewaltsame Zerstörung des Alten, Früheren hervorgehen, sondern aus dem innersten Verständnisse, der friedlichsten Aufnahme der sichern Fortführung und Entfaltung [des Früheren]" (Brief an LUISE LEVIN v. 4.3.49/BIM XXIII, 38, 145).

IV. Ergebnis

Die Auswertung der Briefe FRÖBELs aus der Revolutionszeit 1848/49 zeigt ein eindeutiges Ergebnis. FRÖBEL entwickelt eine Vielzahl von Aktivitäten in diesen Jahren. Insofern verhält er sich „politisch". Aber diese Aktivitäten, die von der Anregung zu Lehrerversammlungen, zu bildungspolitischen Petitionen, zur lokalen und regionalen Schulreform über die Organisation einer über 300 Teilnehmer umfassenden Lehrer- und Erzieherversammlung (vor allem thüringischer und sächsischer Volksschullehrer sowie Kindergärtnerinnen) in Rudolstadt bis hin zur Durchführung des Ausbildungskurses in Dresden gehen, sind und bleiben geprägt von FRÖBELs Pädagogik, seiner Theorie „sphärischer Erziehung", die ihm die Grundlage auch aller politischer Reform und Revolution ist. Die Sphärephilosophie, erstmals 1811 breiter ausgearbeitet, bleibt die kontinuierliche Grundlage seiner Pädagogik, während FRÖBELs Begriff des Politischen, wie nachgewiesen, in ganz erheblichem Maße zeitlebens differierte.

Im Rahmen der Märzrevolution 1848/49 entwickelte FRÖBEL scheinbar eine gewisse Affinität zur republikanischen Staatsform. Die für diese Problematik zentralen Briefe FRÖBELs zeigen aber, daß FRÖBEL politische wie kirchliche Ordnungsstrukturen und Verhaltensregelungen in seiner sphärischen Spielpflege des Kindergartens wie der Familie fundiert. Diese Spielpflege setzt die Kräfte des Kindes im dialektischen Kontext von Gesetzmäßigkeiten frei und bringt so die „republikanischen Tugenden" hervor, die sowohl FRÖBELs Anspruch eines humanen, FRÖBEL sagt: „menschheitlichen", politischen wie auch kirchlich-religiösen Verhaltens entsprechen, nämlich bewußt zu leben! Dies bedeutet für FRÖBEL, als freier Mensch zugleich die als notwendig erkannten Bindungen im Bereich von Staat (Polis) wie Kirche einzugehen, um verantwortlich in diesen Bereichen mitgestalten zu können.

FRÖBELs Briefe von 1849 zeigen gegenüber seinen Briefen von 1848 eine wesentlich geringere systematische bzw. reale Beachtung des Politischen, ferner die deutliche Tendenz, die eigenen pädagogischen Aktivitäten christlich-heilsgeschichtlich zu legitimieren. Sie belegen auch FRÖBELs Hang zur Kompensation. Diese Legitimation wird teilweise mit beschwörendem Pathos vorgenommen. Der Zusammenbruch der politischen bzw. bildungspolitischen Reformen der 48er Revolution, von der FRÖBEL sich den Durchbruch für seinen Kindergarten erhoffte, führt zur verstärkten Betonung der sphärischen Erziehung als Basisbedingung humaner, „gesitteter" staatlich-gesellschaftlicher Organisation. Auffällig ist die wiederkehrende und deutliche Akzentuierung der Evolution, die Ablehnung gewaltsamer politischer Umbrüche (Revolution) zugunsten der behutsamen politischen Veränderung analog zur Natur, die als Schöpfung Gottes kontinuierlich das Spätere aus dem Früheren hervorbringt. Wie sphärische Erziehung „naturwüchsig-entwickelnd", kontinuierlich ohne Zäsuren und Brüche verfährt, so muß auch die Veränderung politischer Verhältnisse evolutionär geschehen, aus den tradierten Herrschaftsstrukturen behutsam veränderte, neue Machtverhältnisse, hervorgehen. FRÖBEL läßt allerdings ungeklärt, wie aus der gesellschaftlichen Situation restriktiver konservativer Reaktion (man denke u.a. an die Stiehlschen Regulative) die prognostizierten Verhältnisse „evolutionär" hervorgehen sollen. Und er erkennt auch nicht, daß gerade diese evolutionäre Grundorientierung der Deutschen gegenüber dem politischen Phänomen der Revolution 1830 wie 1848/49 der entscheidende Grund für das Scheitern der 48er Revolution war, in deren Gefolge FRÖBEL selbst dann später dem preußischen Verdikt des Kindergartenverbots (1851) und damit der teilweisen Vernichtung seines Lebenswerks anheimfiel.

In dieser Zeit wird in den Briefen ein Rückgang FRÖBELs auf die Bereiche des Individuellen sichtbar. Zwar wäre es unangemessen zu sagen,

FRÖBEL habe resigniert. Den Begriff „Freiheit" faßt FRÖBEL aber nun doch deutlich neuhumanistisch-individualistisch.

In der „Wochenschrift" von 1850, in der Nummer 11, findet sich folgendes Gedicht FRÖBELs. – FRÖBELs Abgesang auf die Revolution von 1848/49 ?:

> "Nach *Freiheit* strebt der Mensch aus allen Kräften,
> Er hofft in *äußerm Freisein* sie zu sehn;
> Kein Band ist fest genug, ihn fest zu fesseln,
> Und er erringt erhaben, *Freisein* kühn;
> Er hielt den Preis in seinen Händen,
> Noch haltend, – sinkt er hin;
> Und wieder greift er ihn,
> Und nochmals sinkt er hin;
> Und nochmals faßt er ihn,
> Doch seht, er fällt ganz hin. -
> Da wird es hell in ihm: -
> 'Ist's denn, Vergängliches
> Wonach ohn' Rast ich strebe?!' -
> 'Sei frei in dir' – so spricht's in ihm,
> 'Und ewig bist du frei:' -
> *'Du selbst giebst wahre Freiheit dir!'"*
> (FRÖBEL 1850, S. 81)

Archivalien

Siglen:

BN = **BERLINER NACHLASS / DEUTSCHES INSTITUT F. INTERNAT. PÄD. FORSCHUNG. BIBLIOTHEK FÜR BILDUNGSGESCHICHTLICHE FORSCHUNG/ARCHIV.** Berlin.
BIM = **FRÖBELMUSEUM BAD BLANKENBURG/THÜRINGEN.**
KN = **KEILHAUER NACHLASS / STAATSBIBLIOTHEK ZU BERLIN. PREUSSISCHER KULTURBESITZ. HANDSCHRIFTENABTEILUNG.** Nachlaß 186.
GSA = **GOETHE-SCHILLER-ARCHIV WEIMAR.**
GNM = **GERMANISCHES NATIONAL-MUSEUM NÜRNBERG.**

F. an CHRISTIAN SAMUEL WEISS v. 8.12.1813 (Germ. Nat. Museum Nürnberg, Bl 62 - 64).
F. an JOHANN ARNOLD BAROP v. 7.2.1835 (KN 51).
F. an WILHELM MIDDENDORFF u. JOHANN ARNOLD BAROP v. 18.11.1844 (KN 56).
F. an HERMANN v. ARNSWALD v. 19.1.1848 (BIM, XVIII, 2, Bl 16 bis 23).

F. an JOHANNES STANGENBERGER v. 23.1.1848 (BN Anh. 43, Bl LC 51 - LC 56).

F. an ROBERT FELSBERG v. 7.2.1848 (ed. KG 1871, 52 - 56).

F. an FRIEDERIKE SCHMIDT v. 7.2.1848 (ed. PÖSCHE 1887, 124 bis 126).

F. an HILDEGARD MUTHER v. 13.2.1848 (BIM, XVIII, 2, Bl 24 - 25)

F. an LUISE FRANKENBERG v. 13.2.1848 (ed. PÖSCHE 1887, 182 bis 184).

F. an FRIEDERIKE SCHMIDT v. 17.2.1848 (BIM, XIV, 63, Bl 214 - 216).

F. an JOHANNES STANGENBERGER v. 17.2.1848 (BN Anh.43, Bl LC 57 - LC 64).

F. an IDA SEELE v. 18.2.1848 (BN 651, Bl 36 - 38).

F. an FRIEDRICH HOFMANN v. 16.3.1848 (LB Coburg, Ms 300/2 F. FRÖBEL) (Entwurf: BN 487, Bl 3 - 4).

F. an FRIEDRICH HOFMANN v. 18.3.1848 (BN Anh. 30, Bl 29b - 31).

F. an JOHANNES STANGENBERGER v. 19./20.3.1848 (BN Anh. 43, Bl LC 65 - LC 71).

F. an ROBERT FELSBERG v. 21.3.1848 (ed. KG 1871, 57 - 58).

F. an JOSEPH MEYER v. 21.3.1848 (BN 722, Bl 4 - 8 / 3 Entwürfe).

F. an FRIEDERIKE SCHMIDT v. 20./21./22.3.1848 (BIM XIV, 65, Bl 219 bis 221).

F. an FRIEDRICH HOFMANN v. <22.>3.1848 (LB Coburg, Ms 300/2 F. FRÖBEL).

F. an ARTHUR FRÖBEL v. 28.3.1848 (BN Anh. 22).

F. an FRIEDERIKE SCHMIDT v. 1.4.1848 (BIM XIV, 67, Bl 223 - 225).

F. an HERMANN v. ARNSWALD v. 8.4.1848 (BIM XVIII, 2, Bl 28 - 29).

F. an FRIEDRICH HOFMANN v. 8.5.1848 (LB Coburg, Ms 300/2 F. FRÖBEL).

F. an LUISE LEVIN v. 29.5.1848 (ed. PFH Berlin 1892, Nr.21,5).

F. an die deutschen Frauen v. 16.6.1848 (BIM XVIII, 2, Bl 30 - 31).

F. an RICHARD KRELL v. 18.6.1848 (BIM XXVII, Verschied. Briefe II,36).

F. an JOHANNES STANGENBERGER v. 18.6.1848 (BN Anh. 43, Bl LC 72 - LC 83).

F. an K. GÜNTHER MEY /HERMANN v. ARNSWALD v. <1.Hälfte 1848> (BN 364, Bl 2 - 3).

F. an Leiterinnen von Kindergärten (Rundschreiben) v. 4.7.1848 (BIM XVIII, 3, Bl 48 - 49).

F. an JOHANNES STANGENBERGER v. 5.7.1848 (BN Anh. 43, Bl LC 84 - LC 96).

F. an FRIEDRICH HOFMANN v. 6.7.1848 (LB Coburg, Ms 300/2 F. FRÖBEL).

F. an HERMANN v. ARNSWALD v. 7.7.1848 (BIM XVIII, 2, Bl 32 - 33).

F. an <Anwender der Fröbelschen Pädagogik> Rundschreiben v. 7.7.1848 (BN 364, Bl 5 - 6, BIM XVIII, 3, Bl 50 - 51).

F. an LEONHARD WOEPCKE v. 8.7.1848 (ed. JÄNICKE 1880, 239).
F. an IDA SEELE v. 12.7.1848 (BN 651, Bl 40).
F. an SOPHIE MÜLLER v. 16.7.1848 (BN 575, Bl 1).
F. an KARL HAGEN v. 17.7.1848 (ed. HAGEN 1882/ Nachdruck HOFFMANN 1948, 87 - 94).
F. an RICHARD KRELL v. 23.7.1848 (BIM XXVII, Verschied. Briefe II, 36).
F. an THEKLA v. GUMPERT / <Dresdner Frauenverein> v. 23.7.1848 (BN 730a, Bl 10 - 11).
F. an LEONHARD WOEPCKE v. 30.7.1848 (ed. JÄNICKE 1880, 239).
F. an die Redaktion d. Allgem. dtschen Volksfreundes in Braunschweig v.<vor>17.8.1848 (BN 713, Bl 1).
F. an die Redaktion der Didaskalia v. 25.8.1848 (BIM XXVII, Verschied. Briefe II, 45).
F. an die Redaktion der Dorfzeitung v. 25.8.1848 (BN 721, Bl 4).
F. an die Redaktion der Weserzeitung v. 25.8.1848 (BN 713, Bl 2 - 3).
F. an die Deutsche Nationalversammlung, Sektion, v. Ende August 1848 (BN 716, Bl 8).
F. an LEONHARD WOEPCKE v. <Ende August/Anfang Sept.> 1848 (ed. JÄNICKE 1880, 239 - 240).
F. an HERMANN v. ARNSWALD v. 3.9.1848 (BIM XVIII, 2, Bl 34 - 37).
F. an BLUMRÖDER v. 3.9.1848 (BN Anh. 17,1).
F. an LUISE LEVIN v. 11.9.1848 (BIM XXIII, 7, Bl 13 - 15).
F. an MARIE CHRIST v. 13.9. 1848 (BIM XVIII, 2, Bl 38 - 39).
F. an JOHANNES STANGENBERGER v. 14./15.9.1848 (BN Anh. 43, Bl LC 97 - LC 110).
F. an JOSEPH MEYER v. 16.9.1848 (BN 722, Bl 9).
F. an LUISE LEVIN v. 18./19.9.1848 (BN 441, Bl 1 - 5 / BIM XXIII, 9, Bl 18).
F. an IDA SEELE v. 21.9.1848 (BN 651, Bl 41 - 42).
F. an ROBERT FELSBERG v. 4.10.1848 (ed. KG 1871,107).
F. an EDUARD ZEISS v. 4.10.1848 (BN 703, Bl 3).
F. an LUISE LEVIN v. 3./6.10.1848 (BIM XXIII, 11, Bl 21 - 25).
F. an ALLWINA MIDDENDORFF v. 5.10.1848 (BN Anh. 36, Bl 1 - 8).
F. an RICHARD KRELL v. 21.10.1848 (BIM XXVII, Verschied. Briefe II,36).
F. an EMILIE STIELER v. 21.10.1848 (Staatl. Fachschule Hamburg).
F. an LUISE LEVIN v. 21./22.10.1848 (BIM XXIII, 15, Bl 39 - 42).
F. an RICHARD KRELL v. 29.10.1848 (BIM XXVII, Verschied. Briefe II,36).
F. an LUISE LEVIN v. 11/14.11.1848 (BIM XXIII,17, Bl 49 - 58).
F. an LEONHARD WOEPCKE v. 19.11.1848 (JÄNICKE 1880, 240 bis 241).
F. an CARL PILZ v. 23.11.1848 (ed. MÜLLER 1914, 1 - 3).
F. an ELISE FRÖBEL v. 23.11.1848 (BN 623, Bl 2 - 3).

F. an LUDWIG STORCH v. 26.11.1848 (BN Anh. 44, Bl 37 - 38).
F. an LUISE LEVIN v. 27.11./1.12.1848 (BIM XXIII, 20, Bl 62 - 71 u. XXIV, 9, Bl 33).
F. an LUISE LEVIN v. 8./9.12.1848 (BIM XXIII,22, Bl 74 - 75).
F. an FRIEDRICH HOFMANN v. 10 12.1848 (BN Anh. 30, Bl 1b - 2).
F. an IDA SEELE v. 14.12.1848 (BN 655, Bl 43 - 44).
F. an ALLWINA MIDDENDORFF v.<zw. 12.u.18.> 12.1848 (BIM XXIII, 24, Bl 82).
F. an LUISE LEVIN v. 12./18.12.1848 (BIM XXIII, 24, Bl 80 - 81).
F. an ELISE FRÖBEL v. 21.12.1848 (ed. NOHL 1931/32, 473 - 475).
F. an IMSO/JUCHO v. Mitte (nach 18.8.)/Ende 1848 (BN 716, Bl 9V.
F. an Regierungsrat v. Mitte (nach 18.8.)/Ende 1848 (BN 716, Bl 9R).
F. an LUISE LEVIN v. 4.3.1849 (BIM XXIII, 38, Bl 145 - 148 / XIX, 1, Bl 19 - 22).
F. an HEINRICH HERZ v. 25.5.1849 (GSA 96/4238).
F. an Redaktion der „Dorfzeitung" v. 28.8.1851 (BIM XXI, 7e, Bl 357 bis 362).

Literatur

ARNDT, ERNST MORITZ: Germanien und Europa. Altona 1803.

BOLDT, ROSEMARIE/EICHLER, WOLFGANG: Friedrich Wilhelm August Fröbel. Leipzig 1982.

E.n.b.: Aus Fröbels Brief an den König Friedrich Wilhelm IV. von Preußen v. 31. Oktober 1851. In: Ev. Kinderpflege 13 (1952), S. 91 - 93.

FRÖBEL, FRIEDRICH: An unser deutsches Volk. Erfurt 1820. In: Zimmermann, Hans (Hrsg.): Fröbels Kleinere Schriften zur Pädagogik. Leipzig 1914, S. 123 - 147.

FRÖBEL, FRIEDRICH: Durchgreifende, dem deutschen Charakter erschöpfend genügende Erziehung ist das Grund- und Quellbedürfnis des deutschen Volkes. Erfurt 1821. In: Zimmermann, Hans (Hrsg.): Fröbels Kleinere Schriften zur Pädagogik. Leipzig 1914, S. 147 - 175.

FRÖBEL, FRIEDRICH: Grundzüge der Menschenerziehung (1833). In: Zimmermann, Hans (Hrsg.): Fröbels Menschenerziehung mit der Beilage: Fröbel, Grundzüge der Menschenerziehung. Leipzig 1913, S. 275 - 300.

FRÖBEL, FRIEDRICH: Erneuung des Lebens fordert das neue Jahr 1836. In: Lange, Wichard (Hrsg.): Friedrich Fröbels gesammelte pädagogische Schriften. Erste Abteilung: Friedrich Fröbel in seiner Entwicklung als Mensch und Pädagog. Bd. 2: Ideen Friedrich Fröbels über die Menschenerziehung und Aufsätze verschiedenen Inhalts. Berlin 1863, S. 499 - 561.

FRÖBEL, FRIEDRICH: Friedrich Fröbels Wochenschrift. Bad Liebenstein 1850.

GEBEL, MICHAEL/HEILAND, HELMUT/PROLL, HANS: Fröbel in seinen Briefen. In: Z.f.Päd. 43 (1997) S. 375 - 393.

HALFTER, FRITZ: Der junge Fröbel. Beiträge zur inneren Entwicklung Friedrich Fröbels 1782 - 1811. Langensalza 1930.

HALFTER, FRITZ: Friedrich Fröbel. Halle 1931.

HANSCHMANN, ALEXANDER BRUNO: Friedrich Fröbel. Eisenach 1874.

HEILAND, HELMUT: Fröbel und die Nachwelt. Bad Heilbrunn 1982.

HEILAND, HELMUT: Zum Verhältnis von Politik und Pädagogik bei Friedrich Fröbel. In: Päd. Rundschau 45 (1991) S. 433 - 450.

HEILAND, HELMUT: Fröbel im „Dritten Reich". Zum Fröbelverständnis im Nationalsozialismus. In: Päd. Forum 10 (1997), S. 563 - 576.

HEILAND, HELMUT: Friedrich Fröbels Beziehungen zu Quetz. In: Zörbiger Bote 7 (1997), Nr. 12, S. 12 - 14; 8 (1998) Nr., 1, S. 9 - 15, Nr.2, S. 5 - 10, Nr. 3, S. 4 - 8.

HEILAND, HELMUT: Fröbels Konzeption der Nationalerziehung. In: Flessau, Kurt-Ingo/ Jacobs, Friedhelm (Hrsg.): Erziehungsdenken im Bannkreis der Französischen Revolution. Bochum 1998, S. 198 - 228 (a).

HEILAND, HELMUT: Die Spielpädagogik Friedrich Fröbels. Hildesheim 1998 (b).

HOFFMANN, ERIKA (Hrsg.): Friedrich Fröbel und Karl Hagen. Weimar 1948.

HOFFMANN, ERIKA (Hrsg.): Friedrich Fröbel. Ausgewählte Schriften. Bd 1: Kleine Schriften und Briefe von 1809 - 1851. Bonn-Bad Godesberg 1951.

[**KÖHLER, AUGUST**, Hrsg.] Aus Fröbels Briefen [an Robert Felsberg]. In: Kindergarten 12 (1871), S. 12 - 15, 21 - 26, 39 - 42, 52 - 58, 106 bis 109.

KÖNIG, HELMUT (Hrsg.): Gedanken zur Nationalerziehung aus dem Vormärz. Berlin 1959 (Fröbel: S. 43 - 82).

KÖNIG, HELMUT: Friedrich Fröbels Verbindungen zur kleinbürgerlichen Demokratie in der ersten Hälfte des 19. Jahrhunderts. 4 Teile. In: Jahrbuch f. Erziehungs- u. Schulgeschichte 24 (1984), S. 51 - 72; 25 (1985), S. 37 - 60; 26 (1986), S. 169 - 193; 27 (1987), S. 84 bis 117.

KRECKER, MARGOT (Hrsg.): Aus der Geschichte der Kleinkindererziehung. Berlin 1961.

LÜCK, CONRADINE (Hrsg.): Friedrich Fröbel und die Muhme Schmidt. Leipzig 1929.

MUNDORF, GERDA/ SCHUFFENHAUER, HEINZ/ KOBERSTEIN, MARIANNE (Hrsg.): Gedenkschrift zum 100. Todestag von Friedrich Fröbel am 21. Juni 1952. Berlin 1952.

PÖSCHE, HERMANN (Hrsg.): Friedrich Fröbel's Kindergarten-Briefe. Wien/Leipzig 1887.

PRÜFER, JOHANNES: Friedrich Fröbel. Leipzig 1914, 2. Aufl. 1920, 3. Aufl. 1927.

RINKE, ALFONS: Friedrich Fröbels philosophische Entwicklung unter dem Einfluß der Romantik. Langensalza 1935.

SCHUFFENHAUER, HEINZ: Friedrich Wilhelm August Fröbel. Berlin 1962.

ZIMMERMANN, HANS (Hrsg.): Fröbels Kleinere Schriften zur Pädagogik. Leipzig 1914.

MEIKE SOPHIA BAADER

Die Politisierung des Fröbelschen Kindergartenprojektes durch die Revolutionen von 1848/1849

1. Das Verbot der Kindergärten als Horte von Revolution und Atheismus

Die Geschichte des Kindergartenverbotes in Preußen, das mit Erlaß vom 7. August 1851 in Kraft trat, ist bekannt und soll hier nicht noch einmal im Detail aufgerollt werden.[1] Festzuhalten ist, so bestätigt der Blick in die Akten des Kultus- und Innenministeriums, daß das Verbot – trotz der personellen Verwechslung von KARL und FRIEDRICH FRÖBEL, die sich durch die gesamte Akte „FRÖBEL" der preußischen Polizei zieht – von Anfang an auf die Kindergärten FRIEDRICH FRÖBELs zielte. Die Initiative dazu ging von höchster Stelle, nämlich vom König selbst aus. Dieser stand in seiner religiösen Grundauffassung der Erweckungsbewegung nahe. Anlaß für das Verbot war die Eröffnung eines Kindergartens in Nordhausen durch LUDWIG STORCH, der, „vor und nach 1848 als Volksredner bemerkbar und beliebt gewesen sei".[2] Die höchst ausführlichen Begründungen der Ministerien zum Kindergartenverbot und die diesem vorausgegangene Aufforderung, die Kindergärten, „ihren Anklang" und, „in welchen Kreisen" dieser stattfinde, genau zu beobachten, verweisen auf die Bedeutung, die ihnen von Seiten der Obrigkeit beigemessen wurde (GStA Rep 77 Tit. 421, Nr. 28,

Friedrich Fröbel

---

1 Siehe hierzu BAADER 1998, S. 206 - 224. Dieser Beitrag ist in der hier vorgelegten Fassung um einige Aspekte erweitert worden. Zum Kindergartenverbot siehe außerdem DEUTSCHES INSTITUT FÜR INTERNATIONALE PÄDAGOGISCHE FORSCHUNG/BIBLIOTHEK FÜR BILDUNGSGESCHICHTLICHE FORSCHUNG (Hrsg.) 1998.

2 Schreiben HINKELDEYS an den Innenminister vom 20. 9. 1851, GStA HA Rep. 77 Tit. 421, Nr. 28, Bl. 12. Zum Verbot siehe auch BLHA Rep. 30, Berlin C, Nr. 9817.

Bl. 2). Auf der anderen Seite läßt die Unterstützung der Kindergärten durch Demokraten und Revolutionäre auf einen Zusammenhang zwischen der politischen Revolution beziehungsweise ihren Verarbeitungsformen und Fragen der Erziehung schließen, der hier genauer untersucht werden soll.

Die Vorwürfe gegen die Person FRIEDRICH FRÖBELs und das Projekt des Kindergartens aus der Perspektive von König, Ministerien und Polizei lassen sich folgendermaßen zusammenfassen:

Die Kindergärten seien areligiös und würden zum Atheismus erziehen. Viele seiner Anhänger gehörten den Freireligiösen Gemeinden an oder seien Juden.[3] FRÖBELs Kindergärten stünden im Zusammenhang mit „destructiven Richtungen in Religion und Politik". FRÖBEL arbeite mit Revolutionären und „demokratischen Notabilitäten" zusammen. Genannt werden u. a. die Literaten LUDWIG STORCH und RUDOLF BENFEY, der Lehrer THEODOR HIELSCHER, der berüchtigte Kommunist HEINRICH BECKER und immer wieder der Bremer Pastor DULON. Unter Bezugnahme auf ROUSSEAU werde in den Kindergärten die Egalität der Menschen im Rekurs auf das Naturrecht praktiziert. Sie würden die Konfessionen geringschätzen und behaupten, daß „hier die Kinder von arm und reich, von vornehm und gering, von Juden und Christen, vielmehr von Protestanten und Katholiken glücklich und gesegnet nebeneinander sein" können.[4] Fragen der Religion sind demnach zentral bei den Auseinandersetzungen um den Kindergarten.

In den folgenden Ausführungen wird zunächst die These entfaltet, daß die Revolutionen von 1848/49 das Fröbelsche Kindergartenprojekt politisiert haben. Um diese Behauptung zu konkretisieren, wird in einem zweiten Schritt nach den Begründungen gefragt, mit denen sich Demo-

---

3 Der Zusammenhang von Kindergärten, Freireligösen und Demokraten wird in den Akten wiederholt betont, vgl. GStA Rep 77 Tit. 421, Nr. 28, Bl. 1 - 36. Siehe dazu auch PALETSCHEK 1990. Siehe auch HEILAND 1982, S. 120. In diesem Zusammenhang fällt auf, daß die Eröffnung eines Kindergartens in Nordhausen der Anlaß für das preußische Kindergartenverbot war und daß Nordhausen zugleich der Ort ist, an dem im Vormärz die erste freie protestantische Gemeinde durch EDMUND BALTZER gegründet wurde. BALTZER empfahl den Freien Gemeinden die Kindergärten, da dort, wie in den Freien Gemeinden, in allem Freiwilligkeit herrsche. Freie Gemeindehalle 1 (1851), S. 1, zit. nach dem Bericht der Minister RAUMER und WESTPHALEN an den König vom 19.12.1851, GStA HA Rep.77 Tit 421, Nr. 28, Bl. 28. Zu BALTZER, einem der Gründer der deutschen Lebensreformbewegung, siehe auch LINSE 1997, S. 397. Daß BALTZER Abgeordneter in der Paulskirche war, wie bei LINSE zu lesen ist, hält der Überprüfung nicht stand.

4 GStA HA Rep. 77 Tit. 421, Nr. 28, Bl. 1 - 31. Diese in den Akten zitierte Passage ist einer Schrift von FRÖBELs Mitarbeiter WILHELM MIDDENDORFF entnommen: Die Kindergärten, Bedürfnis der Zeit und Grundlage einigender Volkserziehung, o.O. 1848, S. 32.

kraten und Revolutionäre von 1848 für die Pädagogik FRÖBELs engagierten. Daraus ergibt sich eine weitere These: Nach dem Scheitern der Revolution wurde von Aktivisten und Sympathisanten der Revolution die Frage diskutiert, ob Gesellschaftsreform nun nicht auf dem Wege einer veränderten Erziehung der Individuen zu erreichen sei. Aufgeworfen wurde damit das Problem, das die Geschichte der Pädagogik in der Moderne begleitet, ob die Veränderung der Gesellschaft nicht durch Veränderung eines ihrer Teilsysteme, nämlich des Erziehungs- und Bildungssystems, möglich sei. In diesem Zusammenhang richtete sich das Interesse auf die Fröbelsche Pädagogik.

2. Die Politisierung des Kindergartenprojektes

Der romantisch inspirierte Pädagoge FRIEDRICH FRÖBEL entwickelte die Konzeption des Kindergartens vor allem in den 1840er Jahren. Mit seinen Ideen zur Kleinkinderziehung und zur Spielpflege waren für FRÖBEL weitreichende Hoffnungen auf den „Anbruch einer neuen Zeit" verbunden: Dieser ist bei FRÖBEL zunächst vollkommen unpolitisch konzipiert und nährt sich eher aus spekulativen, mystischen, religiös-messianischen und metaphysischen Überlegungen.[5] Durch die revolutionären Ereignisse des Jahres 1848 wurde die Erwartung vom „Anbruch der neuen Zeit" jedoch in einen politischen Kontext eingeordnet, und FRÖBEL begrüßte die im März 1848 ausgebrochenen Revolutionen mit Begeisterung als Ausdruck eben jener „neuen Zeit" (HEILAND 1982, S. 112). In einem Brief vom 17. Juli 1848 an den Paulskirchenabgeordneten KARL HAGEN schrieb er: „Ich erziehe und bilde seit einem Menschenalter für die Republik und zu ihr hin, ich bilde und erziehe für die Ausübung der republikanischen Tugenden" (FRÖBEL an HAGEN, Brief vom 17. Juli 1848. In: Friedrich Fröbel und Karl Hagen 1948, S. 94). Dies erscheint nicht primär als Ausdruck einer „nicht zutreffenden Selbstbeurteilung" (HEILAND 1982, S. 115), sondern als Ergebnis der Politisierung eines Handelns, in diesem Fall des erzieherischen Handels, dem zuvor kaum politische Bedeutung beigemessen wurde. Diese Transformation von vormals unpolitischem Handeln in politisches Handeln ist zugleich charakteristisch für revolutionäre Zeiten und Revolutionserfahrungen. Der Vormärz und die Revolutionen veränderten FRÖBELs Interpretationen seiner Pädagogik. Dabei geht er jedoch eindeutig – unter anderem unter Berufung auf SCHILLER – von einem Primat der Pädagogik beziehungsweise von deren Autonomie aus: Wenn sich die Erziehung verändere, würden sich auch die politischen Verhältnisse ändern. Man müsse „das pädagogische Ergebnis in seiner politischen Wirksamkeit erkennen", erklärte er gegen-

---

5 FRÖBEL 1982, S. 176, S. 153. Siehe auch BAADER 1996, S. 229 f. Siehe dort S. 244 f. zu FRÖBELs Text „Erneuerung des Lebens fordert das Jahr 1836".

über HAGEN (FRÖBEL an HAGEN, Brief vom 2. Februar 1847 und Brief vom 17. Juli 1848. In: Friedrich Fröbel und Karl Hagen 1948, S. 62 f. und S. 91). Die revolutionären Ereignisse förderten die Bekanntheit FRÖBELs und seiner Erziehungskonzepte. Schließlich wurden in der Resolution der von FRÖBEL einberufenen Rudolstädter Lehrerversammlung vom August 1848 alle deutschen Regierungen und die Nationalversammlung aufgefordert, die Fröbelsche „Idee der öffentlichen Kleinkinderziehung und der Kindergärten" zu unterstützen (zit. nach HEILAND 1982, S. 115). Im Vormärz, insbesondere der Jahre 1844 - 48, reiste FRÖBEL unablässig durch die Lande, um für seine Kindergärten zu werben, nutzte die Medien, um seine Ideen der Öffentlichkeit vorzustellen, indem er sich um deren Verbreitung durch Zeitungen und Zeitschriften bemühte und betrieb darüber hinaus die Gründung sogenannter Erziehungsvereine. Die gesamte Korrespondenz, die er in diesen Jahren mit KARL HAGEN führte, drehte sich fast ausschließlich um Strategien zur Verbreitung der Kindergartenidee: Da wurde darüber räsonniert, welche Zeitungen in welcher Region gelesen werden, welche ein „großes Publikum" erreichen, welche Zeitschriften zu pädagogisch seien, als daß sie beim Volk und beim „schaffenden, gewerblichen und industriellen Publikum" auf Interesse stießen, welche Zeitungen auf welcher „politischen Grundlage" stünden und wie man die „Männer des Fortschrittes" erreichen könne. Damit partizipierte FRÖBEL an Formen des Handelns, die zugleich charakteristisch für die Revolution von 1848/49 waren, denn diese war auch eine Kommunikationsrevolution: durch eine starke Ausweitung der Presse und durch die Eisenbahn entstanden neue Erfahrungsräume und Handlungsformen.[6]

Erst durch die sozialen und politischen Bewegungen von 1848 bekam die Kindergartenidee eine starke Anhängerschaft. Ihre Unterstützung und Verbreitung war ein zentrales Anliegen der liberal-demokratischen Bewegungen von 1848, vor allem der sogenannten freien Gemeinden, der Frauenbildungsbewegung und der Lehrerbewegung. Während im Frühjahr des Jahres 1847 sieben Kindergärten bestanden, wurden im Jahre 1848 vierundvierzig neu gegründet.[7] Es bedurfte auch erst der vorrevolutionären und revolutionären Aufbruchsstimmung der Jahre 1847/48, damit sich so viele Frauen und Mädchen für FRÖBELs Kindergärtnerinnenausbildung interessierten, daß seine Kurse gut besucht waren. Von

6 Siehe hierzu MERGEL/JANSEN 1998, S. 11. Zu FRÖBELs intensiven Reisetätigkeiten und ihren Resultaten, der Erwähnung neuer Eisenbahnlinien, zu seinen vielfältigen Aktivitäten, zur Veröffentlichung von Artikeln und Hinweisen zu den Kindergärten und zu seinem Konzept von Erziehungsvereinen siehe den Briefwechsel FRÖBEL und HAGEN.

7 FRÖBEL an HAGEN, Brief vom 2. Februar 1847. In: Friedrich Fröbel und Karl Hagen 1948, S. 63. ALLEN 1989, S. 65 - 84, S. 68.

dieser Zeit an entwickelte sich die Vorschulerziehung zu einem Tätigkeitsfeld für bürgerliche Frauen und Mädchen (GOESCHEL/SACHSSE 1981, S. 423. Außerdem MAYER 1996). Bekanntlich maß FRÖBEL im Verlaufe der Entwicklung seines Konzeptes für die Kindergärten zunehmend den Frauen eine wichtige Bedeutung für den Umgang mit dem kleinen Kind bei – und dies nicht nur für die Kleinkindererziehung in der privaten, sondern – und das ist entscheidend – auch in der öffentlichen Sphäre. FRÖBELs Ausbildung für Kinderpflegerinnen steht am Anfang der Geschichte der Ausbildungen von Frauen für soziale und pädagogische Berufe. Frauen wie HENRIETTE BREYMANN und MALVIDA VON MEYSENBURG, die sich FRÖBELs Ideen in jener vorrevolutionären und revolutionären Zeit angeschlossen hatten, trugen wesentlich zur Verbreitung der Kindergärten bei (ALLEN 1996, S. 27).

Auch in der von LOUISE OTTO herausgegebenen Frauenzeitung wurde in den Jahren 1849/50 wiederholt zur Unterstützung der Kindergärten aufgerufen. Dabei wurde vertreten, daß die Kindererziehung nach Fröbelschen Prinzipien der spezifisch weibliche Beitrag zur Revolution sei. Mehr noch: eine revolutionierte Erziehung habe nachhaltigere Wirkungen als die Revolution, sie werde, „sicherer als Revolutionen, zu einem besseren Zustand der Gesellschaft" verhelfen. Eine als „social-demokratisch" bezeichnete Erziehung wurde hier im August 1849, also nach dem Scheitern der Reichsverfassungskampagne, als Alternative zur Revolution gesetzt.[8] Im Rahmen einer politisierten Pädagogik erschien die Pädagogik als weibliche Form der Politik, die möglicherweise die erfolgreichere Strategie zur Veränderung der Gesellschaft verkörpere. Dieser Gedanke findet sich auch bei FRÖBEL selbst. In jenem bereits erwähnten Brief an HAGEN vom Juli 1848 führte FRÖBEL aus, daß sein ganzes Bestreben auf „die Einigung von Politik und Pädagogik" ziele, wobei Politik das männliche Prinzip repräsentiere, Pädagogik hingegen das weibliche (FRÖBEL an HAGEN, Brief vom 17. Juli 1848. In: Friedrich Fröbel und Karl Hagen 1948, S. 90 f.)

Im Zusammenhang mit der nachmärzlichen Repressionspolitik wurden Anhängerinnen FRÖBELs wiederholt zu Opfern von Verfolgung. So schrieb LOUISE OTTO, Kindergärtnerinnen würden genauso unerbittlich verfolgt wie männliche Revolutionäre. HENRIETTE BREYMANN wurde von der Polizei aus ihrem Klassenzimmer vertrieben (ALLEN 1996, S. 29 f.). Bereits ein Jahr vor dem Verbot drohte dem Breslauer Kindergarten die Schließung, da die Behörde es „unschicklich findet, daß ein

---

8 KÜSTER 1979, S. 124. Siehe dort auch den Beitrag vom 11. August 1849. Hier wird die Ansicht vertreten, daß in der „Reform der Familie" die „Mitwirkung der Frauen am Werk der Erlösung aus der Knechtschaft beginnt". Vgl. dort auch den „Aufruf an die deutschen Frauen" vom 15.12.1849.

unverheiratetes Fräulein denselben leitet" (zit. nach PALETSCHEK 1990, S. 216). Auch ein Dresdner Kindergarten wurde geschlossen. Dieser wurde im August 1849 in OTTOs Frauenzeitung lobend erwähnt. Seine Leiterin, AUGUSTE HERZ, war eine Mitarbeiterin FRÖBELs und die Ehegattin eines wegen seiner Teilnahme am Dresdner Aufstand verurteilten Mannes (GStA HA Rep. 77 Tit. 421 Nr. 28, Bl. 29). Diese Konstellation verweist auf ein Muster, wonach die Gattinnen der Protagonisten von 1848 häufig in der Kindergartenbewegung aktiv waren, die Erziehungsarbeit der Frauen also komplementär zur politischen Aktivität der Männer war. Die geschlechtsspezifische Arbeitsteilung folgt damit einer Zuordnung zu Politik einerseits und politisierter Pädagogik andererseits.

SYLVIA PALETSCHEK hat auf die erstaunlichen personellen Allianzen zwischen Fröbelanhängern, Frauenbewegung, Freireligiösen und Demokraten im Kontext von 1848 hingewiesen (PALETSCHEK 1990, S. 90 f., S. 184 ff., S. 213 ff.). Die Gründe, warum die genannten Bewegungen sich für das Fröbelsche Kindergartenprojekt stark machten, sind folgende:
Die Kindergärten waren ständeübergreifend und überkonfessionell konzipiert. Sie reagierten auf die Herausforderungen durch Industrialisierung und Zunahme weiblicher Erwerbstätigkeit. Sie boten ein Feld für weibliche Berufstätigkeit, indem sie dem weiblichen Geschlecht eine Bedeutung für die Kindererziehung auch in der öffentlichen Sphäre zukommen ließen. Indem die öffentliche Kindererziehung als Ergänzung zur privaten gesehen wurde, wurde die Rolle von privater und öffentlicher Sphäre neu definiert (ALLEN 1989, S. 81). Dies ist die Voraussetzung dafür, daß, wie im Forderungskatalog der Volksschullehrerschaft von Sachsen, Sachsen-Meiningen und Sachsen-Coburg die Kindergärten die Basis für eine einheitliche Nationalerziehung bilden sollten (FRÖBEL an HAGEN, Brief vom 17. Juli 1848. In: Friedrich Fröbel und Karl Hagen 1948, S. 88) – eine Intention, die, neben FRÖBEL selbst, auch der Geschichtsprofessor KARL HAGEN mit seiner Unterstützung der Fröbelschen Pädagogik verfolgte. HAGEN hatte im Jahre 1845 eine Schrift mit dem Titel: „Über Nationale Erziehung. Mit besonderer Rücksicht auf das System Friedrich Fröbels" verfaßt.[9]

Und schließlich zielten die Kindergärten auf eine Erziehung zu Freiheit und Selbstbestimmung, die auf der Anerkennung der Würde des Kindes basierte und die Lehre von der Erbsünde verwarf. FRÖBELs Erziehungslehre repräsentiert eine historisch neue Religiosität, die jenseits von Kon-

[9] HAGENs Schrift zu FRÖBELs Erziehungssystem findet sich im Anhang zum Briefwechsel FRÖBEL und HAGEN, S. 95 - 126. Interessant an dieser Schrift ist unter anderem, daß HAGEN hier eine Geschichte der Erziehung aus religionshistorischer Perspektive vorlegt.

fessionalität und kirchlichem Dogma angesiedelt ist. Im 19. Jahrhundert deckten sich christliche Religion und Kirche erstmals nicht mehr zwangsläufig. Dafür bildeten sich neue Formen individueller Glaubenshaltungen heraus, die nicht unbedingt mit den Lehren der Kirche zusammenfielen (HÖLSCHER 1990). Somit lassen sich die Auseinandersetzungen um das Kindergartenverbot auch als Konflikt zwischen alter Konfessionalität und neuer Religiosität im Kontext der Revolutionen von 1848/49 deuten. Jene undogmatische Religiosität unterschied die Kindergärten zugleich von den den Kirchen unterstehenden Kinderbewahranstalten. FRÖBEL plädierte für eine Privatisierung des Religiösen, aus der öffentlichen Kleinkinderziehung müsse die konfessionelle Religiosität ausgeschlossen werden, diese sei höchstens eine Sache zwischen Vater, Mutter und Kind (FRÖBEL an HAGEN, Brief vom 21. Januar 1845. In: Friedrich Fröbel und Karl Hagen 1948, S. 14). Die Erziehung zur Selbständigkeit verbunden mit einer Kritik an der Idee von der Sündhaftigkeit des Kindes und der Widerspruch zum „positiv-christlichen Element in der Erziehung" im pädagogischen Konzept FRÖBELs waren entscheidende Gründe, warum der linke Paulskirchenabgeordnete HAGEN, entschiedener Demokrat und Republikaner, sich für FRÖBELs Kindergärten stark machte (HAGEN an GHILLANY, Brief vom 5. Juli 1844, ebd., S. 1 f.). KARL HAGEN, Anhänger der Deutschkatholiken, engagierte sich in der Paulskirche besonders für die Neuregelung der Beziehung zwischen Staat und Kirche. Dabei war er gegen einen Einfluß der Kirchengewalt auf den Staat, aber nicht prinzipiell antiklerikal (s. ZEPF 1998, S. 155 bis 182, vor allem S. 166 f.).

An FRÖBELs Programmatik der Erziehung zu Freiheit und Selbstbestimmung und an die überkonfessionelle Konzeption knüpften neben HAGEN auch andere oppositionelle Demokraten von 1848 an und verliehen ihr eine politische Dimension. Entscheidend dabei ist, daß das Konzept der Kindergärten die Erziehung zur Freiheit zu einer öffentlichen Aufgabe machte.

3. Die Kindergärten als „Pflanzschulen der Demokratie". Erziehung zur Freiheit als Konsequenz aus dem Scheitern der Revolution

Verstärkt auf gesellschaftliche Veränderungen durch Erziehung zu setzen, war eine der möglichen Antworten auf das Scheitern der Revolution. Exemplarisch läßt sich diese Reaktion anhand der Überlegungen von LUDWIG STORCH, THEODOR HIELSCHER, RUDOLF BENFEY und ARNOLD RUGE darstellen.

Der bereits erwähnte LUDWIG STORCH war Schriftsteller, Demokrat, Anhänger und Verbreiter der Kindergartenbewegung und wurde von der Polizei observiert und verfolgt. In einem Schreiben aus dem Jahre 1850 vertrat er eine These zum Zusammenhang von Pädagogik und Politik, indem er verkündete, daß die Fröbelschen Kindergärten „ächte Pflanzschulen" einer demokratischen Zukunft seien. Damit verband er eine Kritik am bestehenden Bildungs- und Schulsystem, das er für das Scheitern der Revolution verantwortlich machte, denn es erziehe die Schüler zum „fügsamen Werkzeuge der Despotie".

Die Realisierung einer demokratischen Gesellschaft, die 1848/49 nicht durchgesetzt werden konnte, wird nun in die Zukunft verlegt, für die man jedoch bereits in der Gegenwart etwas tun könne. „Der ächte Demokrat", so STORCH, „muß für die Zukunft sorgen". Garant und Wegbereiter für die Errichtung einer demokratischen Gesellschaft der Zukunft ist die Pädagogik. Jene Erziehung zur Demokratie hat bereits im frühesten Kindesalter anzusetzen. Das Interesse für die Fröbelsche Kleinkindpädagogik wird bei STORCH sogar zum Kriterium für den „wahren Demokraten": „Alle wahren Demokraten thun es", sie interessieren sich für die Fröbelschen Kindergärten (STORCH, Brief vom 18.5.1850 aus Gotha, BLHA Rep. 30, Berlin C 9817, Bl. 1). Damit wurde das Projekt der Errichtung einer demokratischen Gesellschaft nach der Niederlage der Revolution als pädagogisches Projekt reformuliert. Nachdem sich eine grundlegende Umwälzung der Gesellschaft nicht hat realisieren lassen, wird Gesellschaftsreform nun zu einer Frage von Erziehungsreform. STORCH verweist darauf, daß die Frage der Freiheit auch eine der Erziehung und Sozialisation ist und damit bereits bei der Kleinkinderziehung eine Rolle spielen müsse. Freiheit muß von Kindesbeinen an erlernt werden, und damit kommt der Erziehung auch eine öffentlich-politische Funktion zu.

Einen anderen Aspekt bei der Begründung des Engagements für die Kindergärten formulierte THEODOR HIELSCHER. Nach den „destructiven" Aktivitäten als Revolutionär und Barrikadenkämpfer sei es nun wohltuend, etwas Konstruktives zu tun, keine eingebildete Utopie zu verfolgen, sondern eine konkrete, und sich der Erziehung von Kindern zu widmen. Erziehung wird hier als Zukunftsorientierung und als Arbeit an einer konkreten Utopie gesehen. HIELSCHER, der über DIESTERWEG Zugang zu den Kindergärten bekommen hatte, berichtete, „daß er jetzt so friedlich und harmlos arbeite, als habe er nie eine Flinte gesehen". „Mit reiner Negation richtet man doch nichts aus, kann man aber statt des Eingebildet-positiven etwas Wirkliches setzen." Darüber hinaus, so HIELSCHER weiter, verschaffe ihm sein Engagement für die Kindergärten eine besondere Befriedigung, nämlich „den Ruin der Pfaffen". Den Grund sah er darin, daß die Kindergärten sich an der Natur orientierten und zu dieser zurückführten und deshalb im Gegensatz zur Kirche stünden (HIELSCHER an den Lehrer DREGER, 8.6.1855 und 23.11.1850, GStA HA Rep. 77 Tit. 421, Nr. 28, Bl. 17 ff.).

Jenen Aspekt der Friedlichkeit, Harmonie und Konstruktivität in der Kinderwelt, die als Gegenwelt zur Welt der Revolution und der Barrikadenkämpfe erscheint, hob BENFEY in seinen Ausführungen zu seinem Interesse an den Kindergärten noch deutlicher hervor. BENFEY, Verfasser einer 1846 erschienenen Schrift „Über Reform des Schulwesens", in der er FRÖBEL als fortschrittlichen Pädagogen aufführte (FRÖBEL an HAGEN, Brief vom 2. Februar 1847. In: Friedrich Fröbel und Karl Hagen 1948, S. 54 und S. 143), schrieb: „Ich ziehe mich immer mehr von der Politik zurück und wende mich der Kinderwelt zu [...]. Glaube aber nicht, daß ich mich von dem Wirken für den Fortschritt darum ausschließe. Im Gegenteil: ich wirke hier zwar im kleinen Kreis, aber nichts desto weniger fördernd für die Sache der Freiheit" (BENFEY an den Buchhändler STARGARDT, Brief vom 23.11.1850, GStA HA Rep. 77 Tit. 421, Nr. 28, Bl. 14). Hier wird die Hinwendung zur Kindererziehung als Rückzug aus der Politik und zugleich als Alternative zu dieser gedeutet, wenn es um die Beförderung der Freiheit geht. Damit wäre das, was sich zunächst als Rückzug aus der Politik darstellt eher als Rückzug aus bestimmten Bereichen der Politik und als Abwendung von bestimmten Vorstellungen der Veränderung von Gesellschaft zu verstehen. Mit dieser Abwendung einher geht ein Einschlagen neuer Strategien und die Politisierung anderer Bereiche. BENFEY warf, ähnlich wie die Artikel in der Frauenzeitung LOUISE OTTOs, die Frage auf, ob Erziehung möglicherweise der effektivere Weg zu Fortschritt und Freiheit sei. Die große, öffentliche Welt der Politik wird eingetauscht zugunsten eines kleinen, überschaubaren privat-öffentlichen Zwischenreiches der Kindererziehung, der jedoch eine öffentliche und politische Wirksamkeit zugesprochen wird.

Über die Zuordnung zu Öffentlichkeit und Privatheit und die damit verbundenen Modelle geschlechtsspezifischer Arbeitsteilung bei der Errichtung von Kindergärten erfahren wir auch etwas von LUDWIG STORCH. Über den Aufbau eines Kindergartens in Gotha schrieb er: „Ich bestimmte eine talentvolle Freundin zur Kindergärtnerei, brachte sie zu Fröbeln und schuf dann mit ihr den hiesigen Kindergarten, der rasch in die erfreulichste Blüte gekommen ist." Der Verfasser berichtete, daß er nun zusammen mit seiner Frau und seiner Tochter einen weiteren Kindergarten gründen wolle. Der Antrag auf Genehmigung dieses Kindergartens, den seine Frau gestellt hatte, führte jedoch 1851 zum allgemeinen Kindergartenverbot in Preußen. Das von STORCH verfolgte Modell der geschlechtsspezifischen Arbeitsteilung wird zum Ideal erhoben: „Wenn aus der Sache etwas Tüchtiges werden soll, so sind stets drei Personen dazu nötig: ein Mann, welcher den Kindergarten nach den höheren Ideen und Prinzipien leitet und das Publikum resp. die Mütter über diese Prinzipien durch öffentliche Vorträge und die Lokalpresse unterrichtet; eine ältere Frau, welche dem Kindergarten selbst vorsteht und eine jüngere, welche die Spiele der Kinder leitet" (STORCH, Brief vom 18.5.1850 aus Gotha, BLHA, Rep. 30, Berlin C 9817, Bl. 2). Der Mann ist demnach der ideelle und konzeptionelle Leiter des Kindergartens, der diesen in der Öffentlichkeit vertritt, eine verheiratete Frau ist verantwortlich für die alltägliche pädagogische Praxis, während eine jüngere unverheiratete Frau mit den Kindern spielt. Der Text gibt darüber Auskunft, wie wir uns den Übergang von der ehemals "männlichen Domäne der Kindererziehung" zu einem „öffentlichen Tätigkeitsbereich für Frauen" vorzustellen haben (PALETSCHEK 1990, S. 217). Der Bereich der öffentlichen Erziehung im Kindergarten ist selbst noch einmal durch eine Zuordnung zu „Innen" und „Außen", Öffentlichkeit und Haus strukturiert.

Auch der Linkshegelianer, zeitweilige Mitstreiter von MARX und ENGELS und Paulskirchenabgeordnete RUGE setzte in seiner 1849 veröffentlichten Schrift: „Die Gründung der Demokratie in Deutschland" auf eine „demokratische Familie", von der man in Deutschland allerdings noch weit entfernt sei. Gelte hier schon die demokratische Gleichstellung der Frau als lächerlich, so sei man „vollends über die Selbständigkeit der Kinder, wie sie zum Beispiel in Nord-Amerika Sitte ist, außer sich". Eine Veränderung der Gesellschaft durch die soziale Revolution müsse vor allem auf die Emanzipation und Erringung einer anerkannten sozialen Stellung für die Frauen, die Gehilfen, die Arbeiter, die Jugendlichen und die Kinder zielen. Eine „eigene Selbstständigkeit" für Kinder und Jugendliche entspringe „aus der demokratischen Sitte". Ein demokratisches Gemeinwesen steht und fällt für RUGE mit der Anerkennung der Selbständigkeit und Würde von Kindern und Jugendlichen (RUGE 1849, S. 48 f.).

4. Resumee

Die Revolutionen von 1848/49 haben zur Verbreitung der Kindergartenidee entscheidend beigetragen. Daran waren nicht unwesentlich Frauen beteiligt. Ihnen boten die Kindergärten die Möglichkeit, die Grenzen der Privatheit zu überschreiten und öffentlich und beruflich tätig zu sein, ohne die traditionelle Frauenrolle grundlegend in Frage stellen zu müssen. Im Gegenteil, diese wurde unter dem Stichwort „Mütterlichkeit als Beruf" aufgewertet. Im Zusammenhang mit den Revolutionen von 1848/49 wurde eine veränderte Praxis der Kindererziehung als spezifisch weiblicher Beitrag zur Revolution gedeutet.[10]

[10] Zur Rolle der Frauen in der Revolution liegt von seiten der neueren historischen Forschung zu 1848 vor: LANDESZENTRALE FÜR POLITISCHE BILDUNG BADEN-WÜRTTEMBERG (Hrsg.). Frauen und Revolution. Strategien weiblicher Emanzipation 1789 bis 1848. Tübingen 1998.

Die revolutionären Bewegungen von 1848/49 stellten bei den Kindergärten vor allem das religions- und ständeübergreifende Moment und das der öffentlichen Institution in den Vordergrund. Die Kindergartenbewegung wurde durch die Ereignisse von 1848 politisiert, indem die politische Frage der Freiheit auch als eine Frage der *Erziehung* zur Freiheit diskutiert und nach Praxisformen gesucht wurde, diese zu realisieren. Das Projekt der Kindergärten schien eine Antwort zu geben auf ein Problem, das die Revolution von 1848, mehr noch ihr Scheitern, aufgeworfen hatte: Wie ist zur Freiheit zu befähigen? Dabei überließ die Kindergartenbewegung diese Frage nicht allein der Privatheit in den Familien, sondern erhob sie zu einer öffentlichen Aufgabe. Zur privaten Angelegenheit wurde hingegen die Rolle der Religion bei der Erziehung erklärt.

Ob die Hoffnungen, die auf die Kindergärten gesetzt wurden, nicht übertrieben seien, war unter den Aktivisten von 1848 allerdings auch eine umstrittene Frage. Der Paulskirchenabgeordnete JULIUS FRÖBEL äußerte sich kritisch: Er schrieb, daß sein Onkel es als Dogma angenommen habe, daß die Menschen anders werden müßten und daß dies durch Erziehung zustande zu bringen sei. Und daß FRIEDRICH FRÖBEL aufgrund der Erfahrung, daß spätere Erziehung frühere nicht mehr gutmachen könne, nicht nur bei der frühen Kindheit, sondern schließlich bei den Müttern gelandet sei (FRÖBEL, J. 1890, S. 24). Auch der linksliberale Paulskirchenabgeordnete und Märzminister WYDENBRUGK, der als zuständiger Minister die Verbreitung der Kindergärten in Sachsen-Weimar förderte, hat im Gespräch mit der Baronin MARENHOLTZ-BÜLOW eine skeptische Haltung gegenüber dem Projekt der Fröbelschen Kindergärten eingenommen: Wollte die Baronin ihn davon überzeugen, daß die Menschen durch FRÖBELs Methode zur Freiheit erzogen würden, so konnte der Minister nicht glauben, „daß ein wenig Koselieder und ein paar Spielgaben Menschennatur und -einrichtung von Grund auf umstürzen werden" (MARENHOLTZ-BÜLOW 1876, S. 82 - 96. Siehe dazu auch BERNFELD 1994, S. 7 f.). Aber auch die hier erhobenen Einsprüche zeugen davon, daß FRÖBELs Erziehungskonzeption im Umfeld der Aktivisten von 1848 diskutiert wurde.

Bertha von Marenholtz-Bülow

Archivalien

BRANDENBURGISCHES LANDESHAUPTARCHIV POTSDAM (BLHA)
Rep. 30, Berlin C Tit. 94, Nr. 9817: Acta des Königl. Polizei-Präsidii zu Berlin betr. den Literaten Fr. Fröbel 1852 - 59.
GEHEIMES STAATSARCHIV BERLIN (GStA)
HA Rep. 77 Tit. 421, Nr. 28: Anlegung eines Kindergartens nach Fröbelschen Grundsätzen durch den Dr. Storch in Nordhausen.

Literatur

ALLEN, ANN TAYLOR: „Geistige Mütterlichkeit" als Bildungsprinzip. Die Kindergartenbewegung 1840 - 1870. In: KLEINAU, E./OPITZ, C. (Hrsg.): Geschichte der Mädchen- und Frauenbildung. Frankfurt/M. 1996, S. 19 - 34.

ALLEN, ANN TAYLOR: „Kommt laßt uns unseren Kindern leben". Kindergartenbewegung in Deutschland und in den Vereinigten Staaten, 1840 - 1914. In: Zeitschrift für Pädagogik 35 (1989), S. 65 - 84.

BAADER, MEIKE: „Alle wahren Demokraten tun es". Die Fröbelschen Kindergärten und der Zusammenhang von Erziehung, Revolution und Religion. In: JANSEN, C./MERGEL, T. (Hrsg.): Die Revolutionen von 1848/49. Göttingen 1998. S. 206 - 224.

BAADER, MEIKE: Die romantische Idee des Kindes und der Kindheit, Neuwied 1996.

BERNFELD, SIEGFRIED: Sisyphos oder die Grenzen der Erziehung. Frankfurt/M. 1994.

DEUTSCHES INSTITUT FÜR INTERNATIONALE PÄDAGOGISCHE FORSCHUNG/BIBLIOTHEK FÜR BILDUNGSGESCHICHTLICHE FORSCHUNG (Hrsg.): Friedrich Fröbel und das Jahr 1848. Berlin 1998.

FRIEDRICH FRÖBEL und KARL HAGEN. Ein Briefwechsel aus den Jahren 1844 - 1848. Hrsg. ELISABETH BLOCHMANN. Weimar 1948.

FRÖBEL, FRIEDRICH: Die Kindergärten als um- und erfassende Pflege- und Erziehungsanstalten der Kindheit, der Kinder bis zum schulfähigen Alter und des deutschen Kindergartens als eine Musteranstalt dafür insbesondere. In: Ders.: Ausgewählte Schriften, hrsg. von ERIKA HOFFMANN, Bd. 4. Stuttgart 1982, S. 149 - 178.

FRÖBEL, JULIUS: Ein Lebenslauf, Bd. 1. Stuttgart 1890.

GOESCHEL, H. D./SACHSSE, CHRISTOPH: Theorie und Praxis in der Sozialarbeit. Ein Rückblick auf die Anfänge sozialer Berufsausbildung. In: Jahrbuch der Sozialarbeit 4 (1981), S. 422 - 443.

HEILAND, HELMUT: Friedrich Fröbel in Selbstzeugnissen und Bilddokumenten. Reinbek 1982.

HÖLSCHER; LUCIAN: Die Religion des Bürgers. Bürgerliche Frömmigkeit und protestantische Kirche im 19. Jahrhundert. In: Historische Zeitschrift 250 (1990), S. 595 - 630.

KÜSTER, JOHANNA: Kindergärten in ihrer sozialen Bedeutung. In: „Dem Reich der Freiheit werb´ ich Bürgerinnen". Die Frauen-Zeitung von Louise Otto. Hrsg. UTE GERHARD u. a., Frankfurt/M. 1979, S. 123 bis 127.

LANDESZENTRALE FÜR POLITISCHE BILDUNG BADEN-WÜRTTEMBERG (Hrsg.): Frauen und Revolution. Strategien weiblicher Emanzipation 1789 bis 1848. Tübingen 1998.

LINSE, ULRICH: Nordisches in der deutschen Lebensreformbewegung. In: HENNINGSEN, B. (Hrsg.): Wahlverwandtschaft. Berlin 1997, S. 397 - 400.

MARENHOLTZ-BÜLOW, BERTHA von: Erinnerungen an Friedrich Fröbel. Kassel 1876.

MAYER, CHRISTINE: Zur Kategorie "Beruf" in der Bildungsgeschichte von Frauen im 18. und 19. Jahrhundert. In: KLEINAU, E. (Hrsg.): Frauen in pädagogischen Berufen. Bad Heilbrunn 1996, S. 14 - 38.

MERGEL, THOMAS/JANSEN, CHRISTIAN: Von „der Revolution" zu „den Revolutionen". In: JANSEN, C./MERGEL, T. (Hrsg.): Die Revolutionen von 1848/49. Göttingen 1998, S. 7 - 13.

PALETSCHEK, SYLVIA: Frauen und Dissens. Frauen im Deutschkatholizismus und in den Freien Gemeinden 1841 - 1852. Göttingen 1990.

RUGE, ARNOLD.: Die Gründung der Demokratie in Deutschland oder der Volksstaat und der social-demokratische Freistaat. Leipzig 1849.

ZEPF, R.: Karl Hagen. In: ENGEHAUSEN, F./KOHNLE, A. (Hrsg.): Heidelberger Abgeordnete in der deutschen Nationalversammlung 1848/49. Ubstadt-Weiher 1998. S. 155 - 182.

HANS-ULRICH GRUNDER

Fröbel in Burgdorf: Realität – Wirkung – Mythos

„1836 verliess F. Burgdorf, da seine Frau das Klima nicht gut ertrug und er in Deutschland Nachlässe zu ordnen hatte." (KLEINERT 1952, S. 150). Mit diesem lakonischen Hinweis kommentiert MARTIN SIMMEN im 1952 in Bern erschienenen 'Lexikon der Pädagogik' den Aufenthalt FRÖBELs in der Schweiz. Vielleicht mag SIMMEN, einem ausgezeichneten Kenner der pädagogischen Zeitläufte der euphemistische Einschlag dieser Bemerkung bewusst gewesen sein. Allerdings streicht er ihn nicht heraus, sondern gibt die veröffentlichte Meinung wieder. Auf die Folgen von FRÖBELs Aufenthalt in der Schweiz anspielend, fügt SIMMEN an: „Was er in Burgdorf begonnen hatte – die Entwicklung der kindlichen Gestaltungskräfte als Ausgangspunkte ihrer Verstandeserziehung durch Verwendung bildsamer Stoffe (Wasser, Sand, Ton, Steine, Hölzer usw.) zu benützen – suchte er nun in Deutschland zu vervollkommnen." (Ebd.)

Schloß Burgdorf. Aquarell von J. H. Juillerat

Dass SIMMEN Informationen unterschlägt, wissen wir seit LOTTE GEPPERTs minutiöser Zusammenstellung von FRÖBELs Briefwechsel mit den

Schweizern aus den siebziger Jahren[1]. Andererseits dürfte SIMMEN die Folgen von FRÖBELs Arbeit in der Schweiz für die Konkretion seiner Kindergartenidee zutreffend einschätzen, wenngleich er sie nicht belegen kann.

Scheint FRÖBEL aufgrund der Erfahrungen in Burgdorf[2] das Kindergartenkonzept konkretisiert zu haben, konnte er die Schweizer mit seinen Ideen kaum beeindrucken. Sein Wirken zu jenem Zeitpunkt bleibt folgenlos. BERTHA VON MARENHOLTZ-BÜLOWs Fazit betreffend FRIEDRICH FRÖBELs Arbeit in Burgdorf könnte entschiedener nicht sein. Rückblickend auf die Situation des Jahres 1860 schreibt sie unverholen und direkt: „Obgleich Fröbel selber in den dreissiger Jahren einige Zeit in der deutschen Schweiz für seine Sache gewirkt, als er in Burgdorf und Wartensee die Lehrer der Waisenhäuser nach seiner Methode unterrichtete, so ist doch nichts davon zurückgeblieben, und selbst ein von Karl Fröbel gegründeter Kindergarten hatte nur einen kurzen Bestand."[3] Zwar sei es ihr gelungen, während ihres Zürcher Aufenthaltes neues Interesse an FRÖBEL und seiner Sache zu wecken. Trotzdem habe man wenig zugunsten der Kindergärten unternommen. Ihr sei zwischenzeitlich klar geworden, dass eine lediglich oberflächliche Kenntnisnahme der Kindergartenidee, ergänzt um eine punktuelle Einführung in dieselbe erfolgt sei. Allerdings habe sie in der Romandie den Boden für eine Verbreitung von FRÖBELs Konzept geebnet, obgleich FRÖBEL dort noch weniger bekannt gewesen sei als in den deutschsprachigen Gebieten. So habe der Lausanner Professor RAOUX im eigenen Haus 'aux Charmettes' 1860 einen Kindergarten eingerichtet. Zwar seien nach ihren Vorträgen in Neuchâtel und Genf – ähnlich wie in Lausanne – Kindergärten gegründet worden. Doch eine 'école normale', ein Seminar für künftige Kindergärtnerinnen, gebe es bis heute nicht. Insbesondere der Umstand, dass sich kaum deutsche Kindergärtnerinnen finden lassen, die in Französisch zu unterrichten fähig seien, habe die Gründung zahlreicher Kindergärten verhindert, klagt VON MARENHOLTZ-BÜLOW. Erst der mehrmonatige Aufenthalt der Damen BREYMANN und VON PORTUGALL in Genf habe neue Initiativen befördert. Immerhin werde der Genfer Kindergarten von Frau VON PORTUGALL geleitet, die „zu den besten Kindergärtnerinnen" (MARENHOLTZ-BÜLOW 1875, S. 316) zähle. Arbeite der in Neuchâtel gegründete Kindergarten mit einer deutschen Kindergärtnerin zufrieden-

---

1 GEPPERT 1976. Ich zitiere im folgenden aus dieser kommentierten Zusammenstellung der Briefwechsel, welche FRÖBELs Tätigkeit in der Schweiz dokumentieren.

2 Zur Burgdorfer Schulgeschichte vgl. HEUER 1874.

3 von MARENHOLTZ-BÜLOW 1875, S. 315. Der von KARL FRÖBEL gegründete Kindergarten (1845) habe nicht lange bestanden, merkt BÜCHI an (BÜCHI 1952).

stellend, seien in Bern die Widersacher der Kindergärten bislang noch zu mächtig gewesen. Aufgrund der „zum Theil vorzüglichen Schuleinrichtungen in der Schweiz" und mit Blick auf die „grosse Sorgfalt, die man der Volkserziehung" (ebd., S. 317) widme, prognostiziert VON MARENHOLTZ-BÜLOW indessen eine wachsende Zahl von Kindergärten in den kommenden Jahren. Gerade der nach wie vor existierende Mangel an ästhetischer Bildung in den „unteren Volksschichten" (ebd.) sollte die Behörden veranlassen, die Methode FRÖBELs zu unterstützen.[4] Soweit VON MARENHOLTZ-BÜLOWs lediglich partiell optimistische Lageanalyse betreffend des Erfolges ihres Bemühens, die Praxis der Fröbel-Kindergärten in der Schweiz zu verbreiten.[5] Weil die Rezeption Fröbelscher Ideen und Praxis in der Schweiz bislang lediglich punktuell erfolgt ist, kann ich VON MARENHOLTZ-BÜLOWs Einschätzung keine wirkungsgeschichtlichen Realdaten gegenüberstellen[6]. Wie FRÖBEL – insbesondere aufgrund seiner Schweizer Zeit die Bildungsgeschichte der Schweiz beeinflusst hat – wissen wir bis heute nicht. Andererseits ist

4 Im folgenden zitiert die Autorin Presseberichte über ihre Vorträge, welche belegen, dass die durch sie propagierten Ideen FRÖBELs in der Romandie tatsächlich vorurteilslos aufgenommen und zutreffend wiedergegeben worden sind.

5 Solche Sätze reflektieren ein Rezeptionsmodell, das in der Schweiz später in bezug auf die Rezeption reformpädagogischer Aktivität erneut auftreten sollte (GRUNDER 1992a): Von aussen kommende Novitäten werden in der Schweiz zwar diskutiert, gelegentlich skeptisch beurteilt, aber auf der Ebene der Realisierung (etwa aufgrund von konkurrenten ähnlichen Angeboten) abgebogen oder zurückgewiesen. Dies hindert aber die kartellmässig Geschützten nicht daran, die neuen Ideen zu adaptieren, um sie wenig später und vielleicht gar zum eigenen Vorteil selber in die Tat umzusetzen.

6 Erwähnenswert ist – neben der Studie von NUSPLIGER-BRAND (1982) die Arbeit von EMMY WALSER (1929/1930, S. 69 ff.): Die Autorin wertet in ihrem Überblick eine 1930 vom Zentralsekretariat der 'Pro Juventute' veranlasste Umfrage bei 1100 Kindergärtnerinnen aus, welcher ein Rücklauf von 625 Fragebögen zugrundelag. Dass die Differenzen zwischen Kleinkinderschulen, Kindergärten und Fröbelkindergärten bei dieser Inventarisierung nicht diskussionswürdig sind, belegt die folgende Angabe WALSERs: „Von den 469 aus der deutschen Schweiz (...) eingelaufenen Antworten kamen rund 330 aus Kindergärten und 130 aus Kleinkinderschulen, einige übrige aus Bewahranstalten und Fröbelschulen. Der Einfachheit halber sei hier für alle Anstalten nur die eine Bezeichnung gebraucht, ausgenommen, da, wo es darauf ankommt, auf Verschiedenheiten in ihrem Wesen hinzudeuten." (WALSER 1929/1930, S. 71) Im übrigen hätten sich zahlreiche Kindergärtnerinnen vom 'Fröbelsystem' im Bemühen abgewandt, „den Kindern lebensnähere Stoffe und vielfältigere Betätigungsmöglichkeiten zu bieten" (ebd., S. 75). Auf der anderen Seite fänden sich die konkurrierenden Ansätze – Montessorimaterial und 'Genfermaterial' (ebd., S. 75) eher selten. Lediglich in Arbon werde ein Kindergarten der Montessorimethode gemäss geführt.

leidlich einschätzbar, wie sein Schweizer Aufenthalt auf *ihn* gewirkt hat. Davon später.

Hier stehen weniger die Folgen von FRÖBELs Arbeit in der Schweiz für seine Kindergartenidee zur Debatte. Mich interessieren vielmehr einige Gründe für diese brüchige, also unstetige und zudem regionenspezifische Rezeption von FRÖBELs Ideen in der Schweiz. Zu diskutieren sind neben wirklichen Begebenheiten intendierte und zufällige Wirkungen sowie die Frage, ob FRÖBEL – ähnlich wie PESTALOZZI – zum pädagogischen, also realitätsirrelevanten Mythos stilisiert worden sei.

Vorneweg: FRÖBEL ist an Burgdorf und Bern gescheitert, aber er hat, was die Idee des Kindergartens angeht, von diesem Misserfolg profitiert. Neben personenbezogenen erkenne ich konzeptionelle und sozialhistorisch relevante Gründe, welche zum Scheitern FRÖBELs in der Schweiz beigetragen haben. Ich lege die folgenden Thesen zugrunde.

- FRÖBELs Ideen werden weitgehend sachlich erörtert, in einzelnen Regionen praktisch sogar erprobt, bleiben aber insbesondere in jenen Gebieten, wo er selber wirkte (Willisau, Burgdorf, Bern) folgenlos.
- Als von aussen kommender Eindringling im Kanton Bern wird FRÖBEL pädagogisch diskutiert und zugleich gezielt in politische Kämpfe verwickelt, was seinem pädagogischen Wirken gleichermassen schadet.
- Eine vergleichbar konkurrente Situation, in der sich FRÖBEL, die Lehrerfortbildung betreffend, persönlich befindet, präsentiert sich, was den Bezug von 'Kleinkinderschulen' und 'Fröbelkindergärten' angeht, in den siebziger Jahren.

Zunächst seien die Motive erläutert, welche zu FRÖBELs Umzug in die Schweiz und dort nach Burgdorf führen. Dann ist das Burgdorfer Experiment im sozialhistorischen Kontext zu schildern. Schliesslich trage ich ein Interpretationsangebot vor, das – ähnlich wie im Fall PESTALOZZIs – das Bild des Mythos bemüht, was die indirekten Folgen von FRÖBELs Arbeit in der Schweiz erst sichtbar machen dürfte.[7]

1. Weshalb kommt FRIEDRICH FRÖBEL in die Schweiz?

Biographisches bis zum Aufenthalt in der Schweiz

Am 21.4.1782 kommt FRIEDRICH FRÖBEL als jüngstes Kind des Pfarrers JOHANN JAKOB FRÖBEL und der JAKOBINE ELEONORE, geborene

[7] Wie erwähnt: Ich gehe nicht auf die umgekehrte Richtung der Wirkkräfte ein, welche die Auswirkungen der Zeit in der Schweiz auf FRÖBELs pädagogisches Konzept dokumentieren müssten.

HOFFMANN, zur Welt. FRIEDRICH hat vier Brüder und eine Schwester. Die Mutter stirbt wenige Monate nach der Geburt. Drei Jahre später heiratet der Pfarrer SOPHIE OTTO, die ihm zwei weitere Kinder schenkt. In seiner Kindheit lernt FRÖBEL ein hartes, strafendes Christentum kennen. Als Zehnjähriger nimmt ihn sein Onkel, Superintendent HOFFMANN, zu sich nach Stadtilm, wo ein pietistischer Glaube herrscht. Nach der Einsegnung wird der Vierzehnjährige als Schreiber bei einem Stadtilmer Ratsmann untergebracht. Die Berufswahl gestaltet sich der Unentschlossenheit des Jünglings wegen schwierig. 1797 wird er Forstlehrling in Hirschberg an der Saale. Mit einem vom Vater ausgestellten Schein der Reife schlecht vorbereitet, bezieht FRÖBEL 1799 die Universität Jena, wo er naturwissenschaftliche Vorlesungen hört. Vor Ablauf des ersten Semesters finden wir ihn verschuldet im Karzer wieder (KUNTZE 1952, S. 18). Gedemütigt kehrt er 1801 ins Elternhaus zurück, nachdem der Vater widerstrebend die Ausstände beglichen hatte. Nach dessen Tod (1802) findet FRÖBEL, nun einundzwanzig, seine erste Stelle als Forstamtsaktuar in der Nähe von Bamberg. Später (1803) wird er dort Feldmesser. Als landwirtschaftlicher Sekretär eines Grossagrariers (1804) beschäftigt ihn die Lektüre von Novalis, die ihn ausserordentlich beeindruckt. 1804 geht er nach Frankfurt, auf die Suche nach einer Stelle im Baufach. GOTTLIEB ANTON GRUNER, Oberlehrer an der dortigen, wenig zuvor gegründeten 'Musterschule', bietet dem pädagogisch völlig ungebildeten FRÖBEL die Stelle eines Lehrers an. Begeistert von PESTALOZZI, dessen Schriften ihm GRUNER zum Lesen gibt, reist FRÖBEL erstmals nach Iferten (1805) – eine 'erweckende und betäubende' (ebd., S. 24) Erfahrung zugleich[8]. FRÖBEL lobt das System der beweglichen Klassen[9], das er später in Keilhau einführen sollte. Skeptisch äussert er sich aber zur 'Methode': „Sie, die Pestalozzianer, zersplittern, zerteilen alles, töten die Natur und setzen aus den Teilen ein Präparat zusammen" (FRÖBEL, zit. aus dem Tagebuch, KUNTZE 1952, S. 25, vgl. STIEBITZ 1913). Wer dergestalt 'anatomiere', verlerne das Zusammensetzen, sollte er später, von ARNDT sekundiert, beifügen (ebd., S. 25). Andererseits wird FRÖBEL den pestalozzischen Begriff des 'naturgemässen Unterrichtsganges' übernehmen. Aus Iferten zurück, wird FRÖBEL für drei Jahre in Frankfurt angestellt, gibt aber 1806 diese Stelle zugunsten einer Erziehertätigkeit in der Patrizierfamilie VON HOLZHAUSEN auf. CAROLINE VON HOLZHAUSEN (1775), die Mutter der vier Kinder, wird zum entscheidenden (Liebes-)Erlebnis FRÖBELs in der Frankfurter Zeit (ebd.,

---

8 PESTALOZZIs Reaktion auf FRÖBEL, mitgeteilt in einem Brief an GRUNER: „Es freute uns, Herrn Fröbel kennenzulernen. Er hat mit seinem ganzen Feuer an allem teilgenommen, was wir tun, und ich hoffe vieles von ihm." (PESTALOZZI, zit. von KUNTZE 1952, S. 25).

9 Aufgrund ihrer Leistung gehören Schüler im einen Fach dieser, im anderen Fach einer anderen Abteilung an.

S. 29). Den bereits vier Jahre zuvor gehegten Plan realisierend, eine Anstalt im pestalozzischen Sinn zu gründen und mit dem Auftrag, die drei Söhne der Familie in Iferten schulen zu lassen, reist FRÖBEL mit den Jungen 1808 in die Schweiz, um in Iferten Hospitant zu werden. In der Kritik an PESTALOZZIs Methode konkretisiert sich FRÖBELs Idee, der eigentliche Unterricht müsse durch einen früheren, lebendigeren, kindlicheren, natürlichen Unterricht vorbereitet werden (ebd., S. 39). Aufgrund des Streits in Iferten verlassen FRÖBEL und seine Schützlinge Iferten (1810). Ein Jahr später verlässt FRÖBEL Frankfurt, bezieht 1811 die Universität Göttingen, dann die Universität Berlin und tritt 1813 in das Lützower Freikorps ein. 1814 wird er Assistent am mineralogischen Museum in Berlin. 1816 gründet er mit seinen fünf Neffen und zwei weiteren Kindern in Griesheim seine erste Erziehungsgemeinschaft. Die Erziehungsanstalt wird 1817 von da nach Keilhau verlegt. FRÖBEL heiratet 1818 WILHELMINE HOFFMEISTER, geschiedene Kriegsrätin KLÖPPER.

Der Aufenthalt in Willisau

1831 hatte FRÖBEL Keilhau verlassen. In Frankfurt motiviert ihn der Schweizer Dichter und Musiker XAVER SCHNYDER VON WARTENSEE dazu, seine Erziehungsidee in der Schweiz zu verwirklichen[10]. Zwei Monate später finden wir FRÖBEL mit SCHNYDER VON WARTENSEE in Luzern, wo er vom Erziehungsrat die Erlaubnis erwirken möchte und schliesslich auch erhält, im Schloss Wartensee eine Schule zu gründen. Obwohl FRÖBEL in die Kämpfe zwischen dem politischen Liberalismus und der orthodoxen Kirche gerät, wächst die am 2. Mai 1831 eröffnete, sofort von der katholischen Geistlichkeit angefeindete[11] Schule. 1833, nach seiner Zeit auf Schloss Wartensee, leitet FRÖBEL auf Initiative einer Gruppe von katholischen, aber freidenkenden Eltern die Schule in Willisau, erneut ein 'Volksbildungsunternehmen' wie jenes auf dem Schloss (ebd., S. 81). Pfarrer GRÉGOIRE GIRARD hatte die Idee wohlwollend beurteilt.[12]
Eine Berner Untersuchungskommission beurteilt die Leistungen FRÖBELs in Willisau als vorzüglich. Bern trägt FRÖBEL die Ausbildung von vier

10 „...und so trat ich denn wirklich am 14. Juli 1831 in Gemeinsamkeit mit Herrn SCHNYDER meine Reise nach der Schweiz und nach dem Kanton Luzern an" (zit. in GEPPERT 1976, S. 25).

11 „...durch die schwärzesten Anfeindungen des Pfaffenthums angefochten wurden..." (zit. von GEPPERT 1976, S. 32).

12 GEPPERT 1976, S. 25. Es hatte schlecht um FRÖBELs Wirken in Wartensee gestanden, FRÖBEL war in politische Querelen geraten, „als ganz unerwartet eines Nachmittags, 3 mir unbekannte Männer, einer mir fast unbekannten Stadt, als Gesandtschaft eines Vereins von Familienvätern, in Beziehung auf meine Erziehungsanstalt zu mir ins Zimmer traten" (zit. von GEPPERT 1976, S. 27).

jungen 'Schulmännern' an, die während eines Jahres in Willisau leben sollen. Bereits 1833 hatte FRÖBEL dem Berner Grossen Rat die 'Grundzüge der Menschenerziehung', einen aus dem Jahr 1830 stammenden Text, vorgelegt[13]. Die Berner werben um FRÖBEL, indem sie den sonderbündlerisch-katholischen Teufel, die 'Lichtfeinde', an die Wand malen: „Indem das Erziehungsdepartement sich beeilt, Sie Tit. von dieser Verfügung zu benachrichtigen, gibt es Ihnen die Versicherung, dass es sich zur angenehmen Pflicht machen wird, dieser Anstalt, falls sie aus dem Luzernischen Gebiet verdrängt werden sollte, in hiesiger Republik ein Asyl zu eröffnen und derselben und so viel von ihm anhängt allen nützlichen Vorschub zu leisten." (Brief des Erziehungsdepartements vom 27. 9. 1833. In: GEPPERT 1976, S. 14) Die Regierung hofft auf FRÖBELs Engagement sowohl im sozialpädagogischen als auch im Feld der Lehrerbildung. Der bekannte Pfarrer und Dichter JEREMIAS GOTTHELF (ALBERT BITZIUS) unterstützt das Vorhaben.

Friedrich Fröbel

1834 wird FRÖBEL aufgefordert, den Plan für eine Armenerziehungsanstalt in Burgdorf zu entwerfen[14]. Gleichzeitig wird er angefragt, einen dreimonatigen Schulungskurs („...einen provisorischen Normalcurses "[15])

---

[13] Diesen Aufsatz sollte EDUARD SPRANGER (1939) die 'kleine Menschenerziehung' nennen, der 14. Rede JOHANN GOTTLIEB FICHTEs nachgebildet.

[14] Die Grundzüge seines Plans für die Armenerziehungsanstalt in Burgdorf (1834) lehnte FRÖBEL an die 'Menschenerziehung' an (KUNTZE 1952, S. 84): Das Ziel der Erziehung besteht im 'klaren, sicheren Bewusstsein allseitiger Einigung'. Im Fall des Konzeptes für die geplante Armenerziehungsanstalt Bättwyl bei Burgdorf hatte der 'Hülfsverein für christliche Volksbildung' (dessen Präsident FRÖBELs Förderer SCHNEIDER war) bei FRÖBEL um einen Vorschlag angefragt. Zwar legte FRÖBEL ausführlich und genau, in mehreren Fassungen, seine Gedanken über das Armenerziehungswesen dar (24.10.1833), die Anstalt wird eröffnet, aber offenbar läuft eine versteckte Intrige gegen den Deutschen (MARTI-GLANZMANN 1843, GEPPERT 1976, S. 235): Weder wird FRÖBEL Leiter der Anstalt noch atmet diese 'Fröbelschen Geist'. Die Armenerziehungsanstalt wird von einem ehemaligen 'Wehrli-Schüler' geleitet (vgl. GRUNDER 1992b).

[15] Vorverhandlungen für einen prov. Normalkurs in Willisau, Brief des Erziehungsdepartements an FRÖBEL vom 10.12.1833. In: GEPPERT 1976, S. 39.

für etwa 40 Lehrer und 20 angehende Lehrkräfte zu leiten. FRÖBEL, doppelt belastet, vom katholischen Luzern und dem reformierten Bern zugleich abhängig, gibt die Leitung Willisaus ab und zieht gleichen Jahres an PESTALOZZIs einstmalige Wirkungsstätte. Dort soll er auch die Leitung des neuerrichteten Waisenhauses übernehmen. Obwohl die Leistungen der Zöglinge – wohl infolge des Autodidaktentums ihres Lehrers – ungenügend ausfallen, beantragt die Berner Regierung nach dem Abschluss des ersten einen weiteren Fortbildungskurs für Lehrer. Die Inspektoren des Kurses, der nachmalige Seminardirektor Pfarrer BOLL, und GOTTHELF unterstützen dies.[16]

FRÖBEL übernimmt die Leitung des in Burgdorf geplanten Lehrerkurses sowie den Unterricht in Deutsch und Mathematik. Die Zusage erfolgt am 11. Mai 1834. Als einer der weiteren Lehrer unterrichtet Pfarrer BITZIUS. Der Stundenplan des Wiederholungskurses ist zwischen morgens sechs Uhr und abends acht Uhr komplett ausgefüllt (vgl. GEPPERT 1976, S. 195, S. 196).

1835 übernimmt FRÖBEL mit LANGETHAL das Burgdorfer Waisenhaus, während FRÖBELs Nichte ELISE in Willisau, und BAROP, sein Mitarbeiter, in Keilhau bleiben. Während seiner Tätigkeit als Waisenvater in Burgdorf wächst in FRÖBEL der Gedanke eines Kindergartens. Allmählich beginnen die Vorschriften des Berner Grossen Rates FRÖBEL einzuengen. Die Liberalen waren dort kürzlich unterlegen. „Der Bär hat einen Maulkorb um, die Verhältnisse sind traurig," schreibt er am 24. Dezember 1835 (zit. nach KUNTZE 1952, S. 89). FRÖBEL befürchtet, das Lehr- und Erziehungshaus solle zu einem Kost- und Verpflegungshaus redimensioniert werden. Darum möchte er mit dem gesamten Keilhauer Kreis nach Amerika auswandern, was die Betroffenen jedoch ablehnen.

Das Berner Erziehungsdepartement war entschlossen gewesen, die Zahl der Kursorte für die Lehrerfortbildungskurse zu erhöhen. Ab 1806, 1808 und 1833 hatten EMANUEL VON FELLENBERG in seinem 'Hofwiler Schulstaat' (vgl. BADERTSCHER/GRUNDER 1997, GUGGISBERG 1953), später (1832) und Seminardirektor LANGHANS am neugegründeten staatlichen Lehrerseminar in Münchenbuchsee solche Veranstaltungen durchgeführt. Der erbitterte Streit zwischen den beiden Leitern hatte den Kanton veranlasst, nach weiteren Personen zu suchen, welche die Lehrkräfte von der traditionellen Lehrweise auf die 'Normal', also den Frontalunterricht und die Führung einer Klasse vorbereiten konnten. FRÖBEL, ein weiterer Kandidat für die Kursleitung, bedeutete für die bisherigen Leiter sowohl persönliche als auch pädagogisch-konzeptuelle bedrohliche Konkurrenz.

[16] Zu diesem Zeitpunkt soll erstmals FRÖBELs, den Kindergarten antizipierende Idee einer Stätte aufgetaucht sein, wo Frauen 'Kindesahnungen' pflegen.

28. 8. 1835 Stundenplan des Normalkurses

Nach der Handschrift von Helfer Müller niedergeschrieben, Orig., Sta.Arch. Bern, Akten

28. August 1835 — Stundentabelle im Wiederholungs Curs zu Burgdorf — Sommer 1835

Stunden	Montag	Dienstag	Mittwoch	Doñerstag	Freitag	Soñabend
5—6		Mathematisch physische Geographie He Pfr Boll				
6—7		Religion bei He Pfr. Boll Ie IIe Claße		Die ersten 6 Wochen: allg. Betrachtungen üb. das Wesen des Unterrichts u. deßen Gegenstand, anhand d. Schulunterrichts. Den Zusam̃enhang deßelben u.s.w. entwickelt und die Forderungen eines Schullehrer-Wiederholungs-Curses b. Fröbel von August an: Zifferrechnen		
7—8	Reine Zahl	I Claße II Claße	bei bei		He Fröbel He Lehner	
8—9	Frühstück		und		frei	
9—10	Formen- und Größenkunde	I Claße II Claße	b. Fröbel b. Lehner	Außenweltsbetrachtung	I Cl. b. II Cl. b.	Langenthal Staub
10—11	Außenweltsbetrachtung	I Cl. b. II Cl. b.	Langenthal Staub	Anschauung d. Sprachgebietes Sprachübungen	(I Cl.) (II Cl.)	Langenth. Staub
11—12	Religion ...	Pfr. Boll	Cl. I u. II	Formen u. Größenkunde	I Cl. II Cl.	Fröbel Lehner
12—1	Mit̃ageßen		u.	frei		
1—2	frei oder	Gesangsübung Hlfr Müller	wie	Dienstag	frei od. Gesangsübung	frei
2—3	Zeichnen	I Claße II Claße		bei bei	Fröbel Lehner	
3—4	Harmonielehre Gesangunterricht	(I Cl.) (II Cl.)	b. b.	He Langenthal He Staub		
4—5	I Praktische Uebung, Pf. Boll II Begründende Erdkunde Langenth.	Geschichte He Pfr. Bitzius	I u. II Claße begründende Erdkunde b. He Langenthal	Geschichte He Pfr	bei Bitzius.	
5—6	I Anschauung d. Sprachgebietes Langenthal II Sprachübungen Staub	Geschichtl. Wiederholung I Cl. Bitzius II Cl. Staub	wie	Montag	Geschichtl. Wiederholung I Cl. Bitzius II Cl. Staub	
6—7		Nachteßen	und	frei		
7—8	Gesangübung Hlfr. Müller	Körperübung He Wieß	frei	Körperübung He Wieß	Gesangübung Hlfr Müller	

Bemerkungen: 1. He. Prof. Schnell trägt nach seinem eignen Wunsche Naturkunde vor. Wen irgend ein Lehrer eine Stunde aussetzen muß; oder Montag u. Freitag Abends 7—8 stat̃ Gesangsübung.
2. Im Sprachunterricht wird auch das *Lesen* für die Schwächeren als Unterr. Gegenstand aufgenom̃en werden.

Stundenplan des Normalkursus 1835 auf dem Schloss Burgdorf
(GEPPERT 1976, S. 195/196)

Auf einen weiteren Zusammenhang, der die konkurrierende Position FRÖBELs akzentuiert haben dürfte, sei in einem Exkurs hingewiesen. Dieser Konnex fokussiert im bildungspolitischen Handeln EMANUEL VON FELLENBERGs. Betrachtet man seine Initiativen zu Beginn des 19. Jahrhunderts und bezieht zugleich seine herausragende Position als Politiker und Bildungspolitiker ein, ist seine Ablehnung des 'Eindringlings' FRÖBEL verständlich.

Exkurs: FRÖBELs Konkurrent FELLENBERG und sein 'Erziehungsstaat'

Philipp Emanuel von Fellenberg

Bis heute wirkt PHILIPP EMANUEL VON FELLENBERGs (1771-1844) Schul- und Erziehungsstaat in Hofwil in der Nähe Berns (vgl. GUGGISBERG 1953, LINDGREN 1955) in kaum abschätzbarer Weise auf das Berner Schulwesen ebenso wie auf die schweizerische Schullandschaft sowie auf deren sozialpädagogische Belange (vgl. GRUNDER 1992b). Wo gegenwärtig das Staatliche Bernische Primarlehrerseminar und die Landwirtschaftliche Schule Rütti stehen, erwirbt VON FELLENBERG vor fast zweihundert Jahren den Wylhof und beginnt mit der Gründung eines landwirtschaftlichen Musterbetriebs sein Lebenswerk. Armenschule (1804), Landwirtschaftliches Institut (1807), Erziehungsanstalt für Söhne höherer Stände (1808) Mädchenerziehungsanstalt (Zwanzigerjahre), Real (1830) – und *Kleinkinderschule* (1841) und Normalkurse (1808, 1809, 1831, 1836) für angehende Lehrer: FELLENBERGs Initiativen, wie sie im Lauf der Jahre zustandekommen, gehören alle zu einer 'Erziehungsrepublik'[17], wie das Unternehmen von den Zeitgenossen etwa genannt wird, und bilden deshalb von ihrem Konzept her Bestandtei-

[17] Sie bestand aus:

1807 - 1848	Landwirtschaftliches Institut
1808 - 1809	Lehrerbildungskurse
1808 - 1848	Wissenschaftliches Institut
1810 - 1848	Armenschule WEHRLI (1834 verlässt WEHRLI Hofwil)
1824 - 1839	Mädchenschule
1826 - 1835	Meikirch Kolonie
1841 - 1844 (?)	Kinderpflegeschule
1855 - 1881	Höheres wissenschaftliches Institut.

le des Hofwiler Erziehungsstaats. Dazu gehören die beiden radikalsten Ansätze, was Selbständigkeit der beteiligten Kinder und Jugendlichen angeht – die Wehrlischule[18] und die Meikirch Kolonie.[19]

Ihren unterschiedlichen Zwecken entsprechend sind die Bestandteile des 'Erziehungsstaats' organisiert und gehen didaktisch und methodisch je eigen vor. Gemeinsam ist allen jedoch die tragende Idee FELLENBERGs, die 'Menschen zu vermenschlichen', was man als Ziel seines gesamten pädagogischen Strebens ansehen kann. Auf seinen Reisen durch Europa, während seines Paris-Aufenthalts und aufgrund der Lektüre von Berichten über die zeitgenössischen sittlichen, sozialen und moralischen Zustände findet FELLENBERG um die Jahrhundertwende seine Position: Stets geht der Berner von der ihn beunruhigenden allgemeinen Dekadenz der Epoche, in der er lebt, aus. Darauf sucht er nach Rezepten, um die sozialen Nöte zu lindern. Weil er Landarbeit für die nützlichste Tätigkeit überhaupt hält, müssen alle seine Zöglinge, ob arm oder reich, im Landbau tätig sein. Deswegen wird ein ausgedehnter landwirtschaftlicher Betrieb zur Basis der Hofwiler Erziehung. Nicht zufällig entstehen die Fellenbergschen Schulen auf dem Land, erkennt ihr Leiter doch, dass die Schüler dort weniger abgelenkt würden und dass das einförmigere Leben ihrer Entwicklung zuträglich sei. Wie etliche seiner Zeitgenossen und die nachmaligen Landerziehungsheimpädagogen ebenso, ist FELLENBERG gegenüber dem städtischen Leben (in einer antimodernistischen Weise) skeptisch eingestellt: In seiner Sicht ist die städtische Atmosphäre der Entwicklung heranwachsender Erziehungsbedürftiger grundsätzlich abträglich.

Auch anderweitig strebt FELLENBERG eine 'ganzheitliche Sozialisation' an, wie man diese Idee heute nennen würde: Er versucht, alle kindlichen Kräfte zu fördern[20], trachtet danach, dem Zögling als einem Individuum gerecht zu werden, baut auf die Macht des Vorbildes, setzt auf die Freiheit zur Alternative vor dem damals üblichen, pädagogisch wohl unzu-

---

[18] gegründet 1810.

[19] 1838 sollte der Staat Bern die Übernahme des Fellenbergschen Unternehmens ablehnen. 1844 errichtet FELLENBERG die Landwirtschaftlichen Schulen von Rütti. Kurz darauf stirbt er. 1848 beschliessen die Nachkommen, den Besitz aufzulösen.

[20] Kurz nachdem er den vernachlässigten Wylhof übernommen hat, ehelicht FELLENBERG die aus Kehrsatz stammende Patrizierin MARGARETHA VON TSCHARNER. Sie sollte ihn bei seiner Arbeit tatkräftig unterstützen – nicht zuletzt, wenn es um die Konzepte für die Schulbestandteile geht. Obschon FELLENBERG zusätzlich gerne noch eine Handwerkerschule (im Sinn einer Lehrwerkstätte) realisiert hätte, was nicht gelingt, sind FELLENBERG und seine Frau allmählich zu Leitern eines pädagogischen Betriebs geworden, der im In- und Ausland sowohl beachtet als auch nachgeahmt werden sollte.

reichend reflektierten Zwang und will in der Schule 'auf das Leben' vorbereiten[21]. Als echte Bildung kann FELLENBERG nur den Gewinn der Einheit von Körper, Seele und Geist sowie das Beherrschen der Aufgabe, die in einer bestimmten Situation gestellt wird, bezeichnen. Staatspolitische und allgemeine Bildung sind infolgedessen von Beginn der Erziehung an verbunden. Als Mittel zum Wissenserwerb gilt ihm der Weg von der Erfahrung über die Gedanken zur Welt der Zeichen. Auf der Grundlage der oben angesprochenen landwirtschaftlichen Tätigkeit als der Basis der Erziehung sowie der Erziehung zum Handwerk, soll sich dann eine 'nachgehende Standeserziehung' anschliessen. In Hofwil allerdings sind untereinander gleichberechtigte Schultypen geplant. Möchte sich ein Zögling weiter ausbilden lassen, muss er dafür auch begabt sein und nicht lediglich 'wohlgeboren', setzt FELLENBERG voraus.

Das Neue an der Hofwiler Erziehung besteht darin, dass die körperliche Arbeit, pädagogisch einsichtig angeordnet, mit dem Unterricht zu einer Einheit verschmolzen wird. Erstere ist damit wesentlicher Teil des Sozialisationsprozesses, den die Knaben, denn darum handelt es sich bei den Hofwiler Kindern, durchlaufen. Nebst der körperlichen Erziehung betont der Berner die ästhetische Bildung der ihm Anvertrauten. Was FELLENBERG also anstrebt, ist die Einheit von Erziehung und Unterricht. Schule hat indessen letztlich immer im Dienst der Erziehung zu stehen. Deshalb rangiert bis zum vierzehnten Altersjahr der Hofwiler Zöglinge Charakterbildung vor Wissenserwerb, was verhindern soll, dass Wissen in Fachwissen zersplittert[22]. An der 'Wissenschaftlichen Elementaranstalt' umfasst der Unterricht täglich sechs bis acht Stunden[23]. An der 'Wehrlischule' üben sich die Hofwiler Zöglinge zuweilen als 'Hilfslehrer', indem sie abwechslungsweise den amtierenden Lehrer unterstützen. So erhält die 'Wehrlischule' allmählich die Funktion einer 'Übungsschule', wie sie die staatlichen Lehrerbildungsstätten in der Schweiz, die Seminare, ihren Musterschulen auftragen. Dort erlernen angehende Lehrer ihr

---

[21] Üben von Wahrnehmungs- und Beobachtungsvermögen, Trainieren der Urteilskraft.

[22] Musik und bildende Kunst schätzt FELLENBERG als Bestandteile individuellen Menschseins hoch ein. Gesang, Instrumentalmusik, wöchentliche Abendunterhaltungen, Feste und Feiern, dazu Schönschreibunterricht sowie Instruktionen im Freihand- und geometrischen Zeichnen gehören in Hofwil zum ästhetischen Bereich.

[23] Weil die Jungen unterschiedlich intelligent sind, findet es FELLENBERG angezeigt, möglichst viele homogene Gruppen zu bilden. Deswegen bedarf es zahlreicher gruppenbetreuender Lehrer. Der Unterricht soll in erster Linie die geistige Selbständigkeit der Schüler anregen, und in der Konzentration auf bestimmte Gebiete können sich jene längerfristig einem einschlägigen Wissensbereich widmen.

praktisches Handwerk. Fehlt diese Übungsschule, wird dies seitens der Lehrerbildner durchwegs als Mangel empfunden.

FELLENBERG ordnet einen straffen Tagesablauf an[24]: Geistige Anstrengung, körperliche Arbeit und Ruhe sollen sich abwechseln. Nach jeder Unterrichtsstunde wird pausiert – damals in der Schulpädagogik ein Novum[25].

Trotz aller republikanischen Mentalität FELLENBERGs und der seinerseits geförderten Versuche, die Schüler verantwortlich am Gemeinschaftsleben der Schule teilnehmen zu lassen, trotz offiziell eingesetzter und legal arbeitender Lehrer- und Schülergremien, herrscht in Hofwil, nicht jedoch in der Meikirch Kolonie die Monarchie. FELLENBERG als der aufgeklärt Herrschende ist freilich überzeugt, uneigennützig und zum Wohl des Unternehmens zu 'regieren'. Für die Lehrer, die der Leiter bedachtsam auswählt, und die mehrheitlich aus Deutschland stammen, bleibt neben dem sechzehn Wochenstunden umfassenden Unterricht noch viel Zeit zum persönlichen Studium, was den 'aufgeklärten' Führungsstil FELLENBERGs veranschaulicht. In seiner Optik, so muss er sich gesagt haben, sollen die Lehrkräfte ausreichend Zeit bekommen, sich weiterzubilden.[26]

Sicher darf der damalige Hofwiler Erziehungsstaat beanspruchen, ein alternatives pädagogisches Modell zum allmählich sich ausprägenden kantonalen Schulwesen zu sein. Eine Reihe seiner Merkmale unterscheiden das Unternehmen von der traditionellen Ausbildung (soweit sie als

---

[24] Weil aber der starre Tagesplan für die Schüler nur wenig Freizeit ausspart, gibt es für sie ebensowenig eine private Sphäre. Einer von FELLENBERGs Grundsätzen lautet ja, die Schüler kaum unbeaufsichtigt zu lassen. Mit diesem Grundsatz ist FELLENBERG deutlich FRANCKEs, ROUSSEAUs und CAMPEs Ansichten verpflichtet.

[25] Tagesablauf in Hofwil

5 Uhr	Tagwacht (Winter 6 Uhr)
	Morgenandacht, Frühstück, Schulbeginn
bis 12 Uhr	Unterricht (Wehrlischüler: Arbeit)
12-12.30 Uhr	Mittagessen, Pause (Wehrlischüler: 1 Lektion)
14-17 Uhr	Unterricht (Wehrlischüler: Arbeit)
18 Uhr	Abendessen
19 Uhr	Unterricht (Wehrlischüler: 1 Lektion)
20 Uhr	Abendversammlung
21 Uhr	Nachtruhe.

[26] In Hofwil werden insgesamt über 2000 Schüler aus der ganzen Welt unterrichtet, darunter etliche Prinzen und viele Adlige. Es ist nicht FELLENBERGs Wille, in seiner Institution die damals herrschende ständische Ordnung abzuschaffen, andererseits verbietet er Privilegien für die jugendlichen Bessergestellten, was zuweilen zu Streit mit deren Eltern führt.

'Institution Schule' überhaupt schon besteht) und heben es – im Rückblick betrachtet – in den Rang eines pädagogisch fortschrittlichen Experiments. J. W. v. GOETHE diente Hofwil (und nicht etwa PESTALOZZIs Iferten) als Vorbild für seine 'Pädagogische Provinz'. Einige Sozialisten regte es an, unter anderen politischen Implikationen eigene 'Kolonien' zu gründen. PESTALOZZI, im übrigen nach dem Sturz der Helvetischen Regierung von Schloss Burgdorf kommend, wo er eine Lehranstalt für Knaben geleitet hatte, siedelt nach Münchenbuchsee über. Dort kommt es zum Streit zwischen dem Fünfzigjährigen und dem um zwanzig Jahre jüngeren FELLENBERG, worauf PESTALOZZI nach Yverdon zieht.

2. Weshalb scheitert das Experiment in Burgdorf?

Das Scheitern FRÖBELs in Burgdorf hat mehrere Gründe. Sie liegen in den negativen Urteilen der Sachverständigen, was seine pädagogisch-didaktischen Fähigkeiten betrifft, seine Art der Behandlung pädagogischer Fragen, in der akzentuierten Konkurrenzsituation, die schliesslich in eine dem heutigen Mobbing vergleichbare Aktion ausartet sowie einer gemeinen Massnahme, womit FRÖBEL in Burgdorf buchstäblich die Lebensgrundlage entzogen worden ist. Wichtige Rollen in der Kampagne gegen FRÖBEL spielen neben GOTTHELF, der für ihn eintritt, Seminardirektor LANGHANS sowie das 'Mitteilungsblatt für die Freunde der Schulverbesserung im Kanton Bern'. Diese Publikation, Sprachrohr FELLENBERGs, schürt ab 1834 die Hetze gegen FRÖBEL. Dazu vier Aspekte:

A. FRÖBELs Unterrichtsleistung

Zur Beurteilung des Könnens der Zöglinge bittet das Erziehungsdepartement 1834 unter anderen pikanterweise einen der beiden Konkurrenten FRÖBELs, Seminardirektor LANGHANS (Brief vom 27.8.1834. In: GEPPERT 1976, S. 124), am Abschlussexamen[27] teilzunehmen. Sein Urteil über FRÖBELs Unterrichtsleistung ist unerbittlich. Ein anderer Inspizient, der unbelastete Pfarrer STEINHÄUSLEIN, urteilt vergleichsweise milde: "Was nun ferner seinen speciellen Unterricht betrifft, so muss ich im Allgemeinen die Vorbemerkung machen, dass Fröbel hier am unrechten Orte war. Sein Geist kann sich in fremde Schranken nicht fügen, er muss sich die Gränzen seines Unterrichts selbst ziehen, und daher all die ihm aufgebürdete Schuld." (Bericht über FRÖBELs Leistungen beim

[27] Die 'Abschlussexamen' dienten dazu, die Fähigkeiten der Lernenden öffentlich vorzuführen, aufgrund derer der Erfolg des Kurses eingeschätzt werden konnte. Zu diesem Zweck wurden die Zöglinge von ihren Lehrern und unter Anwesenheit der inspizierenden Beobachter während mehrerer Tage zum vorgetragenen und gelernten Stoff befragt.

Normalkurs in Burgdorf vom 17.9.1834. In: GEPPERT 1976, S. 131) Skeptischer LANGHANS, hier über FRÖBELs Deutschexamen: „Die Einleitung enthielt eine Begriffsbestimmung von Erziehung und Unterricht in so gedehnten, gesuchten, pompösen und mystischen Worten, dass ich im eigentlichen Sinne des Wortes über die Gefahr erschrack, welche auf diesem Wege den Schullehrern sich darbietet, dass sie aus ihrem Gebiete einfacher und klarer, aber auch allgemein verständlicher Naturanschauung herausgerissen, und in metaphysisch excentrische Sphären philosophischer Über- und Verbildung geworfen werden..." (Prüfungsbericht von Seminardirektor LANGHANS an das Erziehungsdepartement vom 18.9.1834. In: GEPPERT 1976, S. 135) In der Sprachlehre nach pestalozzianischen Grundsätzen sei FRÖBEL lediglich bis zum Ende der Wortlehre gelangt. Andererseits beurteilt LANGHANS FRÖBELs Unterricht in Linearzeichnen sowie in Körper- und Zahlenlehre positiv. Den gesamten Kurs schätzt er trotz Abstrichen bei FRÖBEL als sehr nützlich ein. ALBERT BITZIUS, wie andere Lehrer am Kurs seitens des Erziehungsdepartements aufgefordert, FRÖBEL zu beurteilen, erkennt: Wieviel Wissen FRÖBEL seinen Zöglingen vermittelt habe, könne er nicht sagen, aber „aus ihnen heraus brachte er sehr viel" (Bericht von BITZIUS vom 22.9.1834 an das Erziehungsdepartement. In: GEPPERT 1976, S. 140). Mit FRÖBELs 'Etymologie' sei nichts anzufangen, antwortet JOSEF BURKHALTER auf dessen Brief seinem Freund BITZIUS (Brief vom 7.2.1835. In: GEPPERT 1976, S. 174). FELLENBERGs Kritik an FRÖBEL halte er für berechtigt, weil dessen Wortlauterklärungen die Natur der Sache verletzten. FRÖBEL argumentiere auch im Unterricht verworren. Allerdings befürwortet BURKHALTER gegen FELLENBERG FRÖBELs „äusserlich machen des Innern, und innerlich machen des Äussern, die frühe Richtung des kindlichen Gemüts auf das Göttliche in ihm und ausser ihm" (ebd., S. 175), während FELLENBERG den Kindern die religiösen Wahrheiten nicht vor ihrem fünfzehnten Altersjahr beibringe.

Friedrich Langhans

Es scheint, als ob im Kanton Bern eine auf die unterrichtsdidaktische und entwicklungspsychologische Ebene verlagerte Querele zwischen rousseauistischen Aufklärern und romantisierenden Fröbelianern tobe. Herr FRÖBEL möge ein ganz passabler Jugendlehrer sein, fasst der erst 1835 eindeutig argumentierende LANGHANS in seinem Gesamtbericht an das Erziehungsdepartement die Unterrichtsleistung FRÖBELs zusammen. „In unseren provisorischen Normalkursen aber" sei er „nicht an seynem Platze" (Gesamtbericht über die im Kanton Bern 1834 abgehaltenen Normalkurse vom 3.4.1835. In: GEPPERT 1976, S. 179). Aufgrund dieses Fazits wird FRÖBEL bei der Planung des zweiten Normalkurses 1835 lediglich noch als Lehrer für Mathematik und Zeichnen angefragt.

B. FRÖBELs Behandlung pädagogischer Fragen, seine Person

Obwohl die Lehrkräfte FRÖBEL vorurteilsbefangen gegenübergestanden hätten und obgleich FRÖBEL sie bereits ab dem ersten Tage mit seiner eigenen Art und seinem ihnen unverständlichen Dialekt abgestossen habe, „gewannen sie ihn bald lieb und seine Stunden wurden ihnen die wichtigsten", merkt Pfarrer BITZIUS an (Bericht von BITZIUS an das Erziehungsdepartement vom 22.9.1834. In: GEPPERT 1976, S. 140). FRÖBEL habe mit den Teilnehmern „mit einer uns Schweizern unmöglichen Ausdauer und Anstrengung gearbeitet" (ebd., S. 141), konzediert BITZIUS. In diesem Wiederholungskurs sei deshalb alles erreicht worden, worauf man abgezielt habe. Aber: Ob FRÖBEL den Stoff immer richtig behandelt und dargestellt habe, vermöge er, BITZIUS, nicht zu beurteilen. Dass er aber die Menschen richtig behandelt habe, stehe ausser Frage. Allerdings, so der Berner Pfarrer, verleiteten FRÖBEL seine „wunderlichen Eigenthümlichkeiten" oft zu Spielereien, welche ihm das Etikett eines Marktschreiers verleihen würden. BITZIUS weiter, spitzer werdend: „Vergessen muss man endlich, dass Herr Fröbel ein Deutscher ist und kein Schweizer, dass er in seinem Wesen die deutsche Manier angenommen hat, durch welche man Anklang finden oder Aufsehen machen möchte." (Ebd.) Und – von FRÖBEL abschweifend aber im Rückblick amüsant: „Wer sich an deutsche Universitäten erinnert, der weiss, dass fast alle Professoren für uns Schweizer etwas von einem Windbeutel an sich hatten; die schlichte Einfachheit der Schweizer ist in Deutschland nicht einheimisch." (Ebd.)

C. Akzentuierte Konkurrenz

In einem privaten Brief glaubt der durchaus positiv gesinnte BITZIUS, den verkannten FRÖBEL gar in Schutz nehmen zu müssen: Er habe so etwas Eigenes, „dass ich viele Misskennung fürchtete, und mit Recht" (BITZIUS an JOSEF BURKHALTER vom 10.10.1834. In: GEPPERT 1976, S. 143), sorgt sich der Verfasser. FRÖBEL werde zwischenzeitlich noch mehr angegriffen, als es BITZIUS für möglich gehalten hätte. Der Grund dafür liege in FRÖBELs Ähnlichkeit mit PESTALOZZI und dessen Methode, welche dieser lediglich „auf eigene Weise sich ausgearbeitet" (ebd.) habe. Deshalb habe man ihn nicht begriffen. Glücklicherweise sei zumindest keine Pressekampagne entstanden. Die Bevölkerung habe FEL-

LENBERGs und LANGHANS' Streit so satt, dass man es nicht darauf wolle ankommen lassen.

Das FRÖBELs Konkurrenten um die Durchführung weiterer Normalkurse, EMANUEL VON FELLENBERG, sekundierende 'Mitteilungsblatt' (s.o.) greift FRÖBEL nicht über den Weiterbildungskurs an, weil ihm dort authentisches Material fehlt. Der publizistische Fröbel-Verriss läuft vielmehr über eine böse Rezension der 'Menschenerziehung' (ersch. 1826), eines 'schwülstigen Buches', das die Lesenden mit seinem 'verbranntem Enthusiasmus bethören' wolle (Bericht über den in Burgdorf gegebenen Schullehrerbildungskurs des Jahres 1834. In: GEPPERT 1976, S. 150). Die Redaktion druckt dann (am 4.12.1834) die Rezension des Breslauer, später Weissenfelser Seminardirektors HARNISCH über die Rezension des Burgdorfer Normalkurses ab, ohne die bereits vorliegenden 'ärgerlichen Mitteilungen' (ebd.) der anderen Inspizienten zu erwähnen. Über eine Bestellung HARNISCHs als Inspizient geben die offiziellen Akten keine Auskunft. Anzunehmen ist deshalb, dass die Fellenberg-Langhans-Partei HARNISCH beauftragt hatte, FRÖBELs Kurs zu evaluieren.

Ganz besonders in Rage bringt den Kommentator eine besondere Szene, die so zu Papier gebracht wurde: „Nach den Aussagen Mehrerer zog Herr Fröbel sehr oft los und spöttelte über die Schweizer: 'Sie sind ungeschickt, haben keine guten Dichter, essen viel u.s.w.' Mehrere sonst geachtete Schriftsteller und Pädagogen wurden von ihm bitter getadelt und bekrittelt (...) Überhaupt scheint Tadelsucht gegen Männer seines Faches ihm ganz eigen zu seyn." (Ebd., S. 152) Im übrigen solle Herr Seminardirektor LANGHANS bemerkt haben, FRÖBEL hange an seinen Kleinlichkeiten wie der Teufel an einem armen Sünder, wird angefügt. Dann wird zurückhaltend auf einheimische Pädagogen verwiesen, welche die bernische Lehrerbildung besser als FRÖBEL zu leiten imstande wären. Es wehren sich schliesslich auch Pestalozzianer, unter ihnen NIEDERER, der sich dagegen verwahrt, FRÖBEL als Exponenten der Methode PESTALOZZIs eingestuft zu sehen.[28] Am 27.3.1836 stützt der 'Volksfreund' die Position FELLENBERGs und LANGHANS': Angeregt wird dort, die Lehrerfortbildungskurse seien an bereits bestehenden Lehrerseminaren durchzuführen (vgl. GEPPERT 1976, S. 212).

---

28 „Herr Fröbel ist kein Pestalozzianer und war nie ein solcher. Er geht seinen eigenen Weg, auch, wo er Pestalozzische Elemente und Ansichten aufnimmt, und bearbeitet sie selbständig. Auch darin ist er achtungswert, daß er Pestalozzis Namen nicht zum Aushängeschild, oder nur da braucht, wo jener nötig ist." (Offener Brief im Schweizerischen Beobachter vom 29.1.1835. In: GEPPERT 1976, S. 166).

Das Ergebnis der diffamierenden Polemik, dieses 'Fröbel-Handels'[29], dieser – LANGETHAL zufolge 'plumpen Angriffe'[30] – muss in einer fortschreitenden Entmutigung FRÖBELs bestanden haben. Lange hat er vermutlich gar nicht gewusst, dass seine Widersacher Eigeninteressen verfolgt haben. Gegen den politisch und bildungspolitisch mächtigen FELLENBERG wäre in jener Epoche wohl kaum etwas zu erreichen gewesen.
Nach Abschluss des zweiten Kurses ist eine Fortsetzung ohne FRÖBEL geplant. Die Autoren der vom Erziehungsdepartement angeforderten Berichte empfehlen FRÖBEL als Lehrer nicht einmal mehr bedingt. Nicht nur das: Es sollte für FRÖBEL schliesslich nichts mehr anderes übrigbleiben, als zu resignieren.

D. Der Entzug der Wohnung

Dieser Zeitpunkt ist dann gekommen, als der Burgdorfer Regierungsstatthalter FROMM dem Erziehungsdepartement in Bern am 30.3.1836 mitteilt, die Räume, in denen FRÖBEL im Schloss während der Kurse gelebt hatte, würden fortan von Oberförster MANUEL bewohnt. Es handelt sich im übrigen um dieselbe Wohnung, die dreissig Jahre zuvor PESTALOZZI zugewiesen erhalten hatte. Für FRÖBEL wäre es nun unmöglich gewesen, mit den Lehrern künftiger Kurse in enger Wohngemeinschaft zu leben. LOTTE GEPPERT kommentiert: „Diese Ausbootung erinnert stark an die Art, in der man seinerzeit PESTALOZZI seine pädagogische Arbeit in Burgdorf abschnitt." (GEPPERT 1976, S. 96) Im Frühling des Jahres 1836 reagiert FRÖBEL sofort: Nachdem ihm Leitung und Lehrtätigkeit in der Lehrerweiterbildung entzogen worden sind, genügt ihm die Direktion des Burgdorfer Waisenhauses nicht mehr.

Am 30.3.1836 war ihm der Entzug der Wohnung auf dem Schloss mitgeteilt worden. Am 2. April, am Ende des eben verflossenen Probejahrs, kündigt FRÖBEL dem Burgdorfer Burgerrat die Führung des Waisenhauses.

Unmittelbar danach verlässt FRÖBEL die Schweiz. Mit einem Plan im Kopf sollte FRÖBEL in Keilhau ein neues Unternehmen gründen, ein Unterfangen, das durch das Erbe seiner Schwiegermutter möglich geworden war. In einem Brief vom 29. Februar desselben Jahres hatte er hervorgehoben, der Zweck der Anschauungsmittel bestehe darin, den Eltern Mittel für die früheste Kindheit an die Hand zu geben (KUNTZE 1952,

---

[29] Vgl. den Schneider-Handel, der zwischen 1911 und 1915 die Berner Pädagogenschaft erregt und in zwei Lager gespalten hat (GRUNDER 1992a).

[30] So LANGETHAL in der öffentlichen Erwiderung gegen NIEDERER im Schweizerischen Beobachter, vgl. GEPPERT 1976, S. 168 - 172.

S. 91). In Blankenburg in Thüringen werden die bereits in der Schweiz geplanten, teils dort schon ausgeführten Spielmittel fabrikmässig hergestellt. Ebenso zentral wird der ebenfalls in der Schweiz entwickelte Gedanke des Familienlebens. Es gilt, für Eltern und Erzieher 'Gaben' zuhanden der Kinder zu konzipieren – 'Spiel und Beschäftigungskästen für Kindheit und Jugend'. Diese enthalten Ball, Würfel und Kugel, Klötzchen und Stäbchen. Dazu kamen in der Burgdorfer Zeit bereits erprobte Bewegungsspiele auch für Kleinkinder. Die Frau stuft FRÖBEL inzwischen als die zentrale Person der Kleinkindererziehung ein. 1840 erscheint der 'Entwurf eines Plans zur Begründung und Ausführung eines Kinder-Gartens'. Das Ziel erscheint im erläuternden Zusatz: "...eine allgemeine Anstalt zur Verbreitung allseitiger Beachtung des Lebens der Kinder, besonders zur Pflege ihres Tätigkeitstriebes". Der 28.6.1840 wird zum Stiftungstag. Doch es werden kaum Anteilscheine gezeichnet. Andererseits übernehmen Frauen- und Müttervereine die Idee. In Gera und Sondershausen entstehen Kindergärten. 1844 unternimmt FRÖBEL eine grosse Reise in Deutschland, um seine Idee zu verbreiten. Fünf Jahre später siedelt er nach Liebenstein in Sachsen-Meiningen über, um wieder ein festes Heim zu haben. 1851 werden die Kindergärten in Preussen verboten. Der 70. Geburtstag bringt FRÖBEL Ehrungen: 1852 wird er zur Versammlung des Deutschen Lehrervereins in Gotha eingeladen. Als er mitten in DIESTERWEGs Vortrag den Saal betritt, erhebt sich die Versammlung zu Ehren des Siebzigjährigen, der im selben Jahr sterben sollte.

3. Fragen zur Rezeption: Besteht FRÖBELs Wirkung im 'Mythos Fröbel'?

Das Berner *Erziehungsdepartement* hat FRÖBEL fallengelassen (vgl. GEPPERT 1976, S. 96). Die einflussreichen Gegner schienen zu stark zu sein. Der Initiator und einstmalige Sympathisant, Regierungsrat SCHNEIDER, kann FRÖBEL nicht helfen. FRÖBELs Name verschwindet aus der Liste der Unterrichtenden, aus den Akten der Erziehungsdirektion und den Missiven-Protokollen. Nach FRÖBELs Weggang sollte LANGETHAL das Burgdorfer Waisenhaus jahrelang leiten. Deutschfeindlichkeit scheint demzufolge nicht der einzige Grund für FRÖBELs Ausbootung. Vielmehr scheint sich ein Aspekt der zweiten hier vertretenen These zu bestätigen. Dem Erziehungsdepartement ist es infolge heftiger Gegenwehr des pädagogischen Establishments nicht gelungen, die Lehrerfortbildungskurse dezentral anzusiedeln. FELLENBERG und LANGHANS stehen als Sieger da. FRÖBEL, einer dem Erziehungsdepartement nützlichen Marionette gleich, das Versuchskaninchen gegen FELLENBERG und LANGHANS, flieht. Der Burgdorfer Burgerrat erkennt den Konnex zwischen FRÖBELs Ausbootung als Leiter der Fortbildungskurse, der Kündigung der Wohnung durch den Regierungsstatthalter und FRÖBELs Absage, die Leitung des Waisenhauses zu übernehmen, nicht. Obwohl höflich und sachlich in der Tonlage, belegt der Antwortbrief auf die Rückgabe der Waisenhausdirektion durch FRÖBEL, wie gekränkt man in Burgdorf gewesen ist. Der Leitungswechsel vollzieht sich geräuschlos. LANGETHALs Persönlichkeit zeigt weniger Angriffsflächen als jene FRÖBELs. Der Nachfolger gilt den pädagogischen Patriziern in Bern nicht wie FRÖBEL als starker Konkurrent. Dass er die Lehrerfortbildung an sich reissen würde, war nicht zu erwarten.

Die familiären Gründe, die FRÖBEL für seinen Weggang aus Burgdorf geltend macht[31], scheinen in bildungsgeschichtlicher Sicht also zweitrangig zu sein. Die Quellen belegen die Reaktion auf seine Ideen und seine Tätigkeit überdeutlich als Konkurrenzangst. Der übereilte, definitive Abschied aus der Schweiz[32] mag demzufolge mehr der Enttäuschung geschuldet sein, in Burgdorf pädagogisch Alteingesessenen gegenübergestanden zu haben, gegen die eine Niederlage vorprogrammiert, aber für den in diesen Dingen unerfahrenen Ausländer FRÖBEL nicht vorauszusehen war.

Aus diesem Grund neige ich zur Ansicht, auf den ersten Blick sei FRÖBELs Engagement in Burgdorf gescheitert. Allerdings stimme ich der Meinung zu, es seien schliesslich die „schwierigen äusseren Verhältnisse" gewesen, „die einen innerlich fördernden Druck" (GEPPERT 1976, S. 358) auf FRÖBEL ausgeübt hätten. Ansonsten hätte er nach der Burgdorfer 'Tragödie verspielter Möglichkeiten' die Kindergartenidee nicht sogleich praktisch verwirklichen können. Offenbar haben die Demütigungen, Enttäuschungen und Niederlagen den neuen Gedanken erst richtig reifen lassen, was das FRÖBEL ausnützende Berner Erziehungsdepartement jedoch keineswegs entlastet.

Zur 'Wirkung' FRÖBELs in der Schweiz lässt sich – hier lediglich sehr knapp – folgendes sagen: Dass FRÖBELs Kindergartenidee die Entstehung der Kindergärten in der Schweiz befördert hat, scheint ausser Frage zu stehen (NUSPLIGER-BRAND 1982), obwohl der entsprechende Beleg fehlt. Mehr über diesen Zusammenhang zu sagen, erscheint deswegen verfrüht, weil eine detaillierte Darstellung der Geschichte des Kindergartens in der Schweiz bislang aussteht (vgl. WALSER 1929/1930, S. 69 ff., NUSPLIGER-BRAND 1982). Nach dem partiellen Scheitern der Propagandareise von MARENHOLTZ-BÜLOW Mitte der fünfziger Jahre (KÜTTEL 1882) wird der Kindergarten Fröbelscher Ak-

---

[31] Es galt, das Erbe der unerwartet verstorbenen Schwiegermutter zu regeln. Im übrigen habe das ungünstige Burgdorfer Klima die Gesundheit seiner Frau beeinträchtigt.

[32] Die Akten enthalten keine Hinweise auf die Abreise, vgl. GEPPERT 1976, S. 358.

zentuierung in der Schweiz erst wieder ein Thema, als in Thun und St. Gallen die ersten ihrer Art gegründet werden (NUSPLIGER-BRAND 1982, S. 61, WACHTER 1874). 1860 sei MARENHOLTZ-BÜLOWs Idee in Bern auf ausgetrockneten Boden gefallen, schreibt KÜTTEL (KÜTTEL 1882, S. 9; vgl. BÜCHI 1952). Erst allmählich sei der Gedanke – während des vergangenen Jahrzehnts – gereift. Dies obwohl in vielen bereits bestehenden Kleinkinderschulen FRÖBELs Spiel- und Beschäftigungsmittel eingeführt worden seien. KÜTTEL betont, eine traditionelle Kleinkinderschule stelle eben noch keinen Fröbelkindergarten dar (ebd., S. 11). 1952 bekräftigt BÜCHI, NUSPLIGER vorgreifend und den Konkurrenzaspekt akzentuierend: Zwar seien bereits in den dreissiger Jahren des 19. Jahrhunderts Kinder-Bewahranstalten und Kleinkinderschulen eingerichtet worden, der Erziehungsgedanke sei dort aber „noch nicht lebendig" (BÜCHI 1952, S. 33) gewesen. Es sei der 1871 gegründete Schweizerische Kindergartenverein gewesen, der dem Fröbelkindergarten zur aktuellen Bedeutung verholfen habe (ebd.). Insbesondere Burgdorf könne man keineswegs zu den Vorreitern zählen.

Darum lässt sich folgern: Neben der Konkurrenzsituation der dreissiger Jahre die Lehrerfortbildung betreffend, wodurch FRÖBEL zur Flucht aus Burgdorf gezwungen worden ist, sollte bezüglich des Kindergartengedankens eine vergleichbare Lage entstehen, als es darum ging, die traditionellen Kleinkinderschulen mittels seiner Kindergartenkonzeption zu pädagogisieren. Ein Blick auf die Realgeschichte des Kindergartens in den Kantonen Bern und Zürich belegt dies.

Realgeschichte des Kindergartens im Kanton Bern

Vorwiegend karitative Motive haben im Kanton Bern zur Verbreitung der Kindergartenidee beigetragen (NUSPLIGER-BRAND 1982, S. 49). Sie fussten auf der Sorge um das sozial benachteiligte Kind und standen im Kontext der Armenfrage: Die Zahl der registrierten Armen war zwischen 1809 und 1829 im Kanton von 10.600 auf 19.000 gestiegen. Landflucht, Alkoholismus und starkes Bevölkerungswachstum zählen neben der akzelerierten Industrialisierung zu den Gründen dafür. Besonders fragwürdig erschien unter diesen Umständen, dass die Kinder der Armen in 'sittlich verkommene' (ebd., S. 50) Armenhäuser und Armenanstalten eingewiesen wurden. Eine andere Institution sollte Pflege und Erziehung der kleinen Armen, Waisen und unehelich Geborenen übernehmen: „Den Erziehungs- und Bewahranstalten lag weniger eine pädagogische als eine fürsorgerische Zielsetzung zugrunde." (Ebd., S. 51) Die erste der schliesslich sieben 'Gaumschulen' nahm in der Stadt Bern 1828 ihren Betrieb auf, während Krippen erst ausgangs des Jahrhunderts eingerichtet worden sind. Um auch im Vorschulbereich erzieherische Arbeit leisten zu können, schloss man den Krippen später Kindergärten für Kinder vom vierten Lebensjahr bis zum schulpflichtigen Alter an. Die in den dreissiger Jahren ins Leben gerufenen Kleinkinderschulen (in Deutschland entstand die erste 1779, gegründet von JOHANN FRIEDRICH OBERLIN) beförderten die Diskussionen um die ausserfamiliäre Erziehung. Vor FRÖBELs erster Kindergarteninitiative wurde im Kanton Bern die Frage erörtert, ob eine Kleinkinderschule grundsätzlich die frühkindliche erzieherische Arbeit zu übernehmen imstande sei. Obwohl die junge Institution ihrer Aufgabe schliesslich nicht gewachsen war, schreibt ihr eine Chronistin (NUSPLIGER-BRAND 1982, S. 55) entscheidende Relevanz für die Entwicklung des Kindergartens zu: Die Diskussion über die Vorschulbildung war durch sie lanciert worden; die Kleinkinderschule wurde zur Vorläuferin der Fröbel-Kindergärten, zu deren Konkurrentin und später von ihnen abgelöst, ohne dass die Bezeichnung 'Kleinkinderschule' überall geändert worden wäre. Damit ging eine Pädagogisierung der kindlichen Erziehungsarbeit einher. In FRÖBELs Konzept, das pädagogisch und psychologisch fundiert war, sah man schliesslich die Basis für eine wirksame Bildungsarbeit im Vorschulbereich. Neben FRÖBELs persönlichen Mitarbeitern verbreiteten das Konzept die Schweizer BION, WELLAUER, MORF, HOLLMANN und STOOSS. Die ersten Fröbelkindergärten entstanden allerdings im Kanton Bern – vergleichbar den anderen Kantonen – erst zu Beginn der siebziger Jahre, während die Idee bereits lange zuvor erörtert worden war.

Pfarrer RUDOLF STOOSS hatte 1845 eine Broschüre veröffentlicht, worin er die Ziele des Fröbelkindergartens schilderte. Insbesondere müsse der Unterschied zwischen den bestehenden Kleinkinderschulen und FRÖBELs pädagogischem Konzept herausgestrichen werden, verlangte der Pfarrer. 1846 wollte der Initiant gar FRÖBEL als Leiter eines 'Muster-Kindergartens' im Kanton Bern gewinnen. Die bernischen Behörden sind diesem Hinweis nicht gefolgt (ebd., S. 61). 1868 schickte der nachmalige Erfinder der Ferienkolonie, Pfarrer BION, allen Erziehungsbehörden ein Memorandum, worin er sich für das Konzept des Fröbelkindergartens stark machte.

1873 wurde schliesslich in Thun[33] der erste Fröbelkindergarten im Kanton Bern eröffnet. Spätere entstanden wie dieser mehrheitlich unter privater Leitung. 1881 wurde der Schweizerische Kindergartenverein ins Leben gerufen, der sich zum Ziel setzte, die Kindergärten zu einer 'Angelegenheit des staatlichen Erziehungswesens' zu machen. Der Kampf darum sollte das Engagement zugunsten der bernischen Kindergärten bis ins 20. Jahrhundert bestimmen.

[33] Im Bällizschulhaus.

Realgeschichte des Kindergartens im Kanton Zürich

Initiiert von Waisenvater WELLAUER hatte die Stadt St. Gallen 1870 einen Fröbelkindergarten ins Leben gerufen. WELLAUER hatte bereits fünf Jahre zuvor die Fröbelschen Grundsätze „für die unter dem Schulalter stehenden Kinder des Waisenhauses eingeführt" (ebd., S. 3). 1874 verfügt die Stadt über drei, von einem privaten Einwohnerverein geführte 'Volkskindergärten'. Neben St. Gallen haben in diesen Jahren Thun, später Winterthur und Walenstadt Kindergärten mit Fröbelakzenten eingerichtet, während in Aarau, Langenthal und sogar in Wipkingen (ebd., S. 4) solche geplant waren. In Genf, Lausanne und Vevey dagegen hatten bereits früher Privatanstalten bestanden. Nur Zürich, eine Stadt, welche zugunsten ihrer Jugend sonst so initiativ sei, stehe abseits, klagt WACHTER. Dort existiere lediglich ein kleiner Kindergarten, welcher von der Tochter des Alt-Waisenvaters HIRZEL, BERTHA HIRZEL, geführt werde. In Burgdorf hat Waisenvater TENZER 1873 einen Kindergarten im fröbelschen Sinn angeregt, der 1876 gegründet werden sollte. Die Leiterin heisst MINA SCHELL, ihre 'Gehilfin' ist CLARA GLAUSER. Sie betreuen 43 Kinder in einem gemieteten Zimmer des Bürgerspitals. Daneben gibt es freien Platz zum Spielen, „aber nicht zum Anpflanzen" (ebd., S. 85), schreibt KÜTTEL (KÜTTEL 1882, S. 11).

Vermutlich war infolge dieser Gründung 1881 und mit der Aktivität des Schweizerischen Kindergartenvereins eine publizistische Offensive entstanden. Sie schlug sich in mehreren Veröffentlichungen nieder, worin durchwegs angeregt wird, weitere Kindergärten im Sinne FRÖBELs ins Leben zu rufen.[34] Die Autorinnen und Autoren diskutieren dabei ausnahmslos jene beiden Lebensabschnitte, die FRÖBEL in der Schweiz verbracht hat. Dabei liest man über die Burgdorfer Zeit historisch Beschönigendes und Euphemismen ebenso wie skeptische Hinweise, was die Gründe FRÖBELs betrifft, die Schweiz zu verlassen und was die Genese der Kindergartenidee angeht: 1871 verweist BÜHLMANN die Konzeption der Spiele und der Beschäftigungsmöglichkeiten für vorschulpflichtige Kinder in die Burgdorfer Zeit und schliesst mit dem unverfänglichen Satz: „So vorbereitet legte Fröbel seine Stelle in Burgdorf nieder." (BÜHLMANN 1871, S. 12). HOLLMANN, in Willisau FRÖBELs Mitarbeiter, thematisiert die Verfolgungen FRÖBELs (HOLLMANN 1874, S. 5). Zur Genese der Kindergartenidee merkt er einen nachvollziehbaren Gedanken an: FRÖBEL sei wohl aufgrund des dortigen Umgangs mit hunderten von Primarlehrkräften davon überzeugt worden, „dass unserer ganzen heutigen Schulbildung das feste Fundament fehlt, nämlich eine

---

[34] BÜHLMANN 1871, LÄMMLI 1872, HOLLMANN 1874, , WACHTER 1874, CHRISTINGER 1876, KÜTTEL 1882, STIEBITZ 1913, vgl. auch WALSER 1929/1930, BÜCHI 1952 und NUSPLIGER-BRAND 1982.

vernunft- und naturgemässe Erziehung der Kinder im vorschulpflichtigen Alter" (ebd., S. 5). HOLLMANN folgert: Weil sich FRÖBEL der Kindererziehung habe widmen wollen, habe er seine „Stellung in Burgdorf" (ebd., S. 6) aufgegeben und sei nach Thüringen zurückgekehrt. CHRISTINGER dagegen ist über FRÖBELs Flucht aus Burgdorf völlig uninformiert: „Von Heimatsehnsucht getrieben und zugleich von neuem Schaffensdrange erfüllt, verliess Fröbel Ende 1836 mit seiner Gattin die Schweiz und trat die Leitung des Waisenhauses zu Burgdorf an den bisherigen Mitarbeiter LANGETHAL ab." (Ebd., S. 17) Und, euphemistisch: „Es war diessmal ein Abschied vom Lande der Freiheit, das dem ahnungsvollen, suchenden Manne zur hohen Schule geworden war, für immer." (Ebd., S. 17/18)

Zur Zentenarfeier 1952 wird der angesprochene Rezeptionsstrang wieder aufgenommen: BÜCHI betont die Verbundenheit der schweizerischen Kindergärtnerinnen mit FRÖBEL (BÜCHI 1952, S. 25). Sie ortet FRÖBELs Idee der Spielgaben aber schon auf Schloss Wartensee: „Fröbel fand hier am Quellort, hier bei den Kleinen" (ebd., S. 33) die Spielgaben, die dem Kindergarten das Gepräge geben sollten. Auch sie tradiert die verfälschende Sicht von FRÖBELs Weggang aus Burgdorf: „Um diese Gaben auszuarbeiten und für deren Herstellung zu sorgen, verliess er die Schweiz und reiste in die Heimat." (Ebd., S. 33)

In meinem Beitrag geht es trotz der Blicke in die Zukunft jedoch um die Jahre *vor* der Konkretion des Kindergartens. Ich fasse zusammen:

Vor der ausgeleuchteten bildungspolitischen Kulisse hat FRÖBEL weder die Burgdorfer oder Berner Waisen- oder Armenerziehung noch die Lehrerbildung oder Lehrerfortbildung beeinflusst. Dafür wurde seinen Versuchen zu früh ein Ende bereitet. Insofern war es auch unnötig, ihn zu Lebzeiten oder nach seinem Tod zu einer ähnlichen mythischen Gestalt zu erheben, wie dies mit PESTALOZZI gemacht worden ist. Infolge der widrigen Umstände in Burgdorf hat FRÖBEL vielleicht früher als dies anderswo geschehen wäre, die Idee des Kindergartens denken können. Aus der Sicht der Burgdorfer und Berner Bildungspolitik allerdings stellt er lediglich einen wirkungslosen, in Burgdorf gescheiterten Pädagogen dar – innerhalb vier Jahrzehnten bereits den zweiten.

Quellen

FRÖBEL, FRIEDRICH: Bericht über die Lehrerbildungskurse in Willisau (1834 - 1835), Staatsarchiv des Kantons Bern, BB IIIb 5805 (Lokales (S - Z); BB IIIb 5802 (Lokales A - B).

FRÖBEL, FRIEDRICH: Bericht über die Lehrerbildungskurse in Burgdorf, Staatsarchiv des Kantons Bern, BB IIIb 5802 (Lokales A - B).

FRÖBEL, FRIEDRICH: Armenerziehungsanstalt Bättwyl bei Burgdorf, Staatsarchiv des Kantons Bern, BB IIIb, 804.

Literatur

BADERTSCHER, HANS; GRUNDER, HANS-ULRICH (Hrsg.): Geschichte der Erziehung und Schule in der Schweiz im 19. und 20. Jahrhundert. Leitlinien. Bern 1997.

BÜCHI, MARTHA: Friedrich Fröbel. Kind und Kindergärtner. Vortrag, gehalten in Zürich am 21.6.1952, dem 100. Todestag Friedrich Fröbels. Zürich 1952.

BÜHLMANN, JOSEPH: Friedrich Fröbel und der Kindergarten. Frauenfeld 1871.

CHRISTINGER, JACOB: Friedrich Fröbel und sein Erziehungssystem. Zürich 1876.

GEPPERT, LOTTE: Friedrich Fröbels Wirken für den Kanton Bern. Bern und München 1976.

GOTTHELF, JEREMIAS: Sämtliche Werke. Ergänzungsband IV, Briefe, I. Teil. Zürich 1949.

GRUNDER, HANS-ULRICH: Ernst Schneider und der *Berner Seminarstreit* – ein politisch – pädagogisches Lehrstück. In: Schulpraxis 3 (1992a), S. 10 - 22.

GRUNDER, HANS-ULRICH: Sozialisation am Leben. Die Armenerziehungsanstalt als *Kolonie* zu Beginn des 19. Jahrhunderts: *Die Meikirch Kolonie.* In: Pädagogische Rundschau 1 (1992b), S. 51 ff.

GUGGISBERG, KURT: Philipp Emanuel v. Fellenberg und sein Erziehungsstaat. 2 Bde. Bern 1953.

HEUER, ALBERT: Schulgeschichte von Burgdorf. Burgdorf 1874.

HOFFMANN, ERIKA (Hrsg.): Fröbel. Ausgewählte Schriften. Kleine Schriften und Briefe. Godesberg 1951.

HOLLMANN, AUGUST: Vortrag über Fröbel'sche Kindergärten. Ihre erziehliche und sittlich-religiöse Bedeutung, gehalten in Aarau. Aarau 1874.

HUNZIKER, OTTO: Schweizer Schulgeschichtliche Blätter, 1884.

KLEINERT, HEINRICH (Hrsg.): Lexikon der Pädagogik in drei Bänden. 3. Band: Biographien. Bern 1952.

KÜTTEL, CASPAR: Der Fröbelsche Kindergarten in der Schweiz. Zürich 1882.

KUNTZE, MARIE-ANNE: Friedrich Fröbel. Sein Weg und sein Werk. 2. Aufl. Heidelberg 1952.

LINDGREN, ANTON: Der naturwissenschaftliche Unterricht bei Fellenberg. Bern 1955.

LÄMMLI, J.: Die Errichtung eines Fröbel-Kindergartens in Thun. Thun 1872.

MARENHOLTZ-BÜLOW, BERTHA VON: Die Arbeit und die neue Erziehung nach Fröbels Methode. Göttingen 1875.

MARTI-GLANZMANN, W.: Eine Knabenerziehungsanstalt auf dem Bättwyl. In: Burgdorfer Jahrbuch, 10 (1843).

NUSPLIGER-BRAND, KATHARINA: Der Kindergarten im Kanton Bern. Bern 1982.

STIEBITZ, REINHARD: Friedrich Fröbels Beziehung zu Pestalozzi, 1805 bis 1810, und ihre Wirkung auf seine Pädagogik. Leipzig 1913.

WACHTER, RUDOLF: Der Fröbelsche Kindergarten. Zürich 1874.

WALSER, E.: Das Kindergartenwesen. In: Schweizerisches Jahrbuch der Jugendhilfe. Zürich 1929 - 1930, S. 68 - 85.

WILD, FRIEDA, Fröbels und seiner Keilhauer Freunde Wirken im Kanton Bern. Manuskript aus dem Jahr 1919. Burgdorf 1919.

HORST FLEISCHER

Friedrich Fröbel und die Rudolstädter Lehrerversammlung vom August 1848 vor dem Hintergrund der Märzrevolution in Schwarzburg-Rudolstadt

Am Nachmittag des 4. März 1848 begab sich FRIEDRICH FRÖBEL aus dem nahen Keilhau zusammen mit LUISE LEVIN nach Rudolstadt. Von hier aus wollte er eine Reise in den Thüringer Wald, nach Schalkau und in weitere Orte der Umgebung antreten, um dort für seine Kindergärten zu werben. Auf dem Wege nach Rudolstadt, zwischen Eichfeld und Schaala, kam ihm erstmals der Gedanke zur Begründung einer „Anstalt für urgeistige deutsche Volks- und Nationalerziehung", wie er in seinem Tagebuch vermerkt. Als FRÖBEL am Abend des 5. März in Schalkau, im Haus seines Gastgebers STANGENBERGER, den Dichter FRIEDRICH HOFSTETE traf, erläuterte er diesem seinen soeben gefaßten Plan.

Rudolstadt

HOFSTETE versprach ihm daraufhin, bei der Suche nach einem geeigneten Ort für eine solche Anstalt behilflich zu sein. FRÖBEL erwähnt die zu gründende Anstalt in seinem Tagebuch am 22. März erneut:

„Nachrichten von dem Dresdner Gewerbverein nebst Plan zu einer urgeistigen deutschen Volks- und Nationalerziehung". Es sollte aber noch über ein Jahr vergehen, bis FRÖBEL dieses Vorhaben, allerdings unter einem anderen Namen, in Liebenstein und Marienthal verwirklichen konnte. Nach einer nächtlichen Schlittenfahrt durch den tiefen Schnee des Thüringer Waldes kam FRÖBEL von Schalkau über Sonneberg und Saalfeld am 13. März wieder in Keilhau an. Zu diesem Tag ergänzte er später seine Tagebucheintragung: „Am 13. Beginn der Unruhen in Berlin, wovon 17. 18. 19. das Ergebnis vollkommener Sieg des Volkes in einer Revolution. Preußen ein rein konstitutionelles Königtum.? Früher in Baden."[1]

Die Ereignisse seiner näheren Umgebung scheint FRÖBEL dagegen zunächst weniger wahrgenommen zu haben. Dabei hatte die Revolution vor dem (im Jahre 1846 gerade 54.075 Einwohner zählenden) Fürstentum Schwarzburg-Rudolstadt keineswegs Halt gemacht. So entwickelte sich in Rudolstadt, der Hauptstadt des Fürstentums, am 7. März 1848 ein Konzert des Gesangsvereins der Bürgerburschen in seinem Verlauf zu einer antifeudalen Kundgebung, auf der die Teilnehmer Freiheitsforderungen debattierten, die dem Fürsten von Schwarzburg-Rudolstadt bereits drei Tage später, am 10. März, in einer Petition vorgelegt wurden. Unter dem Druck einer 800köpfigen Volksversammlung, die diese Petition verabschiedet hatte, wurden die Forderungen noch am selben Tag angenommen. In der Folge wurden die Pressefreiheit verfügt, eine Amnestie für sogenannte Forstfrevler durchgesetzt und – auf Verlangen von Waldbewohnern des thüringischen Fürstentums – verhaßte Forstbeamte entlassen. Im Zuge der Wahlen zum Frankfurter Vorparlament, insbesondere aber nach den Nachrichten über eine in Aussicht gestellte deutsche Verfassung, kam es in Rudolstadt zu Freudenausbrüchen, denen die Bevölkerung mit Fackelzug und Böllerschüssen Ausdruck verlieh.

Gasthaus „Zum Ritter", Tagungsort der Rudolstädter Volksversammlung 1848

[1] FRIEDRICH-FRÖBEL-MUSEUM BAD BLANKENBURG, ARCHIV, F 600, Mappe XVIII, 1. Rudolstädter Kalender 1848, von FRÖBEL für tagebuchartige Aufzeichnungen benutzt. Alle Angaben über FRÖBELs Aktivitäten 1848 basieren, wenn nicht anders angegeben, auf dieser Quelle.

Während das Volk seine Begeisterung auf Rudolstadts Straßen laut kund tat, begann FRIEDRICH FRÖBEL im stillen Keilhau mit der Vorbereitung einer für den Sommer ins Auge gefaßten Lehrerversammlung, die sich der Sache seiner Kindergärten annehmen sollte. Insbesondere bei den Volksschullehrern, die in anderen Teilen Deutschlands bereits mit Massenversammlungen, standespolitischen Forderungen und Bildungsreformprogrammen für Aufsehen gesorgt hatten, rechnete er mit Unterstützung für sein Vorhaben. Dazu trug er am 7. April in seinen Kalender ein: „5 - 6 Briefe über die Bedeutung der Kindergärten als die Grundlage, die Kernpunkte und Herzblätter des die Menschheit einzig zufriedenstellenden Menschheitsbundes."

Im Juni druckte die Sächsische Schulzeitung die „Einladung zu einer Versammlung von Volkslehrern und Freunden deutscher Volkserziehung, besonders von Kindergärten".[2] FRIEDRICH FRÖBEL und weitere acht Lehrer aus Sachsen und Thüringen hatten den Aufruf unterzeichnet. In den folgenden Wochen wurde schließlich auch die bedrückende Lage der Volkslehrer öffentlich thematisiert. Am 24. Juni erschien im Rudolstädter Wochenblatt ein Artikel, der sich mit den Lebenshaltungskosten einer sechsköpfigen städtischen Schulmeisterfamilie beschäftigte. In einem detaillierten Jahreshaushaltsplan wurden alle notwendigen Ausgaben aufgelistet. Den Ausgaben von insgesamt 464 Gulden und 36 Kreuzern standen Einnahmen von lediglich 160 Gulden gegenüber. Daran knüpfte sich der Stoßseufzer: „O, liebes Deutschland, bedenke doch für die Zukunft, was dir deine Lehrer sind und laß sie nicht länger hungern und darben".

Am 4. Juli verfaßte FRIEDRICH FRÖBEL in Keilhau ein „Rundschreiben an die Leiterinnen von Kindergärten und, in diesem Geiste wirkende Erzieher und Volksschullehrer, hervorgegangen aus dessen Bildungsanstalten zu Blankenburg und Keilhau". Darin hieß es u. a.: „Beikommend empfangt Ihr nämlich eine Einladung zu einer Versammlung von Volkslehrern und Freunden deutscher Volkserziehung, besondern von Kindergärten, bei welchen es sich, wie Ihr darin lesen werdet, in gewisser Hinsicht um eine Prüfung derselben, ihrer Leistungen und Wirkungen handelt. Wie Ihr darin bei dieser Versammlung hinsichtlich Eurer Wirksamkeit und deren Anerkennung wesentlich beteiligt seid, somit seid Ihr denn aber auch alle, als treue Mitarbeiter am Werke der neu zu begründenden, entwickelnden, erziehenden, deutschen Kinder-, Jugend- und

[2] Das Einladungsschreiben wurde als Sonderdruck aus Nr. 25 der Sächsischen Schulzeitung von 1848 versandt. Es ist überliefert im Stadtarchiv Rudolstadt, Akte Nr. 31 und im Fröbelmuseum, Archiv, F 600, Mappe XVIII, 3. Im Anhang zu dieser Arbeit wiedergegeben.

Volksbildung zur Teilnahme an dieser Versammlung eingeladen." (Fröbelmuseum, Mappe XVIII, 3).

Am 7. Juli trug FRÖBEL in seinen Kalender ein: „Unsere Versammlung sei die erste Tatsache, der erste Ausdruck deutscher Erziehung, deutscher Eintracht, die erste Tatsache, der erste Ausdruck fried- und freudvollen Lebens in dieser Einigung, durch diese Eintracht." Am gleichen Tag verfaßte er ein „Rundschreiben an Väter und Mütter, Männer und Frauen, welche den von Friedrich Fröbel aufgestellten Kindheitsentwicklungs- und Betätigungsmitteln der Jugenderziehung und Bildung durch Anwendung in ihren Lebenskreisen ihre prüfende Aufmerksamkeit schenkten". Im Brief wirbt FRÖBEL um Teilnahme an der Versammlung, von der er nun sicher zu berichten weiß, daß sie nicht in Keilhau, wie ursprünglich geplant, sondern in Rudolstadt stattfinden wird. „Außer dem gewiß unvergänglichen Segen, welcher aus dieser Zusammenkunft, wenn wir uns nur einigermaßen verstehen wollen, für einen jeden von uns, für Kindheit, Familie und Volk, Gegenwart und Zukunft hervorsprießen wird, wird Rudolstadt, welches nun bestimmt zum Versammlungsorte gewählt ist, durch seine reizende Lage, so wie Rudolstadts hochachtbare Bewohner, bei einfachen Erwartungen, durch gastfreundliche Aufnahme Ihnen die Tage des Aufenthaltes daselbst so angenehm als möglich zu machen suchen." (Fröbelmuseum, Mappe XVIII, 3).

Am 9. Juli reiste FRÖBEL nach Erfurt, um dort für die Rudolstädter Lehrerversammlung zu werben. Die Kalendereintragung für diesen Tag: „Teilnahme Direktor Diesterweg" bezieht sich wohl nicht auf ADOLPH DIESTERWEG, denn ihn lernte FRÖBEL erst 1849 kennen. Wenige Tage vor Beginn der Lehrerversammlung veröffentlichte der Gymnasialprofessor ROBERT WÄCHTER im Wochenblatt eine Betrachtung, die die Ziele der Tagung politisch und religiös in den Kontext der Zeitereignisse einzuordnen versuchte, wobei er die Sicht FRÖBELs, der sich bei der Vorbereitung der Lehrerversammlung auf die Kindergartenfrage konzentrierte, zugunsten einer allgemeineren Betrachtung über die Aufgaben der Volksbildung in der Gesellschaft erweiterte.[3]

Am 12. Juli empfing der Stadtrat ein Schreiben der Fürstlich-Schwarzburgischen Regierung, in dem mitgeteilt wurde, daß der Abhaltung der durch Herrn FRÖBEL angemeldeten Lehrerversammlung „durchaus kein Bedenken entgegensteht." Daraufhin wurden in allen vier Stadtteilen Quartierlisten herumgereicht, und es fanden sich 175 Gastgeberfamilien. Der Stadtrat informierte die Gastgeber, daß die Beratungen am ersten Tage, Donnerstag, dem 17. August, um zehn Uhr und an den beiden

---

3 Rudolstädter Wochenblatt vom 12. August 1848. Im Anhang zu dieser Arbeit wiedergegeben.

folgenden Tagen um neun Uhr beginnen würden, von einer zweistündigen Mittagspause unterbrochen, dann täglich bis sechs Uhr abends andauerten (Stadtarchiv Rudolstadt, Akte Nr. 31). Die namentlich überlieferten Quartiergeber kamen aus den besitzenden Schichten der Stadt, überwiegend Hof- und Beamtenadel, Kaufleute und bürgerliche Beamte, Gymnasiallehrer, einzelne Künstler und Handwerker.

Die Lehrerversammlung, die sich drei Tage lang mit FRÖBELs Kindergartenkonzept beschäftigen sollte, fand schließlich – wie geplant – vom 17. August an in Rudolstadt statt. Die Werbekampagnen FRÖBELs hatten sich gelohnt: Bei 175 Quartiergebern für die Lehrerversammlung kann bei Hinzurechnung einheimischer Lehrer und Erzieher von einer Teilnehmerzahl von 250 Pädagogen ausgegangen werden. Rechnet man noch interessierte und neugierige Rudolstädter Laien hinzu, die allerdings Eintrittskarten hätten erwerben müssen, so erhöht sich die Teilnehmerzahl sogar noch[4].

Nach theoretischen Erörterungen und praktischen Übungen, mit denen der 18. August ausgefüllt war, konnte nach heftiger Diskussion am nächsten Tag das Fröbelsche Kindergartenkonzept durch Beschluß der Versammlung den deutschen Regierungen empfohlen werden, denn diese wurden ersucht, „die Idee der Kindergärten in ernste Erwägung zu ziehen und mit Benutzung des reichen Fröbelschen Lehrstoffs die Gründung von Kindergärten, so wie die Bildung von Kindergärtnerinnen, wo nötig, auch durch Geldmittel zu fördern" (zit. nach PRÜFER, JOHANNES: Friedrich Fröbel. Leipzig 1927, S. 116).

Die Willenskundgebung wurde durch eine Entschließung der Rudolstädter Lehrerversammlung an die deutschen Regierungen und den Reichstag zu Frankfurt befestigt. Die Versammlung empfahl den Anschluß der thüringischen Lehrervereine an den großen sächsischen Verband. Am 6. September fanden sich, angeregt durch die Augusttage in Rudolstadt, 130 schwarzburgische Lehrer auf dem Chrysopras bei Blankenburg zusammen, um eine Petition für den neu einzuberufenden schwarzburgischen Landtag vorzubereiten.

Nach dem Erfolg seiner Sache auf der Rudolstädter Beratung widmete sich FRÖBEL der Vorbereitung der Eisenacher Lehrerversammlung. Dazu hielt er sich am 20. September in Rudolstadt auf, wo er beim Adlerwirt STREITBERGER drei Fahnen für 3 Gulden und 34 Kreuzer kaufte, mit Professor WÄCHTER über die Beschickung der Eisenacher Lehrerversammlung sprach und Rudolstädter Damen besuchte, so Frau Professor

---

4 APPENS schätzt 260 - 270 Teilnehmer, vgl. APPENS, WILHELM: Die pädagogischen Bewegungen des Jahres 1848. Elberfeld 1914, S. 66.

GASCARD und Frau Hofamtsrat HAUTHAL, die den Rudolstädter Kindergarten unterstützten. Mit EMILIE STIELER sprach er selbst über diesen Kindergarten und seine Absicht, sie für den Kursus in Dresden zu gewinnen. Am 1. und 2. Oktober war FRÖBEL dann in Eisenach und traf am Nachmittag des 3. Oktober wieder in Keilhau ein.

ANHANG

Die nachfolgenden drei Dokumente belegen die publizistische Vorbereitung der Rudolstädter Lehrerversammung 1848 sowie des Erziehungsunternehmens, das FRÖBEL nach seiner Übersiedlung nach Liebenstein im Jahre 1849 in Angriff nahm. Sie zeigen, wie FRÖBEL die politischen Zeitumstände nutzen konnte und zu nutzen verstand, um der Idee des Kindergartens zum Durchbruch zu verhelfen.

Einladung zu einer Versammlung von Volkslehrern und Freunden deutscher Volkserziehung, besonders von Kindergärten[5]

In ganz Deutschland denkt man an eine Reform der Volkserziehung. Ueberall bestrebt man sich, die neugewonnene Volksfreiheit durch eine den neuen Verhältnissen entsprechende organische Verbesserung und Vervollständigung der Volkserziehungsanstalten zu begründen und zu sichern. Vor Allem richtet sich der Blick auf die allgemeinen Bildungsmittel des Volks und zwar nicht blos auf die Volksschule, nicht blos auf die Fortbildung der aus ihr Entlassenen, sondern ganz besonders auch auf die fast ganz noch fehlende Vorbildung der noch nicht schulpflichtigen Jugend.

Es gilt, vor Allem den so oft übersehenen, unscheinbaren Grund zu legen, wenn der Bau der Volksbildung gelingen soll; es gilt, die bei Reich und Arm so ganz unvollkommene häusliche Erziehung der kleinen Kinder durch öffentliche Anstalten hier zu unterstützen, dort zu ergänzen. Es fehlten anerkanntermaßen in unsern Verhältnissen der großen Mehrzahl der Eltern Zeit, Mittel, Geschick und Einsicht, ja selbst oft die sittliche Grundlage, um eine naturgemäße menschliche Entwickelung durch frühe Weckung des geistigen Lebens und Uebung der körperlichen Kräfte ihrer Kinder organisch anzubahnen und dadurch allen andern Bildungsanstalten vorzuarbeiten, deßhalb muß der Staat durch Errichtung von Kleinkindererziehungsanstalten vermittelnd eingreifen, nicht blos um allen Eltern Anleitung zu geben, wie man kleine Kinder erziehen und beschäftigen müsse, sondern auch, um in den also erzogenen Kindern

[5] Quelle: Sächsische Schulzeitung (1848) Nr. 25, S. 388 - 389.

sich einst bessere Eltern heranzubilden. Bereits hat man solche Erziehungs-Anstalten als Kindergärten, (Kinderschulen, Mutterschulen, Spielschulen, Kleinkinderbewahranstalten), namentlich in größeren Städten Deutschlands eingerichtet, während ähnliche Anstalten in Italien und Frankreich etc. bestehen, und die allgemeine Einrichtung von Mutterschulen (écoles maternelles) eine der ersten Verordnungen der neuen französischen Regierung war. Auch die Lehrer, die ihre Zeit verstehen, verlangen überall allgemeine Einrichtung von Kindergärten in jedem Gemeinde-Schulbezirke, und das so eben ausgegebene Programm für die zweite sächsische Lehrerversammlung (welche Anfangs August d. J. wahrscheinlich in Dresden abgehalten werden soll) nennt unter den allgemeinen Volkserziehungsanstalten, welche in jeder Gemeinde bestehen müssen, zunächst: „die Kindergärten, welche die physische Pflege und geistige Erweckung der Kinder vom zartesten Alter bis zum sechsten Jahre übernehmen und zugleich für Mädchen und Frauen als Uebungsschulen in der Kinderpflege dienen sollen." Wenn dessen ungeachtet zeither unter unserm Volke, ja selbst unter den Lehrern, hier und da die hohe Bedeutung, die Zweckmäßigkeit und Ausführbarkeit einer solchen öffentlichen Kleinkindererziehung in Kindergärten in vollem Maße noch nicht anerkannt worden sein sollte, so trugen gewiß nur Unkenntniß und Mangel aller Anschauung die Schuld. Diese Vorurtheile zu beseitigen und Alles zu thun, um die Unentbehrlichkeit und Ausführbarkeit einer öffentl. Kleinkindererziehung Allen so klar zu machen, daß die Macht der öffentlichen Meinung, daß die Stimme des Volks überall die so segensreichen Kindergärten ins Leben rufe, ist eine heilige Aufgabe aller Freunde des Volks und der Volkserziehung.

Von dieser Ueberzeugung durchdrungen und von der Ansicht ausgehend, daß verhältnißmäßig neue Ideen und Bildungsmittel, wie die Kindergärten, am Besten durch mündliche Besprechung und eigene Anschauung bereits bestehender Anstalten in ihrer Lebensfähigkeit und Lebenskräftigkeit sich überall da erweisen werden, wo man überhaupt lernen will, fordern die Unterzeichneten, im Sinne und Auftrage Vieler, alle Volkslehrer und Freunde der Volkserziehung in ganz Deutschland, namentlich in Sachsen, den sächsischen Herzogthümern und den angränzenden Ländern, auf, sich im Lauf des Sommers zu einer Besprechung über die öffentliche Kleinkindererziehung an einem Orte zu vereinigen, wo bereits ein vollständig eingerichteter Kindergarten besteht.

Als Zeit schlagen wir vor die diesjährigen Hundstagsferien, einige Tage nach der zweiten allgemeinen sächsischen Lehrerversammlung, wobei wir nur bemerken, daß ein mehrtägiges Zusammenbleiben sehr wünschenswerth erscheint. Als den zweckmäßigsten Verhandlungsort aber bringen wir Keilhau bei Rudolstadt in Vorschlag, wo der mitunterzeichnete Friedr. Fröbel seit mehr als 30 Jahren nicht nur für allgemeine deutsche Erziehung gewirkt hat, sondern ganz besonders seit 10 Jahren für entsprechende frühe Kinderpflege und Erziehung namentlich durch die Gründung von naturgetreu entwickelnden Kindergärten und Bildung von Lehrerinnen, Aufseherinnen und Erzieherinnen deutscher Kindergärten und kleiner Kinder überhaupt gearbeitet hat. Diese Wahl wird gewiß allseitige Billigung finden, da nicht blos der Keilhauer wohl organisirte Kindergarten, sondern auch die dort vereinigten Lehrmittel, Spielzeuge etc., allen Freunden der Kindergärten die vollkommensten Anschauungen und Unterlagen zu einer möglichst gründlichen und allseitigen Besprechung und Prüfung der zeither befolgten und künftig allgemein zu befolgenden Grundsätze der öffentl. Kleinkindererziehung bieten können. Hierzu kommt, daß der gewählte Ort, an der Grenze von Thüringen und Franken, in der Nähe der Mündung der Schwarza in die Saale, in der Nähe von Rudolstadt, Saalfeld, Blankenburg, Schwarzburg, Paulinzelle und in der Mitte der genannten Länder gelegen, nicht nur einen passenden Vereinigungspunkt bietet, sondern auch als eine überaus liebliche Gegend (zu) Wanderungen in die schönen Umgebungen Veranlassung geben wird.

Volkserzieher, Lehrer und Freunde der Kinderwelt und der deutschen Volks- und Nationalerziehung überhaupt, Volksvertreter, welche sich für die heiligsten Angelegenheiten der Völker interessiren und an diesen freien Besprechungen Antheil nehmen wollen, werden hierdurch freundlichst eingeladen und gebeten, sich in portofreien Briefen oder mündlich, möglichst bald an den mitunterzeichneten Friedrich Fröbel in Keilhau bei Rudolstadt zu wenden, damit später das Weitere über Zeit, Ort, Unterbringung der Gäste etc. definitiv bestimmt und durch die Zeitungen veröffentlicht werden kann. Die unterzeichneten Mitglieder des zusammengetretenen Comités werden sodann auf portofreie Anfragen sehr gern weitre Auskunft zu geben bereit sein.

Anfang Juni 1848

Friedr. Fröbel, Vorsteher der allgemeinen deutschen Erziehungsanstalt in Keilhau.
Heusinger, Lehrer in Rodach bei Coburg.
Jung, Taubstummenlehrer in Coburg.
Julius Kell, Redacteur der sächs. Schulzeitung in Leipzig.
Morgenroth, Lehrer in Saalfeld.
Pilz, Lehrer zu Bischofswerda in der sächsischen Lausitz.
Stangenberger, Organist und Lehrer zu Schalkau im Meiningschen
Zentsch, Lehrer in Camburg.
Zschetzsche, Lehrer in Dresden.

Die Volkslehrer-Versammlung zu Rudolstadt[6]

Deutschland scheint seine Freiheit, Einheit und Größe gebären zu wollen. Möchte es nicht bloßer Schein sein! Die Geburt ist noch nicht erfolgt und – die heftigsten Wehen sind vorüber; sie wird immer schwieriger. Wird's ein todtgebornes Kind? – Als Gott, der Herr, den Menschen schuf, da sprach er nicht: „die Erde bringe hervor!" Seine eigne weise Hand formt den wohlgestalteten Körper. Er stützt ihn nur auf die Füße. Arme und Hände sind frei. Das Haupt steht aufrecht, neigt sich nicht zur Erde. Die Bestimmung ist ja nicht: Erde zu essen sein Leben lang. Er soll des Schöpfers Ebenbild werden, darum bläst er ihm Geist ein von seinem Geiste. – Hoher Gottes-Geist, wie bist du verachtet, verwahrlost, erniedrigt! Wie schmählich unterdrückt die Selbstsucht dein Sehnen aus der Niedrigkeit! Wo wird er eifrig gepflegt im zarten Kinde der Hütte? Wo findet er Anerkennung in der verhungerten und verwilderten Gestalt? Schwerdter und Kugeln wüthen, aber nirgends zeigt sich die rechte, die erbarmende, die thätige Liebe.

In Frankfurt hat man schon seit Wochen an der rechten Form des deutschen Leibes gearbeitet. Die Glieder scheinen zu halten und das Haupt ist darauf gesetzt. Wird es eine schöne leblose Statue bleiben? – Der Allwissende kennt das allein. Das Werk muß die Meister loben. Wir hoffen wenigstens, daß der Geist Christi die seufzende Creatur in Etwas erlösen werde. Doch hätte man die Einhauchung des Geistes fast – vergessen. Kirche und Schule blieben lange unbeachtet. In der 33. Sitzung endlich ist nach langem Streite die Kirche sich selbst überlassen worden, aber für das Schulwesen hat man einen Ausschuß gewählt. Eine besondere Abtheilung wird das deutsche Volksschulwesen beschauen.

Deutschland ist aber groß. Die Verschiedenheit der Bildung, die Bedürfnisse der Volksschule sind unendlich mannichfaltig. Norddeutschland und Sachsen; Polen, Oestreich und die Rheinländer, welcher Abstand! Und kein Staat oder Stätchen des großen Vaterlandes hat bis jetzt den Geist, die Bildung und Veredlung der Gesammtmasse seiner Bevölkerung zur Hauptsache seines Strebens gemacht. Dazu blieb nichts übrig; Herrschsucht und Prunk verschlagen alle Mittel. Vermehrung nicht des Staatswohles, sondern der Staatseinkünfte war zu sehr Hauptzweck. Die Lehrer allein jammerte des Volkes, das ohne die rechte geistige Pflege und Nahrung von Jugend dem Verderben entgegengeht. Ihre Rede wurde bemitleidet, verlacht, verspottet oder – verboten. Jetzt sind andere Zeiten. Es soll an deutsche Volkserziehung ernstlich gedacht werden. Wie die Landwirthe, Handwerker, Fabrikanten, Kaufleute längst schon ihre Wünsche in langen Petitionen der National-Versammlung vorgetragen haben, so sind darum auch die Lehrer in vielen deutschen Gauen bemüht gewesen, sich des geistiges Wohles des Volkes eifrigst anzu-

---

6 Quelle: Rudolstädter Wochenblatt vom 12. Aug. 1848

nehmen und die verschiedenen Bedürfnisse der Volksschule laut auszusprechen. Die nach Rudolstadt ausgeschriebene Versammlung deutscher Volkslehrer beabsichtigt ein Gleiches. Und in der That, die Lehrer brauchen sich solcher Petitionen nicht zu schämen. Wenn sie um Hebung, Verbesserung des Schulwesens bitten, so hat ihre Bitte einen edlern Zweck, als viele andere; sie denken nicht bloß an sich, sondern verwenden sich für jeden Einzelnen des deutschen Volkes, sie bitten für das Höchste, das es gibt, für die Veredlung des Menschengeistes, und handeln im Dienste Gottes und Christi.

Doch dieser Erfolg der Versammlung wäre zwar ein zeitgemäßer, aber in seiner Wirkung sehr zweifelhaft. Wer sich selbst hilft, dem hilft Gott. Eins haben die Lehrer vollkommen in ihrer Hand. – Die Stimme eines christlichern Geistes ist jetzt laut und vernehmlich durch Deutschland erklungen. Er hat auch die Versammlung in Frankfurt zusammengerufen und sie hat seine Forderungen erkannt. Daß sie aber nicht spurlos verklinge, daß die Errungenschaften kräftig gewahrt, daß neue Siege vorbereitet werden, das vermag die National-Versammlung auch durch die besten Gesetze, durch die freisinnigsten Einrichtungen nimmer zu erlangen. Der Geist nur macht lebendig und erhält das Leben. Den Geist aber kann die National-Versammlung nicht einhauchen, noch weniger erhalten und erneuern. Nur die freie Kirche, die Schule, die Volkserziehung besitzen diese Kraft; ihnen ist es möglich, das aufwachsende Geschlecht mit dem neuen, rechten, edlern und erfreulichern Geiste zu beseelen, seine Wünsche zum klaren, unvertilgbaren Bewußtsein zu bringen und zur Quelle aller Gedanken und Thaten des Volkes zu machen. Würde die Zusammenkunft in Rudolstadt dazu beitragen, daß die Versammelten diese wichtige Aufgabe lebendig erfaßten, sich als Männer die Hände reichten, um unter einander eng verbunden, jeder in seinem Kreise und mit seinen Kräften sich des Volkes thätig anzunehmen, Einsicht und Bildung unter ihm zu verbreiten, auf alle Weise für seine geistige Hebung zu sorgen und vor allen Dingen, die *unbedingte Nothwendigkeit einer bessern Volkserziehung von Jugend auf zur Volksüberzeugung zu machen*, gewiß! es wäre unendlich mehr erreicht, als durch viele Petitionen. *Es soll, es muß die erste Sorge des christlichen Staates werden, daß alle seine Bewohner von der Wiege an menschlich gebildet, mit dem Geiste des Christenthums erfüllt und nicht blos in seinen äußern Schein gehüllt werden.* Möchten recht viele Lehrer *Fröbels*, des würdigen Veteranen, Rufe folgen und die Erfolge dessen Begeisterung und Aufopferung für deutsche Volkserziehung gleich sein. Unbestreitbare Wahrheiten sind: *nur wahre Volksbildung schafft ächte, allgemeine Volkswohlfahrt und dauernde Volksgröße; nur ein gehobener* geistig-freier Lehrerstand, nur ein Erziehungswesen, welches Hauptaugenmerk eines Staates ist, kann eine wahre, bis auf die untersten Schichten durchdringende Volksbildung erzeugen.- Der Geldsack des edlen Lords wird gefüllt durch die Arbeit verwahrloster und entmenschter Kinder. Der schmähliche Wucher mit der Knechtschaft, der Verdorbenheit und dem Laster der Armuth ist eine sündenvolle und darum gefährliche Quelle des Wohlstandes. Früher oder später rächt sich's schrecklich. Kein Mensch ist blos zum genießenden und arbeitenden Thiere geboren. Der Geist hat unveräußerliche Ansprüche. Nicht Gott, nein! die willensfreie herrschende Menschheit trägt die Schuld seiner gräßlichen und gefürchteten Entartung.

W[ächter, Robert]

Kindergarten[7]

Unser Landsmann **Friedrich Fröbel**, dessen Begeisterung und rastlose Thätigkeit für eine (von Grund aus aufbauende) ächt deutsche Erziehung immer weitere Anerkenntniß findet, will jetzt, nachdem er im vergangenen Winter seine Bildungscurse für Erzieher und Kindergärtnerinnen, sowie für Bildung suchende Eltern, zu dankbarer Liebe und Verehrung in Dresden gehalten hat, mit dem Frühling dieses Jahres ein großes Erziehungsunternehmen in L i e b e n s t e i n am Thüringerwalde beginnen, wovon wir folgende kurze Anzeige geben:

Mit dem im Vorstehenden bezeichneten Geiste und nach den dort ausgesprochenen Grundsätzen wird im Monat Mai d. J. eine allgemeine Erziehungsanstalt ins Leben treten. Der dem Zwecke des Ganzen vollkommen entsprechende Ort der Ausführung ist der friedliche, anmuthig gelegene Landsitz Marienthal, unfern des bekannten Badeortes Liebenstein, an dem malerischen südwestlichen Abhange des gewerbfleißigen Thüringer Waldes im Herzogthum Meiningen. An der Hand der Natur soll hier die Kindheit und Jugend in leiblicher und geistiger Gesundheit herangebildet werden.

Das Unternehmen selbst wird demgemäß folgende verschiedenen Abtheilungen umfassen:

1) eine Anstalt zur Ausbildung von Kinderführerinnen und Erzieherinnen als Mittelpunkt des Ganzen.
2) der Kindergarten in der oben angegebenen Weise.
   Daneben aber würde noch
3) eine eigentliche Kinderpflegeanstalt ihren Platz finden, deren Bestimmung es sein würde, vater- oder mutterlose Kinder bemittelter Vermögensverhältnisse vom frühesten Alter an aufzunehmen, um ihnen in dem bezeichneten, das Ganze durchwehenden Geiste die entsprechende Pflege und überhaupt die vollen Segnungen des Familienlebens zu gewähren.

   Diese Kinderpflegeanstalt als erste Stufe und der Kindergarten als zweite bieten zugleich den sich heranbildenden Kindergärtnerinnen Gelegenheit zur Beachtung des kindheitlichen Lebens und zur Uebung in der ersten Leitung und weiteren Entwicklung des Kindes.

   Die aus dem Kindergarten mit dem 6. Jahre entlassenen Zöglinge würden eintreten in
4) die Vorbildungsanstalt für die Schule, welche bestimmt ist, den Uebergang zu vermitteln aus dem Kindergarten in
5) die eigentliche Schule – eine allumfassende vollständige Erziehungs- und Bildungsanstalt, welche die Kinder etwa vom 7. Jahre an in angemessener, natur- und sachgemäßer Stufenfolge bis

[7] Quelle: Rudolstädter Wochenblatt vom 5. Mai 1849

zur Reife für die Berufswahl emporführt, und welche sich aufeinanderfolgend als Volksschule, Bürgerschule, Realschule und höhere Wissensschule organisch gliedern würde.

Ein über alles Nähere ausführliche Auskunft ertheilender Prospectus wird demnächst erscheinen.

Dresden, im Frühling 1849

Friedrich Fröbel

HEIDEMARIE KEMNITZ

Volksschullehrer im Vormärz und das Jahr 1848

Wer heute als Berliner oder Berlinbesucher auf dem Kreuzberg spazieren geht, weiß in den seltensten Fällen, daß er sich aus dem Blickwinkel der deutschen Bildungsgeschichte auf symbolträchtigem 1848er Terrain befindet. Hier, auf dem Kreuzberg, fand am 26. April 1848, gut einen Monat nach den Berliner Barrikadenkämpfen, ein Ereignis statt, das – nach dem dortigen Versammlungs-Lokal benannt – als „Tivoli-Versammlung" in die Geschichte der Volksschule und der Volksschullehrer eingegangen ist und auf dessen Nennung heute kaum eine historische Darstellung zur deutschen Lehrerbewegung verzichtet – aus inhaltlichen Gründen und auch wegen der Wirkung, die diese Versammlung für die Lehrerschaft insgesamt, über Berlin hinaus, hatte. Ähnlich wie in den Großveranstaltungen der Lehrer in Dresden oder Eisenach im gleichen Jahr war es vor allem die Masse, die einen tiefen Eindruck hinterließ und die besonders von den Volksschullehrern als Zeichen der Emanzipation und Stärke ihres Berufsstandes gedeutet wurde. "Ihrer sechshundert" (Lehrer aller Schulgattungen) – so das Schulblatt für die Provinz Brandenburg – seien „da, als noch die blutigen Wellen durch Deutschland schäumten, auf den Kreuzberg" zugeeilt, um ihre Forderungen zur Reorganisation der Behörden, der Schule, der Lehrerbildung und der Lehrerverhältnisse zu beraten – „wie die Sturmvögel durch das tosende Meer" (HUPE 1849, S. 7).

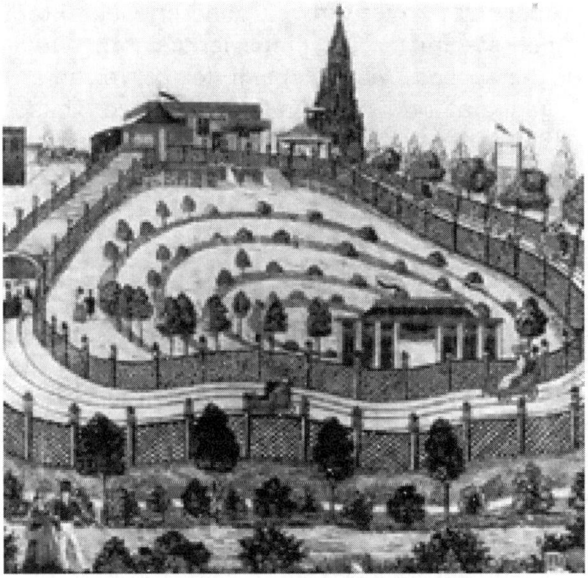
Das Tivoli auf dem Kreuzberg

Die Geschichte der Lehrer des 19. Jahrhunderts blieb durch dieses Ereignis immenser berufs- und standespolitischer Mobilisierung in der Re-

volution von 1848/49 geprägt. In diesem Sinne konzentriert sich auch die Forschung zur frühen Organisation der Lehrer meist auf dieses markante Datum und dessen Vorgeschichte im Vormärz. Naturgemäß richtet sich das Interesse dabei auf die eher spektakulären Ereignisse, mit denen sich die Lehrer dieser Zeit öffentlich bemerkbar machten, auf Lehrerfeste und standespolitische Aktionen etwa, die auch ihren Niederschlag in den Akten der Behörden gefunden haben. Dem einseitig standespolitischen Blick entgeht dabei leicht, was sich unterhalb der Ebene des Spektakulären, im alltäglichen Leben der Lehrer in ihren Vereinen, in ihren Versammlungen und ihrer internen Geselligkeit abspielte. Erst beides aber, Aktionen und Alltag zusammengenommen, macht die Geschichte der Lehrer im Vormärz und in der Revolution von 1848/49 aus.
Unter diesem Blickwinkel relativiert sich die – wenngleich alte – aber noch immer prominente (1968er) These THOMAS NIPPERDEYs von der „revolutionären Disposition" oder vom „relativ revolutionären Charakter" der vormärzlichen Volksschullehrerschaft.[1] Die Einbeziehung von Quellenmaterial, das näher an den Alltag des Vereinslebens der Lehrer heranführt, zeigt anderes und ist geeignet und notwendig, um diese These, nach der die Lehrer (nach NIPPERDEY zumindest die in den staatlichen Seminaren ausgebildeten) „eine in ihrer Mehrheit zur Revolution disponierte Gruppe" dargestellt hätten, zu hinterfragen.

Die Quellenlage für ein solches Unternehmen ist für Berlin, aber auch für andere Städte wie Bremen, Lübeck oder Hamburg, zum Teil sogar für ländliche Gebiete und Regionen ausgesprochen gut. Man kann zum Beispiel auf Versammlungsprotokolle von meist lokalen Lehrervereinen zurückgreifen, die bislang eher in den Festschriften und dann meist unter dem Aspekt der Traditionsbildung eine Rolle gespielt haben. Einige dieser Lehrervereinsprotokolle sind inzwischen wieder neu entdeckt und vereinzelt auch schon ediert[2], wenngleich erst in Ansätzen systematisch bearbeitet worden.

Im folgenden wird für Berlin der Versuch unternommen, das Thema "Volksschullehrer im Vormärz und das Jahr 1848" sowohl von seiner spektakulären als auch von der eher unauffälligen Seite zu zeigen, also

---

1 NIPPERDEY 1977 (1968), S. 112 und S. 134. Die These ist von KUHLEMANN 1992 (S. 248) noch einmal bestätigend aufgegriffen worden, während sie bereits in Arbeiten von BAUMGART 1982 und APEL 1990 weit nüchterner betrachtet wurde. Vgl. zuletzt HACHTMANN 1997, der zwar der NIPPERDEYschen These implizit folgt, dann aber bereits für 1848 konstatiert, daß „das Gros" der Lehrer „freilich 'unpolitisch' blieb" (S. 372).

2 Vgl. die von MAX LIEDTKE besorgte, repräsentative Edition von Nürnberger Lehrervereinsprotokollen, die allerdings nicht bis in den Vormärz reichen. Interessantes Material liefern aber auch bescheidenere Abdrucke von Lehrervereinsprotokollen im Rahmen von Jubiläumsbroschüren (NAGEL 1994).

von den Aktionen der Lehrer, ihren Feiern und der vereinsübergreifenden Programmdiskussion von 1848 und vom Vereinsalltag her. Als Quellen wurden dazu neben Akten der einschlägigen Staats- und Landesarchive die Protokollbücher der 1813 gegründeten Berlinischen Schullehrergesellschaft sowie die Protokolle der Allgemeinen Berliner Lehrerversammlungen von 1848/49 herangezogen, die sich im Bestand der (hiesigen) Bibliothek für Bildungsgeschichtliche Forschung bzw. ihres Archivs befinden.[3]

Berliner Lehrervereine im Vormärz

Vor 1848 gab es in Berlin nicht nur einen, sondern gleich vier Vereine, deren Mitglieder mit wenigen Ausnahmen Lehrer, Vorsteher oder Direktoren der Berliner Parochial- und Kommunalarmen-Schulen, der privaten niederen oder auch höheren Bürgerschulen, ab 1832 dann auch Absolventen und Lehrer des Berliner Stadtschullehrerseminars waren. Der erste Verein war die 1813 von Predigern und Schullehrern der Elementarschulen gegründete *Berlinische Schullehrergesellschaft*, die im Zeichen der preußischen Schulreformzeit stand und bis in die 1830er Jahre die aus der Anfangszeit herrührende Verbindung zu den Schulbehörden pflegte. Dieser Verein hatte sich ursprünglich der "Belebung von Eifer und Treue im Amte und Berufe" (MERGET 1863, S. 4) verschrieben und in einem (im Zusammenhang mit seiner Umbenennung in "Berlinischer Schullehrerverein für deutsches Volksschulwesen") erneuerten Statut 1837 als Zweck die "Fortbildung und Verbesserung des Volksunterrichts und der Volkserziehung" (BLHA, Rep. 34, Nr. 1191, Bl. 114) festgelegt.

1832 kam die *Pädagogische Gesellschaft* hinzu, die von ADOLPH DIESTERWEG ins Leben gerufen wurde, der in diesem Jahr aus Moers am Rhein nach Berlin übergesiedelt war und als bereits namhafter Seminardirektor hier die Leitung des neuen "Königlichen Stadtschullehrerseminars" übernommen hatte. 1840 gründete sich aus dem Kreis von DIESTERWEGs Schülern, den Absolventen des Berliner Stadtschullehrerseminars, der *Jüngere Berliner Lehrerverein*. Dieser Lehrerverein und die Pädagogische Gesellschaft sind im unmittelbaren Vorfeld der 48er Revolution eingegangen, was nicht zuletzt auf deren starke Fixierung auf DIESTERWEG, der 1847 seines Amtes enthoben wurde, zurückzuführen ist.

---

[3] Die Darstellung folgt im wesentlichen meiner Habilitationsschrift (KEMNITZ 1997): Lehrerverein und Lehrerberuf im 19. Jahrhundert. Eine Studie zum Verberuflichungsprozeß der Lehrertätigkeit am Beispiel der Berlinischen Schullehrergesellschaft (1813 - 1892). Ausführlichere Zitationen und Belege vgl. ebd.

Als vierter Verein entstand 1840 noch der *Gesellige Lehrerverein*, der sich von den anderen Berliner Lehrervereinen vor allem durch sein Bekenntnis zu Unterhaltung und Vergnügen als Hauptzweck seiner Gründung unterschied. Anfeindungen, die von Seiten der Puristen unter den Lehrern vorgebracht wurden, begegneten die Verteidiger des Geselligen Lehrervereins mit dem Argument des berufsständischen Sammlungseffekts. Sie wollten „den hunderten von Lehrern, wie sie in Berlin zerstreut leb(t)en, an *einem* Tag in der Woche Zeit, Ort und Gelegenheit geben, sich zu sehen, zu sprechen und kennen zu lernen" (Kleine Chronik 1841, S. 70) – auch beim Kegeln, Singen, Kartenspielen oder auf geselligen Abend- und Tanzveranstaltungen, zu denen die Lehrer ihre Frauen und Töchter mitbringen konnten: „Die isolierten Massen, die sich im allgemeinen, geräuschvollen Treiben der Residenz verflüchtigen würden", sollten sich „sammeln" können unter einem Dach, das ihrer „Neigung zur Association" entgegenkäme. „Dieses" sei „die nächste und unmittelbare Veranlassung aller Vereine", weshalb es „nicht einzusehen (sei), inwiefern dieses Motiv etwas so Gefährliches, dem Lehrstande Ungeziemendes, seine Würde Beeinträchtigendes enthalten soll(e)" (ebd.). „Man sei menschlich" – so die Gründer des Geselligen Lehrervereins – „und verdächtige nicht vorschnell oder gar aus unlauteren Gründen die Handlungsweise derer, die ein gutes Gewissen haben. Man komme und sehe selbst!" (Ebd., S. 71).

Das Resultat der geselligen Gesangs- und Spielabende gab den Verteidigern des Unterhaltungskonzepts schließlich Recht. Das Sammlungspotential des Geselligen Lehrervereins war beträchtlich. Die Mitgliederzahlen hatten bereits im zweiten Vereinsjahr die des älteren Berlinischen Schullehrervereins (der vormaligen Schullehrergesellschaft) überschritten und 1844 die Hundert lang erreicht. Der Berlinische Schullehrerverein hatte 1844 gerade 64 eingeschriebene Mitglieder, der Gesellige Lehrerverein 109.[4]

Das bloße Vergnügungskonzept trug freilich auf Dauer nicht. Darum wurden auch im Geselligen Lehrerverein regelmäßige „wissenschaftliche" Versammlungen eingeführt. Die Beliebtheit des Vereins aber ging eindeutig auf die Betonung des geselligen Elements zurück, das schließlich auch auf die anderen Lehrervereine Berlins ausstrahlte. Der ältere Berlinische Schullehrerverein etwa rückte von seiner bis dahin recht strengen Auffassung des ausschließlichen Bildungsvereins ab. In den vierziger Jahren bekannten sich auch seine Mitglieder, die zum Teil schon aus der im Seminar gebildeten Lehrer-Generation kamen, zu einer neuen Form von Geselligkeit. Sie basierte zwar immer

4 Zur Mitgliederentwicklung in Berliner Lehrervereinen des Vormärz vgl. KEMNITZ 1997, S. 101, für den Berlinischen Schullehrerverein S. 126 f.

noch auf dem Arbeitshintergrund des Bildungsvereins, blieb also von Kegelbrüderschaft und Sangesgemeinschaft abgegrenzt, machte sich aber doch in wesentlich lockereren Umgangsformen und der Einbeziehung von Gesang und „frugalem" Essen und Trinken bemerkbar.

Insgesamt erwuchs den Lehrern aus der Kombination des Bildungsvereins mit vergnügter Geselligkeit ein bemerkenswerter Mobilisierungsschub, der sich ganz allmählich auch standespolitisch artikulierte, 1842 im Plan eines Brandenburgischen Provinziallehrervereins und in den darauffolgenden Jahren in Lehrerfesten, 1843 in einer Petitionsschrift an die Versammlung der Landstände zur Verbesserung der Lehrerverhältnisse, in Vorsorgekassen und Pensionsstiftungen und schließlich 1848/49 in den allgemeinen Berliner Lehrerversammlungen.

Keine spätere Phase der Berliner Lehrervereine war so von Energie, Mobilität und Wirken nach außen gekennzeichnet, wie die vormärzliche Zeit. In ihrer Tendenz zu Öffentlichkeit und Aktion folgten die Berliner Lehrer dem Geist der vierziger Jahre, Losungsworten wie Assoziation, Emanzipation und Fortschritt entsprechend, die auch in anderen Regionen Deutschlands den Hintergrund der ersten großen Lehrer-Versammlungen (um KARL FRIEDRICH WILHELM WANDER in Schlesien und HINRICH SUNDERMANN in Ostfriesland) bildeten (vgl. RISSMANN 1908, S. 26, und PRETZEL 1921, S. 24 - 25).
1840 hatte DIESTERWEG ein reges Vereinsleben der Berliner Lehrer allerdings noch nicht für möglich gehalten: „Hier in der Hauptstadt ist es mit den Lehrern gar nichts", schrieb er am 24. April 1840 an WANDER. „Die Residenzen sind zu allen Zeiten die schlechtesten Städte gewesen. Bei Ihnen und am Rhein haben die Lehrer doch Lehrergefühl. Hier rauchen sie Cigarren u[nd] trinken Weißbier u[nd] sind – Berliner. Man thut, was man kann, was man nicht lassen kann, aber wann ist es besser, gut? Ich kann Sie versichern, ich freue mich nur noch unter meinen Seminaristen." (zit. nach BLOTH 1966, S. 203)

Drei Jahre später sah das schon anders aus. In Berlin trafen sich die Mitglieder aller vier Lehrer-Vereine 1843 und 1844 zu großen, öffentlichkeitswirksamen Frühlingsfesten und 1845 und 1846 – gleich zweimal – zur Feier des hundertsten Geburtstags von PESTALOZZI (vgl. KÜHN 1996, S. 449). Diesen großen Lehrerfeiern war 1842 der Versuch vorausgegangen, einen Brandenburgischen Provinzial-Lehrerverein zu installieren. Einmal im Jahr, (nicht zuletzt, um dem politischen Zugriff zu entgehen) an wechselnden Orten[5], sollten sich nach dem Vorschlag, der

---

5 Mit der Idee der Wanderversammlung orientierten sich die Initiatoren an der Naturforschergesellschaft und an den Hirschberger Lehrerfesten KARL FRIEDRICH WILHELM WANDERs. Vgl. DIPF/BBF/Archiv: Deutsche Lehrerbü-

im Berlinischen Schullehrerverein vorgetragen wurde, alle Lehrer der Provinz Brandenburg zu einer großen Versammlung treffen, Vorträge hören und ihre Angelegenheiten besprechen. Seinen Ursprung hatte dieser Plan in der Unzufriedenheit mit der gesellschaftlichen Stellung der Lehrer einerseits und – wie es hieß – mit deren ständischer Desorientiertheit andererseits. Von „Mangel an Rührigkeit im Lehrerstande, an Strebsamkeit und Fortschritt" war die Rede und schließlich – damit zusammenhängend – vom „Mangel einer Stellung des Lehrers in der Welt nach Achtung und äußerer Lage, wie er sie, soll anders sein Werk gelingen, haben muß". Von der „Vereinigung aller Lehrer der Provinz" in einer jährlichen Versammlung wurde nun erwartet, daß sie „einen neuen Impuls u[nd] neuen Aufschwung" in die Lehrerangelegenheiten bringen würde (Protokolle, Bd. 8: 27.05.1842. Vgl. auch BRETER 1842; zum Provinziallehrerverein auch BÖHM 1842 und LÜCK 1842, S. 322 - 323).

Die Idee fand so großen Beifall, daß nur wenige Wochen später eine Vorbesprechung unter Berliner Lehrern anberaumt wurde, an der sich 250 Lehrer beteiligten. Es wurde beschlossen, daß die erste zweitägige Provinziallehrerversammlung noch im September desselben Jahres in Berlin stattfinden sollte. DIESTERWEG, der in Abwesenheit zum Vorsitzenden des Gründungskomitees gewählt worden war, übernahm die Federführung und entwarf ein Vortrags-Programm zum Thema „Behandlung der Realien in der Volksschule" und den Plan einer Lehrmittelausstellung.[6]

Mit ihrem Ansinnen machten sich die Initiatoren der Provinziallehrerversammlung beim Ministerium der geistlichen, Unterrichts- und Medicinalangelegenheiten unter FRIEDRICH EICHHORN der Anstiftung zum Aufruhr verdächtig. Daß es nicht die Inhalte und Themen dieses Treffens waren, die Anstoß erregten, sondern die bloße Vorstellung, mehrere hundert Lehrer für zwei Tage unkontrollierbar zusammen zu sehen, zeigt ein Schreiben, mit dem sich auch die Kirchenabteilung der Potsdamer Regierung gegen ein solches Treffen aussprach:

„So erwünscht und heilsam nun auch Schullehrer-Conferenzen von einer mäßigen Zahl von Lehrern unter guter Leitung gehalten, allerdings sind",

---

cherei. Sign.: 1.0.03. Berlinische Schullehrergesellschaft (im folgenden zitiert als Protokolle), Bd. 8: 27.05.1842.

6 Zum Hergang der Versammlung, zu beteiligten Personen und zur Lehrer-Presse vgl. die ausführliche Darstellung in DIESTERWEG, FRIEDRICH ADOLPH WILHELM: Sämtliche Werke (im folgenden zitiert als DSW), Bd. 6, Anm. 93, S. 561 - 562. Zum Kontext in Preußen siehe PRETZEL 1921, S. 28 ff., zum Provinzialverein vgl. auch HOHENDORF/HOHENDORF 1988, S. 65, und GEISSLER/GÜNTHER 1989, Bd. 1, S. 37 - 38.

hieß es darin, „so ist doch schwerlich ein irgend ersprießliches Resultat der Berathungen zu erwarten, zu welcher sich Hunderte von Theilnehmern einfinden dürften, die sich wohl unter Leitung und Einfluß einiger dreisten und exaltirten Stimmführer weniger mit den höheren Zwecken und Angelegenheiten, als mit den äußerlichen Interessen ihres Standes beschäftigen und leicht zu Beschlüssen und Unternehmungen und Manifestationen übergehen mögten, welche höchsten und Allerhöchsten Orts gerechte Mißbilligung erregen und finden könnten, des nachtheiligen Einflusses nicht zu gedenken, den solche Verhandlungen auf den Sinn und die Stimmung aller Volksschullehrer auszuüben drohen." Schließlich komme „nicht minder ... in Betracht, daß viele Lehrer mit Urlaubsgesuchen, deren Zurückweisung sehr unangenehm wäre, hervortreten, fast alle aber zu einem für sie sehr unangemessenen Kostenaufwande verleitet würden." (BLHA, Rep. 34, Nr. 414, Bl. 2). Unter diesen Umständen wurde dem Provinzialschulrat OTTO SCHULZ geraten, „sogleich und im Voraus das Unternehmen des Berlinischen Schullehrer-Vereins zu hindern" (ebd.).

Der Ausgang dieses Falls ist bekannt bzw. läßt sich ahnen: die Provinziallehrerversammlung wurde nicht genehmigt. Darüber hinaus erhielt DIESTERWEG für sein Engagement die erste dienstliche Ermahnung und den Lehrern wurde über das von OTTO SCHULZ redigierte, halbamtliche Schulblatt für die Provinz Brandenburg geraten, sich mit ihren lokalen Vereinsangelegenheiten zu bescheiden.

In der Folge fanden schließlich lokale, auf Berlin begrenzte Feste statt. Von EICHHORN, der am liebsten generell alle Lehrerfeste unterbunden hätte, sind auch diese Feiern, denen die Genehmigung schlecht versagt werden konnte, mehr als argwöhnisch beobachtet worden. Tatsächlich Grund dazu hatte er aus der Perspektive des konservativen Staatsbeamten allenfalls 1844, als sich die Berliner Lehrer auf ihrem 2. Frühlingsfest nicht nur mit ihren Wünschen und Hoffnungen für das Schulwesen, sondern auch mit der Reform der Universitäten, über die DIESTERWEG vorgetragen hatte, beschäftigten. Darüber hinaus hatte FERDINAND SCHMIDT, ein unter Zeitgenossen bekannter Armenschullehrer und Volksschriftsteller (vgl. JAHNKE 1886), den „Vorschlag zur Gründung eines Vereins zur Hebung der unteren Volks-Klasse" eingebracht, der von der Versammlung gutgeheißen wurde, die ein Gründungs-Komitee veranlaßte. Dem Komitee des „Lokalvereins für die arbeitenden Klassen"[7], wie er später genannt wurde, gehörten neben ERNST WILHELM KALISCH, dem Direktor der Königlichen Realschule, und DIESTERWEG

[7] Zum Gründungsaufruf des „Berliner Lokalvereins zum Wohl der arbeitenden Klassen" und dem weiteren Verlauf vgl. DSW 6, S. 603, Anm. 604, sowie die Darstellung bei REULECKE 1990.

auch der liberale Stadtrat DANIEL ALEXANDER BENDA, Mitglied der Berliner Schuldeputation, an. Zwar verabschiedete sich der als Lehrerfreund geltende BENDA wegen angeblich radikaler Tendenzen schon bald wieder aus dem Organisations-Komitee, hatte aber mit seiner anfänglichen Teilnahme – möglicherweise unfreiwillig – die nach dem Schlesischen Weberaufstand (vom 4. bis zum 6. Juni 1844) in allen Schichten heiß diskutierte soziale Frage als Gegenstand der Verhandlungen eines Lehrervereins legitimiert. Sein Rückzug war dementsprechend ein warnendes Signal vor umstürzlerischen Gefahren, die soziales Vereins-Engagement für ihn nunmehr implizierte. Begründet hatte BENDA seinen Rückzug mit dem furchterregenden revolutionären Geist, den jüngere Wortführer in den Lokalverein getragen hätten. Zwar sei „er ... ein Mann des Fortschritts, aber innerhalb von Gesetz und Ordnung. Mit aller Kraft" werde er „zur Aufrechterhaltung dieser beiden mitwirken" und sich aus diesem Grund „jedem revolutionairen Streben ... entgegenstämmen." (Protokolle, Bd. 8: 20.12.1844).[8]

Die Reihe der Frühlingsfeste ist von den Berliner Lehrervereinen nicht fortgesetzt worden. Dafür fanden in den Nachfolgejahren gleich drei große Feiern statt, von denen für die Lehrer eine große Faszination ausging: im Januar 1845 die „Vorfeier" zu PESTALOZZIs hundertstem Geburtstag, im Juli 1845 das Lehrerfest aus Anlaß des 25jährigen Amtsjubiläums von DIESTERWEG und im Januar 1846 die diesmal korrekt datierte Feier zum hundertsten Geburtstag von PESTALOZZI. DIESTERWEG, der Ende 1844 zur Pestalozzi-Feier aufgerufen hatte, war in Bezug auf das Geburtsdatum PESTALOZZIs einem Fehler in Raumers „Geschichte der Erziehung" aufgesessen, die 1745 als Geburtsjahr PESTALOZZIs angegeben hatte. Als der Irrtum bekannt wurde, waren die Feiervorbereitungen schon so weit gediehen, daß DIESTERWEG kurzerhand entschied, die Pestalozzi-Feier 1845 zur Vorfeier zu erklären und im Januar 1846 noch einmal PESTALOZZI zu feiern. Über alle drei Feste haben die zwei großen Berliner Zeitungen, die Vossische und die Spenersche, ausführlich berichtet.[9]

---

8 Den „umstürzlerischen Gefahren" wurde noch im gleichen Jahr mit der Gründung des gesamtdeutschen „Centralvereins für das Wohl der arbeitenden Klasse" begegnet, die von liberalen Ministerialbeamten aus dem Umkreis des Finanzministeriums initiiert war. Letztlich wurde aber 1845 durch Intervention des Innenministeriums beim König allen sozialreformerischen Bemühungen um das Wohl der arbeitenden Klassen der Boden entzogen. Zum „Centralverein" vgl. REULECKE 1983.

9 Ankündigungen und Berichte zu den Pestalozzi-Feiern in der Vossischen Zeitung (eigentlich Königlich privilegierte Berlinische Zeitung von Staats- und gelehrten Sachen) Nr. 2, 03.01.1845; Nr. 4, 2. Beilage, 06.01.1845; Nr. 11, 14.01.1845; Nr. 12, 15.01.1845; Nr. 11, 14.01.1846. Desgl. Spenersche Zeitung (Berlinische Nachrichten von Staats- und gelehrten Sachen) Nr. 11,

Die zu frühe Datierung des hundertsten Geburtstages von PESTALOZZI brachte Vor- und Nachteile. Ein Vorteil bestand darin, daß DIESTERWEG, der zusammen mit WILHELM KALISCH und FERDINAND MASSMANN zur Begründung einer Pestalozzi-Stiftung aufgerufen hatte, im Verlauf des Jahres 1845 ein beachtliches Kapital zur Errichtung einer Musteranstalt zur Erziehung von Waisenkindern ansammeln konnte.[10] Des weiteren gewannen die Lehrer im Zuge dieser Feiern mit PESTALOZZI ein Symbol ihres Berufsstandes, das ein bis dahin noch nicht gekanntes Standesbewußtsein und Zusammengehörigkeitsgefühl hervorbrachte. Eher von Nachteil war dagegen, daß sich in diesem Zusammenhang und nach DIESTERWEGs Aufruf, man möge Jubelouvertüren, Gesänge und Gedichte zum Fest beitragen, unzählige Lehrer ermuntert fühlten, ihr musikalisches oder poetisches Talent auszuprobieren, was prompt dazu führte, daß sich der über die Dilettanten ausgeschüttete Spott auf DIESTERWEG und die Volksschullehrer insgesamt übertrug.

Unter anderem hatte die von HEINRICH GRÄFE und CARL CLEMEN herausgegebene Pädagogische Zeitung die „Pestalozzi-Poesie" glossiert und als Produkt des „Diesterweg-Pestalozzischen Halljahres" lächerlich gemacht. DIESTERWEG, der seine Rheinischen Blätter für Erziehung und Unterricht für die Lehrerdichter geöffnet hatte, mußte sich Kritik gefallen lassen, weil er deren Poesie als einen „strahlenden Beweis von der fortgeschrittenen Bildung" der Lehrer, die nun auch dichteten, „d.h. würdige Gedanken in schöne Form einzukleiden verstehen", bezeichnet hatte. Von den bei DIESTERWEG abgedruckten Gedichten gab die Pädagogische Zeitung gleich mehrere Kostproben, von denen hier nur eine angeführt werden soll. GRÄFE meinte, wem diese nicht Kopfschmerz verursachte, müsse starke Nerven haben (GRÄFE 1845, S. 557) und zitierte folgenden PESTALOZZI-Vers:

> Wer war der Mann, der so den Bann
> Der falschen Zucht zerbrach?
> Der die Natur von der Dressur
> Befreit und mündig sprach?
>
> Der edle Mann, der aus dem Bann
> Der Dame Unnatur
> Uns hat erlöst, war selbst entblößt,
> Ein armer Heinrich nur.

14.01.1845 und Nr. 11, 14.01.1846. Zu DIESTERWEGs Amtsjubiläum vgl. Vossische Zeitung Nr. 154 vom 05.07.1845, Nr. 155 vom 07.07.1845 und den Nachtrag zu den auswärtigen Reaktionen in Nr. 158 vom 10.07.1845.

[10] Aufruf zur Beförderung einer Stiftung zu PESTALOZZI's Gedächtniß, in seinem Geiste, nach dem Bedürfnisse der Zeit 1845. In Anlehnung an PESTALOZZIs Neuhof war eine landwirtschaftliche Armenversorgungsanstalt geplant. Die Pestalozzi-Stiftung wurde später in Berlin-Pankow errichtet.

Unabhängig davon, für wie kunstvoll, laienhaft oder geschmacklos die „Pestalozzi-Poesie" gehalten wurde, wurden die Berliner Pestalozzi-Feiern zu einem großen Erfolg. An der Feier der vier Lehrervereine an repräsentativem Ort, im Englischen Haus am Hausvogteiplatz, nahmen mehr als 400 Lehrer und – wie die Vossische Zeitung schrieb – Persönlichkeiten „aus andern Classen der Gesellschaft" teil: „Beamte, Schriftsteller und ein hochgestellter Militair". Die Vossische Zeitung, die öfter Lehrerangelegenheiten besprach, widmete der Feier fast zwei Seiten, beschrieb den Hergang in allen Einzelheiten, bemerkte mit Befremden, daß keiner der „hiesigen Herren Schulräthe" an der Feier teilgenommen hatte und hob den standespolitischen Stellenwert hervor, den DIESTERWEG der Pestalozzi-Feier gegeben hatte:
„Die gesteigerte Achtung, welche die Elementarlehrer sich bei der Nation gewonnen, spiegele sich in den gegenwärtigen Gästen. Nicht bloß Elementarlehrer, auch Lehrer der höheren Wissenschaften, ja die ausgezeichnetsten Geister des Staates, des Krieges, der Literatur seien anwesend. Das sei unbeschreiblich schön. Die Zöglinge würden Achtung haben vor den Lehrern, wenn diese von den Eltern geachtet würden, die Eltern würden die Lehrer achten, wenn diese von der Nation geachtet worden, so fließe der Segen auf die kommende Generation zurück. Hierin habe die Hauptstadt in diesem Moment die Initiative ergriffen, es werde erhebend sein, wenn man aus anderen Gegenden diesseits und jenseits des Meeres die Nachfolge vernehme." (Vossische Zeitung Nr. 11 v. 14.01.1845)

Berlin als Vorreiter der Lehreremanzipation – das verkörperte den Wunsch und die Vorstellung DIESTERWEGs wie die Schreckensvision EICHHORNs. Aus den Pestalozzi-Feiern von 1845 und 1846, mit denen eine immense öffentliche Aufwertung des Volksschullehrer-Standes verbunden war, gingen die Lehrer in der Tat mit gestärktem Selbst- und Standesbewußtsein hervor. Obwohl sich im Sommer 1845 die Zeichen einer schärferen behördlichen Überwachung mehrten, hatten mehrere Berliner Lehrer einen in der Vossischen Zeitung veröffentlichten „Protest gegen (die) Beschränkung der Lehr- und Gewissensfreiheit" (Vossische Zeitung Nr. 179 v. 04.08.1845 und Nr. 182 v. 07.08.1845) unterzeichnet, der durch Zwistigkeiten innerhalb der protestantischen Bewegung in Preußen veranlaßt worden war und insofern weniger unmittelbar mit der Schule zu tun hatte als mit dem (protestantisch definierten) Bürgerrecht auf freie Meinungsäußerung und Religionsausübung. Dieses Recht hatten neben Handwerkern, Ärzten, Kaufleuten und Gelehrten auch Berliner Volksschullehrer reklamiert. Diejenigen, die öffentlich dafür votiert hatten, hatten sich in den Augen ihrer obersten Dienstbehörde der (für Lehrer nicht statthaften) politischen Kundgebung schuldig gemacht. Von EICHHORN, der die betreffenden Lehrer ermahnt wissen wollte, wurden die an dem Protest Beteiligten der „Selbstüberhebung" und „unziemlichen Manifestation" bezichtigt. In der Folge wurden 26 Lehrer zur Vernehmung vor die Berliner Schuldeputation geladen, von denen die Hälfte allerdings gar nicht erst ermittelt werden konnte. Die anderen 13 Lehrer mußten eine behördliche Mißbilligung ihres Verhaltens unterschreiben und wurden schriftlich darüber belehrt, daß sie sich künftig der Artikulation in öffentlichen Blättern zu enthalten hätten (LAB (STA), Rep. 20 - 01, Nr. 1197: Die Ausführung des Reskripts vom 30. August 1845 in Bezug auf die Lehrer, welche den Protest gegen Beschränkung der Lehr- und Gewissensfreiheit unterzeichnet haben).

Quellen wie diese lassen die Volksschullehrer als Berufsgruppe erscheinen, die besonders unter den politischen Argusaugen von Staats- und Provinzialbehörden gelitten hat. In der Tat läßt sich nicht leugnen, daß sich die Lehrer in zunehmender Zahl und zunehmend selbstbewußt mit standespolitischen Fragen beschäftigt und dabei auch die soziale Thematik ihrer Zeit in einer Weise aufgegriffen hatten, die ihr Berufsverständnis zum Volkslehrer hin veränderte. Insofern läßt sich für den Vormärz in steigender Tendenz eine Politisierung der Lehrer-Vereinstätigkeit feststellen, die in den bildungspolitischen Diskussionen der Lehrer auf den „allgemeinen Berliner Lehrerversammlungen" von 1848 ihren Höhepunkt fand.

Berliner Volksschullehrer und die Revolution von 1848/49

Diese „allgemeinen Berliner Lehrerversammlungen" verkörpern mit Teilnehmerzahlen zwischen 200 und 300 den Typ der öffentlichen Massenversammlung und ähnelten in dieser Hinsicht den Lehrerfesten des Vormärz, waren aber ausschließlich bildungspolitischen Themen gewidmet. „Allgemein" wurden sie genannt, weil alle Lehrer Berlins, unabhängig von der Schulgattung, dazu eingeladen waren. Die Gymnasiallehrer fanden sich allerdings bald zu eigenen Beratungen zusammen und waren in den „allgemeinen" Versammlungen kaum noch anzutreffen.

Die revolutionären Ereignisse hatten die Gymnasiallehrer insgesamt verschreckt. LUDWIG WIESE schrieb darüber in seinen Lebenserinnerungen: „Am Abend des 14. Juni 1848 hatten sich nur wenige (Mitglieder der Gymnasiallehrergesellschaft zur regulären Versammlung – H.K.) eingefunden; eine pädagogische Disputation zwischen dem Dir[ektor] Bonnell und mir wurde durch den Lärm unterbrochen, der von der Straße heraufschallte in Folge der Erstürmung des Zeughauses durch den Pöbel. Wir eilten dahin und waren noch Zeugen der Schandthat. Damals vertagte sich der Verein auf längere Zeit." (WIESE 1886, S. 144)

Die Idee zu *allgemeinen* Berliner Lehrerversammlungen kam aus dem Geselligen Lehrerverein. Die erste dieser Art, der 1848 noch zehn weitere folgen sollten, fand am 26. März 1848 statt, acht Tage nach den Berliner Barrikadenkämpfen vom 18. März. Dem Aufruf in der Tagespresse waren an jenem Sonntag vormittag an die 300 Lehrer gefolgt. Noch wurde aber weniger über die Forderungen der Lehrerschaft debattiert als über die Frage, ob nicht „die Lehrer ein eigenes Corps in der Bürgerwehr bilden sollten", das der betreffenden Behörde „hülfreiche Hand leiste, die Ordnung und Ruhe der Stadt aufrecht zu erhalten" (DIPF/BBF/Archiv: Deutsche Lehrerbücherei. Sign. 1.0.02.: Protokolle der allgemeinen Berliner Lehrerversammlung im Jahre 1848, Bl. 1). Eine bewaffnete Lehrergarde wurde schließlich abgelehnt; die Diskussion warf aber schlaglichtartig die Bürgerproblematik auf und machte die Schwierigkeit der Balance zwischen Lehrer- und Bürgersein (übrigens von aufständischen Ambitionen weit entfernt) bewußt. Daß diese Möglichkeit über Stunden ernsthaft diskutiert wurde, zeigt einerseits, in welchem Zwiespalt sich die Lehrer befanden, die hier über ihre moralische Doppel-Verpflichtung als Lehrer und Bürger berieten, und andererseits, wie weit berufsständisches Denken bereits existentiell geworden war und das Konstrukt des Staatsbürgers bestimmte. Der Wunsch nach Präsenz des Lehrerstandes in der bürgerlichen Öffentlichkeit artikulierte sich nicht zuletzt in der Klage eines FERDINAND SCHMIDT (aus dem Berlinischen Schullehrerverein), der bemerkte, wie schmerzhaft er bei dem „Leichenzuge" der „Freiheitsopfer die Lehrer als Corporation" vermißt hätte (ebd., Bl. 3).

„Die Sucht, Waffen zu tragen und Soldat zu spielen", war nun allerdings, wie von ROBERT SPRINGER, Lehrer einer Berliner höheren Töchterschule, Erzähler und Folklorist,[11] mitgeteilt, kein Lehrer-, sondern ein allgemeines Männer-Charakteristikum der Märztage 1848. „Die Büreaukraten", schrieb er 1850 rückblickend, „verschmähten es nicht, die Muskete zu ergreifen, um des Abends in der Wachstube die kleineren Bürger durch Weißbierspenden zu ihren Zwecken zu gewinnen und sie vor den Wühlern und Anarchisten zu warnen. Die Studenten, Künstler, Kaufleute, der Handwerkerverein und die Maschinenbauer bildeten fliegende Corps, meist in gleicher Bewaffnung und möglichst gleicher Kleidung. Auch Maßmann (den Seminarlehrer und staatlich angestellten Turnwart – H.K.) sah man", so SPRINGER weiter, „glücklicherweise nur des Abends, mit einem krummen Säbel eine dürftige Schaar verkümmerter Turner anführen" (SPRINGER 1850, S. 57).

Dieses Beispiel blieb unter Lehrern singulär. In der allgemeinen Berliner Lehrerversammlung vom 26. März 1848 siegte schließlich eine Auffassung, die beides, Bürgerpflicht und Berufsaufgabe, mit dem Argument in

[11] Zu SPRINGER vgl. Allgemeine Deutsche Biographie (ADB), Bd. 35, auch KOSCH 1930, Bd. 2, S. 2538.

Einklang brachte: „Wir müssen Schule halten, nach wie vor, wir müssen die Kinder beschäftigen, da Vater und Mutter andere Sorgen haben, die sie ohnehin schon der Aufsicht ihrer Kinder entziehen." (DIPF/BBF/Archiv: Deutsche Lehrerbücherei. Sign. 1.0.02.: Protokolle der allgemeinen Berliner Lehrerversammlung im Jahre 1848, Bl. 3) Daraufhin waren die Befürworter einer bewaffneten Lehrergarde in der Minderheit.

Angenommen wurde dagegen der Vorschlag, die Lehrer mögen sich zur Wahrung ihrer Berufsinteressen „zentralisieren" und dafür ein Komitee bilden. Das daraufhin gegründete Gremium zur „Zentralisation" der Lehrerinteressen wurde in der Folge allerdings weniger standes- als bildungspolitisch aktiv, indem es sich nicht auf die Abänderung einzelner Übelstände beschränkte, sondern „eine durchgreifende" Reorganisation ins Auge faßte. Das Komitee entwarf die Vorlagen für die Petition, mit der sich die Berliner Lehrer an die erwartete Nationalversammlung wenden wollten. Sie umfaßte ein Vier-Punkte-Programm und behandelte 1. die „Reorganisation der Behörden", 2. die „Reorganisation der Lehrer-Bildungsanstalten", 3. die „Reorganisation der Schulen" und 4. die „Reorganisation der Lehrerverhältnisse" (vgl. KÖNIG 1971, S. 115 - 128).

Verabschiedet wurde die Petition am 26. April 1848 auf dem Kreuzberg, nach siebenstündiger Debatte von 292 auswärtigen und etwa 300 Berliner Lehrern.[12] Das bildungspolitische Programm dieser legendären „Tivoli-Versammlung", das maßgeblich auf EDUARD HINTZE, den an DIESTERWEG geschulten Seminarlehrer und 1848er Wortführer, zurückzuführen ist, überflügelte in seiner Radikalität und durch den 600fachen Rückhalt in der Lehrerschaft die meisten der anderen 1848er Lehrer-Petitionen (vgl. KÖNIG 1973, S. 219 - 246), kein Wunder also, daß die „Tivoli-Versammlung" später zum meistzitierten Exempel der 1848er Lehrerbewegung wurde.[13] Staatlichkeit und Einheitlichkeit des Schulwesens von der Volksschule bis zur Universität, die Lehrerbildungsanstalt als Zweig der Universität mit theoretischer und praktischer Ausbildung, Beseitigung der geistlichen Schulaufsicht und die Forderung nach dem Mitspracherecht von Lehrern bei der Verwaltung des ganzen Schulwe-

---

12 Vgl. die Anwesenheitslisten in: DIPF/BBF/Archiv: Deutsche Lehrerbücherei. Sign. 1.0.02.: Protokolle der allgemeinen Berliner Lehrerversammlung im Jahre 1848, Bl. 95 - 110. Die Berliner Lehrer wurden nicht extra erfaßt.

13 Vgl. RISSMANN 1908, S. 34, PRETZEL 1921, S. 32, zuletzt KEINER 1998. Die Massenveranstaltungen in anderen Städten kamen vom Umfang her der Berliner Tivoli-Versammlung allerdings durchaus nahe. Die erste Leipziger Versammlung unter dem Realschuldirektor VOGEL war ebenfalls von 600, die zweite sogar von 900 Lehrern besucht; in Hamburg und Magdeburg versammelten sich 500 und selbst im mecklenburgischen Sternberg 200 bis 300 Lehrer. Vgl. BAUMGART 1990a, S. 159.

Programm.

I. Reorganisation der Behörde.

1. Einsetzung eines Unterrichts-Ministeriums.
2. Einsetzung von Räthen, gewählt aus practischen Lehrern aller Kategorien.
3. Einsetzung von Commissionen, gewählt aus Lehrern und andern Bürgern, zum Beirath der Verwaltung des ganzen Schulwesens und der einzelnen Schulen.
4. Inspection der Schulen durch Schulmänner.
5. Aufhebung der geheimen Conduiten-Listen.

II. Reorganisation der Schulen.

6. Die Schule ist Staatsanstalt.
7. Organische Gliederung der Volksschule, des Gymnasiums, der höheren Bürgerschule und der Universität.
8. Oberste Leitung der Töchterschulen nur durch Lehrer.
9. Organisation von Schulen zur Fortbildung für die, welche aus der Volksschule in's practische Leben übertreten.

III. Reorganisation der Lehrer-Bildungsanstalten.

10. Die Lehrer-Bildungsanstalt ist ein Zweig der Universität und giebt theoretische und practische Ausbildung.
11. Wer sich dem Lehrfach widmet, muß das Zeugniß der Reife aus dem Gymnasium oder der höheren Bürgerschule erlangt haben.
12. Gründung von Bildungsanstalten für Lehrerinnen, angelehnt an die höhere Töchterschule.

IV. Reorganisation der Lehrer-Verhältnisse.

13. Jeder Schulamts-Candidat beginnt seine Laufbahn in der untersten Stufe der Volksschule.
14. Ascension in höhere Stellen nach der Tüchtigkeit.
15. Ascension in höhere Gehälter nach Dienstalter und Amtstreue. — Das Minimum des Gehalts vom platten Lande bis zur Großstadt bewegt sich zwischen 200 und 400 Thalern.
16. In Bezug auf Pensionirung und Versorgung der Wittwen und Waisen steht der Lehrer den übrigen Staatsbeamten gleich.

V. Die Privatschule.

17. Die Privatschule wird, unter Berücksichtigung der Rechte der Vorsteher und Lehrer, Staatsanstalt. Sollten aber künftig noch Privatschulen nothwendig sein, so ist
    a) die Gründung einer Privatschule von einer Commission der Behörde abhängig.
    b) Die Vorsteher und Lehrer sind in jeder Beziehung den übrigen Lehrern an Staatsschulen gleichgestellt.

VI. Vorschläge zum Uebergang aus den jetzigen Verhältnissen in die gewünschten.

18. Befreiung des Lehramts vom Küsterdienste.
19. Entfernung der Geistlichen von der Schulaufsicht und Einberufung von Schul-Inspectoren aus dem Lehrerstande.
20. Begründung von regelmäßigen Conferenzen zur theoretischen und practischen Fortbildung der Lehrer unter Leitung der Schul-Inspectoren.
21. Möglichst schnelle Verbesserung der Lehrer-Gehälter bis auf das angesetzte Minimum, mit besonderer Berücksichtigung solcher Stellen, auf denen ein Emeritus ist.

Das Comité.

Koch, Rüttershausen, Minter, Breter, A. Böhme, Fischer, Berndt, Schilling, Lange, Schmidt, Sens, Markus, Niendorf, Weidenbach.

Druck von [illegible] in Berlin.

Programm, das während der allgemeinen Lehrerversammlung am 26. 4. 1848 in Berlin verabschiedet wurde sens und einzelner Schulen markierten insgesamt demokratische Positionen, die die Stichworte für Bildungsreformen lieferten, die bis heute einschlägig sind (vgl. TENORTH 1998, S. 961).

RISSMANN und PRETZEL, die beiden Chronisten des Deutschen Lehrervereins von 1871, nahmen diese Stichworte auf und beschränkten sich bei ihrem Rückblick auf das Jahr 1848 auf die Hauptbeschlüsse der „fortschrittlichen Mehrheit". Immerhin bemerkten sie „ausdrücklich, daß sich zu vielen dieser (fortschrittlich-radikalen – H.K.) Forderungen auch gerade das Gegenteil auffinden läßt" (RISSMANN 1908, S. 39 und PRETZEL 1921, S. 38) – wie etwa die Lehrerforderungen nach Beibehaltung kirchlicher Pflege und Obhut der Schule aus Mecklenburg oder aus Städten wie Bonn, Koblenz und Münster demonstrierten. Die Lehrerbewegung als homogene „Fortschrittsbewegung" zu betrachten, fiel angesichts der „grellsten Widersprüche" ihrer 1848er Beschlüsse auch RISSMANN und PRETZEL nicht im Traum ein. Die Tradition des Deutschen Lehrervereins konstruierten beide freilich dennoch ausschließlich auf der Basis der Radikalforderungen, die auch im Tivoli eine Rolle gespielt hatten.

Mit der „Tivoli-Versammlung" vom April 1848 und der Verabschiedung der Petition war der eigentliche Zweck der allgemeinen Berliner Lehrerversammlungen erfüllt. Zudem zeichnete sich kurze Zeit später ab, daß die Lehrerbestrebungen durch die Einberufung amtlicher Kreis-Lehrerkonferenzen kanalisiert werden sollten. Um die Lehrerbewegung unter Kontrolle zu bekommen, sollten die Lehrer unter Aufsicht ihrer Schulinspektoren zusammentreten, dort ihre Forderungen für eine in Aussicht gestellte Provinziallehrerkonferenz besprechen und Vertreter für diese Konferenz wählen.

Daß diese beaufsichtigte Provinziallehrerkonferenz noch nicht als Niederlage der freien Lehrerbewegung angesehen, sondern im Gegenteil euphorisch begrüßt wurde, ist durch Kommentare belegt, die zum Beispiel brandenburgische Lehrerdeputierte auf ihrer Delegiertenkonferenz noch im Herbst 1848 abgaben: „Alles für und Alles durch das Volk!" schrieb etwa Lehrer LÜDKE aus Frankfurt unter seinen Namen. „Vorwärts", „Weisheit, Schönheit, Stärke" und „Keine Zweifel!" verhießen die Kommentare von Lehrern aus Dörfern wie Triedel, Eschbruch und dem Städtchen Luckenwalde. Lehrer SCHNELL wartete gar mit einem ganzen Programm auf, indem er sich mit dem Satz verewigte: „Brüderlichkeit ist ein Zeichen der Zeit; die Religion der Liebe wird wirklich; auch dafür wollen wir als Lehrer ... arbeiten." (DIPF/ BBF/Archiv: Deutsche Lehrerbücherei. Sign. 1.0.02.: Protokolle der allgemeinen Berliner Lehrerversammlung im Jahre 1848, Bl. 113 - 114).

Hinter dieser Losung stand noch die Hoffnung der Volksschullehrer nach einer Verbrüderung mit den Gymnasiallehrern, die 1848 vielfach Nahrung gefunden hatte. Der Wunsch nach einem einheitlichen Lehrerstand hatte schließlich auch die Forderungen der Berliner Volksschullehrer nach Anbindung der Lehrerausbildung an die Universität motiviert, dem noch hinzugesetzt wurde, daß künftig auch jeder Lehrer seine Laufbahn von der untersten Stufe des Schulwesens, von der Pike auf, beginnen sollte. Für diese Forderung brachten verständlicherweise nicht nur die Gymnasiallehrer, sondern selbst DIESTERWEG, dem die Reform der Lehrerbildung am Herzen lag, kein Verständis auf. Er hielt sie für überzogen und zählte sie schließlich zu den „Extravanganzen" des „merkwürdigen Sommer(s) des Jahres 1848". (DSW 8, S. 56)

Insgesamt blieb jenes Bild bestehen, das KARL FRIEDRICH WILHELM WANDER zu seinem Bedauern zum Charakteristikum des deutschen Lehrerstandes erklärt hatte: „Fremd und hochmütig sahen sich die Arbeiter gegenseitig an, weil sie an verschiedenen Stockwerken der Volkserziehung arbeiteten. Die Männer, welche hoch oben die Kuppel wölbten, mochten das Werk derer, welche tief unten den Grund legten, nicht anerkennen, und die, welche aus dem mittleren Stockwerk heraussahen, fühlten zwar, daß es noch ein Stockwerk über ihnen gab, aber sie dankten doch Gott, daß sie über diejenigen hinwegsehen konnten, welche unter ihnen tagewerkten."[14]

Wie die Vision eines einheitlichen Lehrerstandes zerplatzten nach der Revolution auch andere Träume der Reorganisation von Schule und Lehrerverhältnissen wie Seifenblasen der Geschichte. Letztlich fielen sogar die unter behördlicher Regie auf den Provinzialversammlungen beratenen Lehrerforderungen nach 1849 den Schubladen der Verwaltung anheim.

„Vereinsalltag" im Berlinischen Schullehrerverein 1848/49

Neben den bildungspolitisch motivierten Lehrerversammlungen des Jahres 1848 lief in den Lehrervereinen der „Alltag" weiter, der hier am Beispiel des Berlinischen Schullehrervereins skizziert werden soll. Der Schwung des Jahres 1848 hatte sich auch in diesem Verein bemerkbar gemacht. Gut besuchte Versammlungen mit 65 und mehr Teilnehmern waren die Regel. Im Gefolge der großen allgemeinen Berliner Lehrerversammlungen wurden allgemein politische, standes- sowie bildungspolitische Themen wesentlich häufiger und intensiver diskutiert als in den Jahren zuvor. Allerdings verlief das Jahr 1848 bereits aus der zeitgenössischen Perspektive „trotz der gewaltigen Unruhen ... von außen ...

[14] Zit. nach RISSMANN, R.: Geschichte des Deutschen Lehrervereins. Leipzig 1908, S. 46. Zu WANDER siehe u.a. KURZE 1982.

eigenthümlich ruhig für den Verein" (MERGET 1863, S. 34). Diese Erinnerung eines Vorstandsmitgliedes reflektierte dabei mit Bezug auf die revolutionären Unruhen in der Stadt auch den Kontrast zwischen den spektakulären, vereinsübergreifenden Massenversammlungen der Berliner Lehrer mit ihrer Ähnlichkeit zu den Volksversammlungen auf der einen und den „regulären", monatlichen Versammlungen des Berlinischen Schullehrervereins auf der anderen Seite. Die konstatierte Ruhe bezog sich sowohl auf die gewohnt gemäßigten Formen, in denen die Debatten des Schullehrervereins abliefen, als auch auf die Behandlung üblicher Vereinsthemen um Schule und Unterricht. Daß der Verein gänzlich auf politische Themen verzichtet hätte, läßt sich mit Blick auf die Versammlungsthemen der Jahre 1848/49 allerdings nicht behaupten.

Die erste Versammlung des Berlinischen Schullehrervereins im Revolutionsjahr thematisierte zum Beispiel die „Tätigkeit des Lehrers zur Hebung des Proletariats", woran sich symptomatisch zeigt, daß die allgemeine vormärzliche Politisierung am Verein nicht vorübergegangen war. Im Zusammenhang mit den Volksunruhen und Lebensmittelrevolten hatten sich auch die Lehrer mit den Problemen von Industrialisierung, Pauperismus und Proletarisierung beschäftigt. Einzelne Mitglieder des Berlinischen Schullehrervereins um EDUARD HINTZE waren darüber hinaus in den Berliner Handwerkerverein involviert.[15] Aber auch für diejenigen, die sich nicht unmittelbar auf den Bildungsabenden der Handwerker und Arbeiter engagierten, war die soziale Frage zu einem Thema geworden, das die Lehrer in ihrem nationalerzieherischen Verständnis sowie in ihrer Lehrer- und Bürgerpflicht ansprach. So „konnte (es)" nach Meinung des Protokollanten der Vereins-Versammlung vom Januar 1848 „nicht fehlen, daß gerade in der jetzigen Zeit, in welcher das Proletariat so riesenmäßig emporwächst, dieser Gegenstand das allgemeine Interesse der Gesellschaft in Anspruch nahm".

Die brisantesten Debatten der Jahre 1848 und 1849 gab es im Berlinischen Schullehrerverein im Anschluß an den Vortrag DIESTERWEGs vom 17. März 1848 zum Thema: „Konfessioneller Religionsunterricht in den Schulen oder nicht". In der Folge dieses Vortrags kam es unter den Vereinsmitgliedern zu Auseinandersetzungen, die bereits die Argumente des Kirchenkampfes aus der zweiten Hälfte des 19. Jahrhunderts vorweg-

---

[15] Über das Anliegen des 1844 gegründeten Berliner Handwerkervereins hatte HINTZE im Berlinischen Schullehrerverein bereits im April 1845 berichtet und die Elemente der Fortbildung (Vorträge „aus den Gebieten der Geschichte, Naturwissenschaft und Kunst", „Unterricht in den elementaren Kenntnissen", „Fragekasten", „Bibliothek und Bücherbesprechungen") hervorgehoben. Vgl. Protokolle, Bd. 8: 17.04.1845. Zum Handwerkerverein in Bezug auf die Lehrer vgl. DSW 7, S. 511, Anm. 152 und DSW 9, S. 542 f., Anm. 134.

nahmen. Ein weiterer Vortrag von DIESTERWEG ließ im Januar 1849 die Parteien erneut aneinandergeraten, diesmal in der Frage, ob „der Lehrer als Lehrer einen politischen Standort einnehmen (soll)". Die Auffassung DIESTERWEGs, der mit diesem Vortrag sein Unbehagen gegenüber der aktiven Beteiligung von Schülern und Studenten am politischen Tagesgeschehen sowie der Mitgliedschaft von Lehrern in radikalen Klubs artikuliert und dringend zur Zurückhaltung aufgefordert hatte, wurde freilich nicht von allen Vereinsmitgliedern geteilt.[16] Schließlich wirkte diese Position DIESTERWEGs, der bei den Berliner Lehrern bislang für sein kämpferisches Credo von „Fortschritt und Emanzipation" bekannt war, auf nicht wenige erstaunlich.

Gegenüber derart grundsätzlichen, weltanschaulich-religiösen und auch politischen Auseinandersetzungen um Berufsethos und Lehrerpflicht zeigen andere Vorträge und Themen der Jahre 1848 und 1849, z.B. über „verschiedene Methoden des Leseunterrrichts", über Mädchenschulen, über Erwerbschulen, über Australien, über Reliefkarten, über Gold und Diamant in der Natur, über industriellen Zeichenunterricht, und schließlich auch über FRIEDRICH FRÖBEL, daß es gleichzeitig auch einen politikfernen Diskurs gegeben hat. Obwohl das Tagungsthema auch einen anderen Zusammenhang zwischen FRÖBEL, den Lehrern und der Revolution von 1848/49 vermuten lassen könnte, ist FRÖBEL mit seinem Kindergarten im Berlinischen Lehrerverein nicht politisch verstanden worden.

Dem Protokollbuch des Berlinischen Schullehrervereins ist zu entnehmen, daß DIESTERWEG in der Versammlung vom 19. Oktober 1849 über sein Zusammentreffen mit FRÖBEL folgendes berichtete: „Friedrich Fröbel lebt jetzt in Liebenstein und widmet sich der Ausbreitung der Kindergärten. Im Orte selbst besteht dieser Kindergarten aus Bauernkindern, wobei Fr[öbel] aber Gelegenheit nimmt, Töchter angesehener Eltern der Umgegend zu Kindergärtnerinnen heranzubilden, um durch späteren Einfluß auf ihre eigenen oder fremden Kinder, namentlich auf die Töchter, eine tiefere pädagogische Einsicht zu verbreiten. Es ist das die Idee Pestalozzis, wie ‚das Buch der Mütter' zeigt. Zu dem Zwecke hält Fr[öbel] Vorlesungen über die Erziehung vor Mädchen und Frauen und belehrt sie auf die naivste Weise über das Wesen u[nd] die Natur des Kindes, und dessen Behandlung bis zum 7ten Lebensjahre, daß es erstaunenswerth, ja rührend ist." (Protokolle, Bd. 8: 19.10.1849, auch für die folgenden Zitate). Seine „nächste Thätigkeit", so DIESTERWEG weiter, wolle „Fröbel Hamburg widmen, wo bereits 150 Frauen seiner eigenthümlichen und interessanten Belehrung harr(t)en." Nach Ausführungen über

[16] Zur Haltung DIESTERWEGs zur bürgerlichen Revolution von 1848/49 vgl. v.a. BAUMGART 1990b, hier S. 123.

die Fröbelsche Erziehung der Kinder durch Spiele und Lieder widmete sich DIESTERWEG zuletzt auch der Frage nach dem religiösen Hintergrund, zu der im Protokoll festgehalten wurde, daß FRÖBEL nach Meinung des Vortragenden „rücksichtlich der Religion ... außer aller Autorität, auf sich selbst u[nd] der Natur" stünde. Allerdings seien „seine Ideen ... so geistiger und tiefer Natur, daß sie Manchem als mysthischer Aberglauben erscheinen dürften. Er selbst u[nd] seine Kindergärtnerinnen zeig(t)en eine solche Hingebung u[nd] Innigkeit für die Kinderwelt, daß sie sehr vielen andern in strenger Rechtgläubigkeit Erzogenen zum Muster aufgestellt werden könn(t)en."

Diesterweg besucht Fröbel

Die Diskussion, die nur knapp dokumentiert ist, hätte sich „(in Einzelheiten) um die Wahrheit der Fröbelschen Idee (bewegt)", während man dem Fröbelschen „Streben ... (im Ganzen) Gerechtigkeit" hätte „widerfahren" lassen. Allgemein wurde „der Wunsch" geäußert, daß FRÖBEL „auch den Berl[iner] Damen u[nd] auch" den „Lehrern Gelegenheit geben" möge, „aus eigener Anschauung seine Methode kennen zu lernen u[nd] zu prüfen".

Während man DIESTERWEGs Vortrag und die Diskussion über FRÖBEL nachträglich, aus dem Wissen um das spätere Verbot der Kindergärten in Preußen, durchaus politisch interpretieren könnte, liegt es aus der zeitgenössischen Perspektive von 1849 näher, das Thema Kindergarten im politikfernen Diskurs des Berlinischen Lehrervereins zu verorten – trotz der Bemerkungen zur bäuerlichen Klientel des Fröbelschen Kindergartens in Bad Liebenstein, zur „freien" (autonomen) religiösen Basis oder auch zur zeitgenössisch bei weitem noch nicht selbstverständlichen Bildung von Frauen für den Beruf.

Insgesamt verstand sich der Schullehrerverein trotz der „tollen Tage" der Revolution noch immer als Gesellschaft von Schulmännern, die Gemeinschaft und Geselligkeit suchten, deren erstes Geschäft nicht die Politik sondern die Schule war. Er fand seinen Standort zwischen fachlicher und pädagogischer Diskussion, politischen Gesprächen über Gesellschaft, Soziales, Schule und Lehrerverhältnisse und heiterer Geselligkeit, die dem Wunsch nach Ruhe und Entspannung entgegenkam. Das Protokoll des Stiftungsfestes vom Sommer 1848 etwa reflektierte diesen Wunsch und beschrieb eine „gemüthliche Feier, welche in der sturmbewegten Zeit zu einer wahren Erquickung aller Theilnehmer geworden war" (Protokolle, Bd. 8: 05. 07. 1848).

Auch der Versuch, zwischen den liberalen und konservativ-kirchentreuen Gruppierungen, die sich im Verein zum Thema des konfessionellen Religionsunterrichts gebildet hatten, zu vermitteln, ist gleichsam typisch für den durchgängig ausgeprägten Harmoniewillen – auch des politisierten Vereins. Laut Protokoll hatten im Gefolge einer Auseinandersetzung um den Religionsunterricht 1845 schon einmal Differenzen zu der Befürchtung geführt, „daß ... dem schön geselligen Charakter" des Berlinischen Schullehrervereins „Abbruch geschehen könnte", die sich zur Beruhigung Aller jedoch nicht bewahrheitet hatte (Protokolle, Bd. 8: 18.04.1845). So bildete sich auch im „Alltag" des Berlinischen Schullehrervereins von 1848/49 eine Eigendynamik zwischen Politik und Politikabstinenz heraus, die inhaltlichen Streit und personelle Parteinahmen nicht ausschloß, den Fortbildungsaspekt des Vereins für den pädagogischen Beruf und die kollegiale Geselligkeit aber weiter hochhielt. Von einer mehrheitlich „revolutionären Disposition" waren die Volksschullehrer – jedenfalls in Berlin – weit entfernt.

Archivalien

BRANDENBURGISCHES LANDESHAUPTARCHIV POTSDAM (BLHA)

- Rep. 34, Nr. 414: Lehrer (Schulfeste) – Versammlungen und Konferenzen 1842 – 1893.
- Rep. 34, Nr. 1191: Der Verein für deutsche Volksschulen.

DEUTSCHES INSTITUT FÜR INTERNATIONALE PÄDAGOGISCHE FORSCHUNG/BIBLIOTHEK FÜR BILDUNGSGESCHICHTLICHE FORSCHUNG/ARCHIV (DIPF/BBF/Archiv)

- Deutsche Lehrerbücherei. Sign.: 1.0.02. Allgemeiner Berliner Lehrerverein (enthält die Protokolle der allgemeinen Berliner Lehrerversammlungen behufs Vorbereitung einer Petition an die Vertreter des preußischen Volkes im Jahre 1848).
- Deutsche Lehrerbücherei. Sign.: 1.0.03. Berlinische Schullehrergesellschaft (im Text zitiert als Protokolle, Bd.-Nr.: Datum)

LANDESARCHIV BERLIN, STADTARCHIV, Außenstelle Breite Straße (LAB (STA))

- Rep. 20 - 01, Nr. 1197: Die Ausführung des Reskripts vom 30. August 1845 in Bezug auf die Lehrer, welche den Protest gegen Beschränkung der Lehr- und Gewissensfreiheit unterzeichnet haben.

Quellen und Literatur

Allgemeine Deutsche Biographie (ADB), Bd. 35.

APEL, HANS-JÜRGEN: Lehrer 1848: Vorkämpfer – Zuschauer – Gegner? Die Rolle der Lehrer in der bürgerlichen Revolution. In: Adolph Diesterweg. Wissen im Aufbruch. Katalog zur Ausstellung zum 200. Geburtstag. Weinheim 1990, S. 339 - 345.

BAUMGART, FRANZJÖRG: Lehrer und Lehrervereine während der Revolution von 1848/49. In: Mentalitäten und Lebensverhältnisse. Beispiele aus der Sozialgeschichte der Neuzeit. Festschrift für Rudolf Vierhaus. Göttingen 1982, S. 173 - 188.

BAUMGART, FRANZJÖRG: Zwischen Reform und Reaktion. Preußische Schulpolitik 1806 - 1859. Darmstadt 1990. (1990a)

BAUMGART, FRANZJÖRG: Diesterweg und die bürgerliche Revolution von 1848/49. In: HOHENDORF, GERD/RUPP HORST F. (Hrsg.): Diesterweg: Pädagogik – Lehrerbildung – Bildungspolitik. Weinheim 1990, S. 109 - 143. (1990b)

BLOTH, HUGO GOTTHARD: Adolph Diesterweg. Sein Leben und Wirken für Pädagogik und Schule. Heidelberg 1966.

BÖHM, CARL: Aufruf zu einem Provinzialschullehrer-Vereine, gelesen im jüngeren Berliner Lehrer-Vereine. In: Preußische Volksschulzeitung 10 (1842), S. 195 - 198.

BRETER, AUGUST: Vorschlag zur Stiftung eines Brandenburgischen Lehrervereins, gelesen im Berlinischen Schullehrer-Vereine am 27. v. M. In: Preußische Volksschulzeitung 10 (1842), S. 185 - 188.

DIESTERWEG, FRIEDRICH ADOLPH WILHELM: Sämtliche Werke. Band 1 ff. Berlin 1956 ff. (zitiert als DSW, Band, Seitenzahl).

GEISSLER, GERT/GÜNTHER, KARL-HEINZ (Hrsg.): Friedrich Adolph Wilhelm Diesterweg. Volksbildung als allgemeine Menschenbildung. 2 Bde. Berlin 1989.

GRÄFE, HEINRICH: Pestalozzi-Poesie. In: Pädagogische Zeitung 1 (1845), S. 555 - 557.

HACHTMANN, RÜDIGER: Berlin 1848. Eine Politik- und Gesellschaftsgeschichte der Revolution. Bonn 1997.

HOHENDORF, RUTH/HOHENDORF GERD: „In der Vereinigung liegt unsere Kraft!" F. A. W. Diesterweg und das Vereinsleben der Berliner Lehrer. In: Pädagogik 43 (1988), S. 59 - 68.

HUPE, JOHANN KARL FRIEDRICH: Die Revolution und die Schule, ein Rückblick in das Jahr 1848. In: Schulblatt für die Provinz Brandenburg 14 (1849), S. 6 - 34

JAHNKE, H.: Ferdinand Schmidt. Ein Bild seines Lebens und seines Wirkens als Jugenderzieher, Volkspädagoge und Schriftsteller. Berlin o.J. (1886).

KEINER, EDWIN: Lehrer, Staat und Öffentlichkeit. Die Ordnung des Bildungssystems in der Revolution von 1848. Erscheint in: Zeitschrift für Pädagogik 44 (1998).

KEMNITZ, HEIDEMARIE: Lehrerverein und Lehrerberuf im 19. Jahrhundert. Eine Studie zum Verberuflichungsprozeß der Lehrertätigkeit am Beispiel der Berlinischen Schullehrergesellschaft (1813 - 1892). Habilitationsschrift. Humboldt-Universität zu Berlin 1997. Erscheint voraussichtlich 1998.

Kleine Chronik. Lehrervereine in Berlin. In: Preußische Volksschulzeitung 9 (1841), S. 70 - 71.

KÖNIG, HELMUT (Hrsg.): Programme zur bürgerlichen Nationalerziehung in der Revolution von 1848/49. Berlin 1971.

KÖNIG, HELMUT: „Geschichte der Reformbestrebungen auf dem Gebiete der deutschen Volksschule seit den Tagen des März 1848". Materialien aus dem „Pädagogischen Jahresbericht für Deutschlands Volksschullehrer" 4. Jahrgang 1849. In: Jahrbuch für Erziehungs- und Schulgeschichte 13 (1973), S. 219 - 246.

KOSCH, WILHELM: Deutsches Literatur-Lexikon. Biographisches und bibliographisches Handbuch. Halle 1930.

KUHLEMANN, FRANK-MICHAEL: Modernisierung und Disziplinierung. Sozialgeschichte des preußischen Volksschulwesens 1794 - 1872. Göttingen 1992.

KÜHN, HEIDEMARIE: „Sie wollen ihn feiern, doch sie kennen ihn nicht" – Die Berliner Lehrerschaft und Pestalozzi in der Mitte des 19. Jahrhunderts. In: HAGER, FRITZ-PETER/TRÖHLER, DANIEL (Hrsg.): Pestalozzi – wirkungsgeschichtliche Aspekte. Dokumentationsband zum Pestalozzi-Symposium 1996. Bern, Stuttgart, Wien 1996, S. 449 bis 461.

KURZE, HEINZ: Der politische und schulpolitische Kampf K. F. W. Wanders in der bürgerlich-demokratischen Revolution 1848/49 (Monumenta paedagogica, Reihe A, Bd. 20), Berlin 1982.

LIEDTKE, MAX (Hrsg.): Lehrervereins-Protokolle Nürnberg 1821 - 1830. Aus den Anfängen der Lehrervereinsbewegung. Bad Heilbrunn/Obb. 1989.

LÜCK, L.: An Brandenburgs Volksschullehrer. In: Preußische Volksschulzeitung 10 (1842), S. 322 - 323.

MERGET, AUGUST: Geschichte des Berlinischen Schullehrer-Vereins für deutsches Volksschulwesen (älteren Berliner Lehrer-Vereins). Eine Jubelschrift. Berlin 1863.

NAGEL, FRITZ: 150 Jahre organisierte Lehrerschaft im Raum Wittingen. Martinsbüttel 1994.

NIPPERDEY, THOMAS: Volksschule und Revolution im Vormärz. (1968) In: HERRMANN, ULRICH (Hrsg.): Schule und Gesellschaft im 19. Jahrhundert. Sozialgeschichte der Schule im Übergang zur Industriegesellschaft. Weinheim und Basel 1977, S. 111 - 136.

PRETZEL, C. L. A.: Geschichte des Deutschen Lehrervereins in den ersten fünfzig Jahren seines Bestehens. Leipzig 1921.

REULECKE, JÜRGEN: „Hebung der unteren Volksklassen" und „Hebung der Lehrerschaft". Diesterweg und das soziale Vereinswesen im Vormärz. In: Adolph Diesterweg. Wissen im Aufbruch. Katalog zur Ausstellung zum 200. Geburtstag. Weinheim 1990, S. 308 - 315.

REULECKE, JÜRGEN: Sozialer Frieden durch soziale Reform. Wuppertal 1983.

RISSMANN, ROBERT: Geschichte des Deutschen Lehrervereins. Leipzig 1908.

SPENERSCHE ZEITUNG (Berlinische Nachrichten von Staats- und gelehrten Sachen).

SPRINGER, ROBERT: Berlins Straßen, Kneipen und Clubs im Jahre 1848. Berlin 1850.

TENORTH, HEINZ-ELMAR: Bildungsreform als Gesellschaftsreform. Die Revolution von 1848 als Zäsur der Bildungsgeschichte. In: DOWE, DIETER; HAUPT, HEINZ-GERHARD; LANGEWIESCHE, DIETER (Hrsg.): Europa 1848. Revolution und Reform. Berlin 1998, S. 961 - 984.

VOSSISCHE ZEITUNG (Königlich privilegierte Berlinische Zeitung von Staats- und gelehrten Sachen).

WIESE, LUDWIG: Lebenserinnerungen und Amtserfahrungen. Erster Band. Berlin 1886.

HANS JÜRGEN APEL

„... ob den Gymnasiasten erlaubt wird, an politischen Vereinen Theil zu nehmen" Lehrer höherer Schulen und Schüler im Jahr 1848

1. Einleitung

Als der preußische Kultusminister LADENBERG am 20. Dezember 1848 rückblickend das politische Verhalten der meisten Direktoren und Lehrer lobte und nur das weniger Lehrer rügte, hatte er ein gesellschaftliches Spannungsfeld im Blick, das wir heute aus den Quellen mühsam rekonstruieren müssen.[1] LADENBERG hatte sehr wahrscheinlich die revolutionäre Situation mit den Forderungen der Lehrer, weniger wohl jene Konfrontationen vor Augen, denen die Gymnasiallehrer zeitweise durch politische Interessen und Agitationen ihrer älteren Schüler ausgesetzt waren. Gerade die Gymnasiallehrer waren in diesem Jahr in eine Zwickmühle geraten: Viele waren zwar mit „Wirkungskreis und Lebenslage"[2] unzufrieden, traten aber trotzdem nur vorsichtig für eine Modernisierung der politischen Ordnung ein, erstrebten allenfalls eine gemäßigte Veränderung der gymnasialen Lehrordnung und der Lehrerbildung. Übereinstimmend wollten sie die sog. Conduitenlisten abgeschafft sehen, jene geheimen Berichte über das didaktisch-methodische Können und das politische Wohlverhalten, die so sehr von der Einstellung ihrer Direktoren abhingen. In ihrem Verhalten wurden sie nicht nur durch einige revolutionäre Kollegen, sondern auch durch die Selbstorganisation der Schüler zum Handeln herausgefordert. Nur eine kleine Gruppe war wie die Direktoren KAPP und KÖCHLY entschieden demokratisch, also revolutionär orientiert und drückte ihre Absichten auch in flammenden Aufrufen aus.[3] Einige sahen die Veröffentlichung ihrer Ideen zur weiteren Entwicklung der höheren Schule als ein Mittel dieses Engagements an. Der größere

---

1 Das wichtige Dokument findet sich in allgemeinen Verwaltungsakten ebenso wie in Schulakten. Das belegt, daß auch die provinzialen Schulbehörden am Ende des Jahres 1848 ihren dienstlichen Führungsanspruch zurückgewonnen hatten. Die Verfügung ist wiederabgedruckt in: APEL/KLÖCKER 1986, S. 543 bis 546.

2 Die beiden Begriffe umfassen das berufliche Wirkungsfeld und den gesellschaftlichen Lebensbereich (vgl. APEL 1985).

3 Vgl. die Biographie über den Oberlehrer und späteren Greifswalder Direktor ROBERT HEINRICH HIEKE in: ABELS 1986. ABELS rekonstruiert die Situation des Jahres im allgemeinen und die politischen Aktivitäten HIEKEs im besonderen nach gründlichen Aktenstudien (ABELS 1986, S. 41 - 58).

Teil aber verfolgte die politische Entwicklung nach anfänglicher Begeisterung schweigend und zunehmend skeptisch. Bei den Schülern scheint sich die politische Begeisterung in ähnlicher Weise verteilt zu haben. Über ihr Handeln während des revolutionären Jahres, das die Unruhe an manchen Schulen erheblich steigerte, an anderen Anstalten aber nichts bewegte, wissen wir nur wenig. Das dürfte seinen Grund auch darin haben, daß die Direktoren die Vorgänge in den Jahresberichten eher herunterspielten, als sie in Schulakten wie Konferenzprotokollen oder gar Berichten an die Schulaufsicht detailliert festzuhalten. In seiner Darstellung „Preußens Unterrichtskämpfe in der Bewegung von 1848" erwähnt GOTTLIEB LÜTTGERT als erster einige in den Akten überlieferte Vorfälle: Berliner Gymnasiasten bringen dem Direktor eine „Katzenmusik"; andere verlangen die Einführung eines Beschwerdebuches, um ihre Lehrer „zu kontrollieren und zu tadeln"; wieder andere äußern Vorschläge aus Schülersicht zu einer Reform des Gymnasiums. Trierer Gymnasiasten bitten um die Genehmigung, an den Versammlungen eines demokratischen Vereins ihrer Stadt teilnehmen zu dürfen. Doch bleiben diese Hinweise vereinzelte Belegstücke eines wahrscheinlich breiteren Ausbruchs. Dafür gibt es ein Indiz: Die politische Bewegung, so das Provinzialschulkollegium von Münster im Sommer 1848 an den Minister zusammenfassend, habe „die Disziplin der Schüler sehr geschwächt" (LÜTTGERT 1924, S. 96).[4]

In diesem Vortrag geht es darum herauszuarbeiten, wie die Gymnasiallehrer auf die revolutionäre Situation reagierten und wie Gymnasiasten ein stärkeres bürgerliches Selbstbewußtsein außerhalb ihrer Schülerrolle entwickelten. Der revolutionäre Impetus der Gymnasiallehrer wurde bislang vorrangig nach Veröffentlichungen einiger Beteiligter rekonstruiert. HANS JÜRGEN APEL und MICHAEL KLÖCKER (1984/1986) verdeutlichten für die Rheinprovinz und Westfalen genauer, wie der revolutionäre Elan zunächst wesentlich zu einer Festigung des beruflichen Selbstverständnisses beitrug, danach allmählich durch hinhaltende Taktik der Schulaufsicht und durch gegensätzliche Ansichten unter den Lehrern aufgezehrt wurde, bis schließlich die Schulaufsicht aus erstarkter Position wieder autokratisch die Vorgaben für schulisches Handeln setzen konnte. Dabei darf nicht übersehen werden, daß auch Gymnasiasten der höheren Klassen Verhaltensweisen entwickelten, die – wenn auch nur vereinzelt – zu neuartigen, nämlich politisch motivierten Disziplinschwierigkeiten in Schule und Unterricht führten. Dadurch entstanden Probleme pädagogischer Führung, die sich von den bisher typischen Auseinandersetzungen um unerlaubte Wirtshausbesuche und andere Ordnungswid-

---

4 Genauere Angaben zum Verhalten der rheinischen Gymnasiasten bei APEL 1984, S. 245 - 250; Dokumente über dieses Verhalten in APEL/KLÖCKER 1986, S. 546 - 561.

rigkeiten der Schüler deutlich unterschieden. Der Umgang mit diesen Verhaltensweisen bedeutete für die Lehrer eine zusätzliche Herausforderung in schwieriger Zeit. Er bot aber auch eine Chance, professionelle Verhaltensweisen im Umgang mit aufmüpfigen Schülern zu beweisen. Lehrer und Schüler zogen zeitweise im Jahr 1848 an einem Strang, zeitweise gerieten sie aneinander, insbesondere dann, als die Schüler größere Selbständigkeit im Schülerleben forderten.

Ich gehe nun wie folgt vor:
Nach Anmerkungen zur Methode ist zunächst der Stand der Vorarbeiten zu diesem Thema zu prüfen. Danach werden zentrale Forderungen der Gymnasiallehrer dargestellt und jene Prozesse rekonstruiert, durch die sie ihre Ansprüche durchsetzen wollten. Im letzten Abschnitt wird das Schülerverhalten im Revolutionsjahr mit Blick auf bayerische und preußische Vorgänge dargestellt.

2. Methodische Überlegungen

Überlegungen zur Methode sind unverzichtbar, wenn man die Darstellung historischer Vorgänge intersubjektiv überprüfbar machen will. Ziel dieser kleinen Studie ist es, Strukturen und Prozesse bildungspolitischen Handelns bei Gymnasiallehrern und Gymnasiasten im Jahre 1848 aufzuzeigen, um dadurch die Emanzipationsbewegung und ihren Niedergang auch in diesem Sektor des Bildungswesens zu verdeutlichen. Dies soll aus historischer Distanz durch eine Rekonstruktion der Vorgänge geschehen, die zwischen März und Dezember 1848 passierten. Rekonstruktion meint Wiederherstellung, Neuaufbau. In bildungshistorischen Forschungen geht es darum, Teilbereiche einer historischen Wirklichkeit angemessen zu erfassen, um aus diesen Stücken Strukturen und Prozesse wieder erstehen zu lassen. Dabei sollen Einzelstücke historischer Dokumentation so in einen Zusammenhang gebracht werden, daß Motive und Interessen des Handelns deutlich werden, damit eine sinnhafte Ordnung der Vorgänge nachvollzogen werden kann. Widerspruchsfreiheit und Konsequenz der Darstellung ist also ein Merkmal derartiger, interpretativ vorgehender Forschung.

Jede Rekonstruktion von Vergangenem kann nur gelingen durch den Zugriff auf überlieferte Dokumente und Quellen. Allerdings müssen Forscher sich immer der begrenzten Aussagegültigkeit dieser Unterlagen bewußt bleiben. Sie sind zum einen zufällig aufgefundene oder subjektiv ausgewählte Quellen für einen Sachverhalt, der dadurch vorläufig verständlich und erklärbar wird. Gründliche Recherchen bieten zwar eine gewisse Sicherheit dafür, daß die quellengestützte Interpretation Bestand hat, eine endgültige Sicherheit kann aber nicht gegeben werden. Zugleich muß man sich eine weitere Begrenzung der Materialien vergegenwärtigen, auf die schon JOHANN GUSTAV DROYSEN hingewiesen hat. Das benutzte Material ist zufällig oder gezielt , d.h. aus einem besonderen Interesse heraus, überliefert. Eine Möglichkeit, voreilige Fehlschlüsse zu vermeiden, besteht darin, vorhandene Dokumente und Quellen genau mit anderen Materialien zu vergleichen.

Zu dieser Thematik liegen bisher die Untersuchung von APEL (1984) und die Dokumentation von APEL/KLÖCKER (1986) vor.[5] Will man das Lehrerhandeln und das Schülerverhalten als Emanzipationsbestrebung des Jahres 1848 rekonstruieren, dann sind Dokumente und Quellen jener Zeit heranzuziehen. Als Dokumente sind bereits publizierte Schriftstücke wie Berichte in der Zeitschrift für das Gymnasialwesen, Buchveröffentlichungen, gedruckte Aufrufe und andere vervielfältigte Materialien zu betrachten. Sie sind leicht zugänglich. Um sich einen tieferen Überblick zu verschaffen, ist es notwendig, Verwaltungs- und Schulakten sowie Konferenzbücher zu studieren. Verwaltungsakten wurden für den Staat Preußen bei den regionalen Provinzialschulkollegien angelegt. Für die Rheinprovinz existiert eine umfangreiche Akte zu den Vorgängen des Jahres 1848 im Landeshauptarchiv Koblenz (Prov.-Schulkoll. 405, 540). Für Westfalen findet man analoge Quellen im Westfälischen Hauptstaatsarchiv Münster (Prov.-Schulkoll. 1716). Daneben bieten Schulakten immer wieder eine Fülle überraschender Quellen zum Alltag jener Zeit. Sie befinden sich sowohl in den genannten Archiven als auch in Stadtarchiven, gelegentlich sogar noch in den Gymnasien.

Während die Aktionen der Gymnasiallehrer in den verschiedenen Unterlagen und in offiziellen Dokumenten gut belegt sind, lassen sich die Aktivitäten der Schüler nur mühsam und durch Zufallsfunde rekonstruieren. Das Schülerverhalten war seit der Institutionalisierung der Gymnasien Gegenstand der Erörterung. Immer wieder werden disziplinarische Vorfälle berichtet, werden Schulgesetze aufgestellt oder modifiziert, um das Verhalten in geregelte Bahnen zu lenken. Ein besonderes Problem stellte der Wirtshausbesuch älterer Schüler dar, über den es eine Vielzahl von Quellen gibt. Die politischen Verhaltensweisen der Schüler seit März 1848 werden aber nicht öffentlich dokumentiert. Sie erscheinen entweder als Einzelvorgänge in den Schulakten oder werden von den Direktoren in den handschriftlichen Jahresberichten erwähnt, die nach Ablauf des Schuljahres an das Provinzial-Schulkollegium als Aufsichtsbehörde einzureichen waren. Gerade diese Berichte sind jedoch mit Vorsicht zu lesen. Sie vermitteln zwar als Schriftstücke zwischen Konferenzprotokollen und gedruckten Jahresberichten in den Schulprogrammen Einblick in die Schulwirklichkeit. Aber sie geben wahrscheinlich eine erwünschte

[5] In der Dokumentation ist eine Fülle von Quellen zum Schülerverhalten in der Rheinprovinz zusammengestellt (APEL/KLÖCKER 1986, S. 547 - 561).

Sichtweise wieder, wurden sie doch zu einem Zeitpunkt verfaßt, als die Schulaufsicht bereits wieder erstarkte und revolutionäre Bestrebungen unterdrückt werden konnten. Daher ist zu fragen, inwieweit Aussagen in diesen Berichten glättend verfaßt wurden, inwieweit sie als Realitätsschilderung anzusehen sind.

3. Vorarbeiten

Man sollte meinen, daß zu diesem Sachverhalt bereits genügend recherchiert worden wäre. In der Tat wird die Bewegung des Jahres 1848 in den maßgebenden Darstellungen zur Geschichte des höheren Schulwesens höchst unterschiedlich aufgearbeitet.[6] Eine der wesentlichen Studien ist immer noch FRIEDRICH PAULSENs „Geschichte des gelehrten Unterrichts". PAULSEN berichtet generell über das Revolutionsjahr. Er charakterisiert die Ziele der Lehrer, die für eine bessere Lehrverfassung der Schule, für größere Selbständigkeit innerhalb der Schule, für Erleichterungen bei den Anforderungen des Lateinunterrichts und für die Abschaffung der Conduitenlisten eintraten. Im einzelnen arbeitet er die Bedeutung HERRMANN KÖCHLYs heraus und erörtert genauer die Beschlüsse der Berliner Schulkonferenz vom April/Mai 1849.[7] Für ihn gilt: „Doch war das Jahr 1848 nicht vergeblich ..." (PAULSEN 1921, S. 478), auch wenn die Bestrebungen der Lehrer erst später realisiert wurden.

Eine genauere Darstellung hat GOTTLIEB LÜTTGERT vorgelegt. Er verbindet Hinweise auf wichtige Veröffentlichungen von Gymnasiallehrern mit Berichten über die berufsständischen Verhandlungen. Bei ihm findet man auch den Satz: „Ein wenig war auch die höhere Jugend vom Revolutionstaumel ergriffen" (LÜTTGERT 1924, S. 95). Weitere Hinweise auf das politische Verhalten der Gymnasiasten sind aber nicht systematisch untersucht.

An PAULSEN anschließend, doch zugleich in moderner Terminologie und mit dem Verständnis historischer Sozialisationsforschung thematisiert MARGRET KRAUL die Stellung des preußischen Gymnasiums zwischen der Revolution von 1848 und der bildungspolitischen Programmatik der Reaktion der fünfziger Jahre. Sie stellt die zentralen Kritikpunkte der Lehrerschaft an der bestehenden Gymnasialform, an Lehrverfassung und politischer Funktion der Schule im preußischen Ständestaat des Vormärz

---

[6] Auf Arbeiten, in denen vor allem die Forderungen der Elementarschullehrer behandelt wurden, ist hier nicht einzugehen. Vgl. den Beitrag von HEIDEMARIE KEMNITZ in diesem Band.

[7] Die Berliner Konferenz der Gymnasiallehrer von 1849 behandeln auch MÜLLER (1977), BÖLLING (1983) und JEISMANN (1996).

heraus. Dabei spricht sie von „liberalen und nationalen Forderungen", die von einer „selbstbewußten Lehrerbewegung" (KRAUL 1980, S. 74) vorgebracht werden. Vor allem Reformen des Schulwesens und der Lehrerbildung, die auch das Lateinsprechen und die Abfassung des Lateinaufsatzes betreffen sollten, sieht KRAUL als Zielpunkte des revolutionär-evolutionären Engagements.

Mit Blick auf die politische Funktion und die Auswirkungen erörtert HEINZ-ELMAR TENORTH die Lehrerbewegung als wichtigen Beitrag zu einem Fortschritt in der Professionalisierung des Standes. Die Lehrer erwiesen sich – so seine Einschätzung – zwar nicht als zentraler, wohl aber als ein unübersehbarer Faktor der revolutionären Bewegung (TENORTH 1987, S. 262). Sie vertraten „zwei voneinander unterscheidbare Themengruppen ...: einerseits professionalspezifische Interessen, Fragen des sozialen Status, der Besoldung und Ausbildung, der erhofften Korrektur von Aufsicht und Kontrolle der Lehrer, andererseits allgemeine bildungspolitische Themen, de[n] erneute[n] Versuch einer groß angelegten Reorganisation des gesamten Bildungswesens, Nationalerziehungspläne, die in ihren Einheitsforderungen wie in ihrem nationalen Pathos an den Aufbruch zu Beginn des Jahrhunderts erinnern" (TENORTH 1987, S. 263). Wenn dieses Engagement auch die Stellung der Lehrer nicht wesentlich verbesserte, so trug es doch dazu bei, ein Standesbewußtsein zu fördern, das zukünftige Entwicklungen beeinflußte.[8]

Auf die 48er Bewegung geht auch KARL-ERNST JEISMANN im zweiten Band seiner Geschichte des preußischen Gymnasiums ein. Er unterstreicht vor allem die Verbindung der revolutionären Programme mit Nationalerziehungsplänen der Reformzeit. Jene Programme standen für einen Reformimpetus, der am Ende des Jahres deutlich abgekühlt war, aber wohl kaum den Zorn des Kultusministers hervorgerufen hatte, den dieser am 20. Dezember 1848 gegen pflichtvergessene Lehrer losließ. Neben den programmatischen Veröffentlichungen sieht JEISMANN die Bedeutung des Jahres in der Mobilisierung der Lehrerschaft, die durch Treffen an verschiedenen Orten demonstrierte, daß sie sich auch unter Opfern für eine Veränderung ihrer Situation einzusetzen bereit war. Reale Verhaltensweisen von Lehrern und Schülern im Revolutionsjahr spricht JEISMANN nur kurz an. So unterstreicht er: „Die breite Zustimmung zu den Aufrufen Friedrich Kapps ist ein Indiz für die Grundstimmung weiter Teile der Lehrerschaft, die mit der politischen Neuordnung zugleich ihr Interesse an einer liberalen Gestaltung der Unterrichtsorgani-

8 Für die Gruppe der Elementar- oder Volksschullehrer entwickelt BAUMGART 1990 diesen Gedanken.

sation verbanden.[9] Sie gerieten allerdings in eine schwierige Situation, wenn auch die Schüler Freiheitsrechte innerhalb der Schulen für sich in Anspruch nahmen und sie etwa durch Gründung von Schülervereinen zur politischen Bildung und zur Diskussion über Schulgesetze unterstrichen" (JEISMANN 1996, S. 569).

4. Gymnasiallehrer 1848: Zwischen Neuorientierung und Bestandssicherung

Als die freiheitlich-demokratische Bewegung des Bürgertums sich nach der Pariser Revolution in den deutschen Staaten ausbreitete und in Berlin zu bürgerkriegstypischen Zusammenstößen zwischen Monarchie und Volk geführt hatte, ergriffen auch engagierte Mitglieder des höheren Lehrstandes die Initiative, um ihre Forderungen in freien Versammlungen zu artikulieren. In erster Linie ging es darum, gegen die Bevormundung durch eine übermächtige Verwaltung eine rechtliche Ordnung der Verhältnisse zu erstreiten. Die am 25. und 26. April in Linz versammelten rheinischen Mitglieder des höheren Lehrstandes drückten diese Forderungen so aus: Angesichts des eingetretenen politischen Wandels und der zu erwartenden Veränderung gesellschaftlicher Verhältnisse hin zu demokratischeren Lebensformen sei es notwendig, auch eine Demokratisierung der Schule anzustreben und für eine angemessene Modifizierung der bisherigen Formen des Unterrichts einzutreten. Dies verlange, „daß der Lehrstand einerseits, zum Zwecke selbständiger Kraftentwicklung, einer Verwaltungs-Bevormundung, wie sie nach dem bisherigen System ausgeübt wurde, entzogen werde, jedoch unbeschadet der dem Staate zustehenden Aufsicht; andererseits, daß dem Lehrstande die seiner Würde gebührende Stellung nach außen hin zur kräftigeren und freudigeren Lösung seiner schwierigeren Aufgabe, gesichert werde" (LHA 405, 540, Bl. 85). In dieser Feststellung drückten die Versammelten ihre Forderung nach einer Emanzipation des höheren Lehrstandes aus. Sie wollten politisch mündig sein und aus der Abhängigkeit heraustreten, in der sie sich gegenüber der Unterrichtsverwaltung fühlten. Äußeres Zeichen dieser Abhängigkeit waren die sog. Conduitenlisten, Beurteilungsbögen, die von den Direktoren über das Verhalten der Lehrer in Schule und Lebenskreis geheim zu führen waren. Ein zentraler Punkt ihrer Forderungen betraf das Fehlen rechtlicher Regelungen für Anstellung, Besoldung, Pensionierung oder Amtsenthebung. Hier wurden Rechtsvorschriften verlangt, die eine richterliche Kontrolle getroffener

---

9 Meinen Kenntnissen der Akten zufolge nehme ich aber an, daß er die Wirkung KAPPs überschätzt. KAPP war selbst enttäuscht über die geringe Anteilnahme an der Versammlung in Hamm, Ende April 1848 (LÜTTGERT 1924, S. 88).

Entscheidungen möglich machen sollten. Auch wollten die Lehrer finanziell nicht mehr von willkürlichen Gratifikationen als gnädigen Einzelzuwendungen auf Antrag abhängig sein. Die Bevormundung durch die Verwaltung sollte also durch ein Rechtssystem ersetzt werden. Dabei wurde die vom Staat beanspruchte Schulaufsicht jedoch nicht in Frage gestellt. Demokratisierung sollte also zu kontrollierbaren Formen der Beaufsichtigung von Schule und Unterricht führen. Dies sollte im übrigen – so die Forderung einer kleineren Gruppe – durch eine Neubestimmung der Position des Direktors als primus inter pares auch innerschulisch geschehen.

Zum neuen Selbstverständnis des Lehrerstandes gehörte weiter, daß Vorschläge zu einer Modifizierung der Lehrerausbildung gemacht wurden. In erster Linie wurde die unzureichende Vorbereitung auf die unterrichtliche Praxis durch die universitäre Vorbildung bemängelt und empfohlen, die bereits bestehenden universitären Seminare für philologische und naturwissenschaftlich/naturhistorische Studien unter fachdidaktischen Gesichtspunkten umzugestalten und ihnen Übungsschulen anzugliedern.

Ein zweiter Schwerpunkt der nun gegenüber der Unterrichtsverwaltung vorgebrachten Forderungen betraf die Erziehungsvorstellungen. Wohl unter dem Einfluß des revolutionsgesinnten Direktors FRIEDRICH KAPP verlangten die westfälischen Gymnasiallehrer in ihrer nach Hamm einberufenen „freie[n] Versammlung des höheren Lehrstandes der Provinz Westfalen" einen Unterricht, der zur Freiheit des Denkens erziehe. Dies sei notwendig, „damit die Unfreiheit des Geistes, die Einseitigkeit der Ansicht, die Engherzigkeit der Gesinnung dem Fortschritt der allgemeinen Cultur der gesammten Menschheit ferner nicht mehr hemmend im Wege stehe" (HASK, 560, 751). Um dieses Ziel zu erreichen, müsse jedoch eine grundlegende Reorganisation der höheren Lehranstalten stattfinden: Lehrplan, Disziplinvorschriften und Methoden des Unterrichtens müßten gründlich modifiziert werden.[10] Im wesentlichen waren dies KAPPs Forderungen. Sie paßten allerdings gar nicht zu den Vorstellungen, die die Unterrichtsverwaltung über das Ziel eines erziehenden Gymnasialunterrichts vertrat. Schon das MINISTERIUM EICHHORN hatte seit Mitte der vierziger Jahre mit Argwohn Vorgänge bei Versammlungen der Gymnasiallehrer verfolgt, auf denen die offiziell erwarteten Pflichtauffassungen der Lehrer in Frage gestellt wurden. Im Mai 1847 hatte der Minister in einem Reskript an den Oberpräsidenten der Rheinprovinz unterstrichen, daß die „auflösenden Zeitbestrebungen" auch an den Schulen zu Sorge veranlaßten. Die Behörde müsse deshalb darauf achten, daß

[10] KAPP publizierte in seinem „Aufruf zur Umgestaltung der deutschen Nationalerziehung" wichtige Punkte dieses Programms. Auszugsweise wiederabgedruckt in: BERG 1980, S. 111 - 121.

Leider hat uns der Druckfehlerteufel einen Streich gespielt – wir bitten um Entschuldigung!

Aus dem Hammischen Wochenblatte No. 27. No. 2.

24

Der Gymnasial-Direktor Kapp an seine Amtsgenossen, den gesammten Lehrstand der Stadt Hamm.

Die Freiheit ist auf einmal, wie ein Gewitter über Europa, über Deutschland hereingebrochen. Die Gebildeteren sind überrascht, ja bestürzt, die mittleren Klassen der Gesellschaft sind betäubt und beunruhigt, die Massen fragen: Was ist das? Man sehe sich um. Wie viele sind reif für die Segnungen der Freiheit? Nun kann man aber nie und nimmermehr von außen her befreit werden. Man kann wahrhaft sich nur selbst befreien. Und wie? Nur durch Bildung. Und dazu müssen die Völker und die Einzelnen durch allseitigen, die ganze Jugendzeit umfassenden, den Bedürfnissen der Zeit, wie den Entwicklungsstufen der Einzelnen angemessenen Unterricht eiligst und zwar besser, als es bisher geschehen, befähigt werden. Es ergeht hiermit der Ruf nach solcher Neugestaltung auf das bisherige System der National-Erziehung von der Volksschule bis zur Hochschule an den gesammten deutschen Lehrstand, als welchem die Zukunft gehört!

Ergreifen wir sogleich den Augenblick, das Nächste, die bildungsbedürftige, männliche Jugend der ganzen Stadt vom 14. bis zum 21. Jahr, um auch unserseits unverbrüchliche Liebe und Treue zu dem gemeinsamen deutschen Vaterland, unbedingte Achtung vor jeglicher Ordnung und vor dem Gesetz, ruhige Anschauung und edles Vertrauen in diese größeste aller Weltbewegungen begründen und verbreiten zu helfen. Suchen wir so nach Kräften die nächste Lücke der bisherigen öffentlichen Erziehung wenigstens einigermaßen auszufüllen!

Belehren wir zunächst diese Jugend in verschiedenen Unterrichtskreisen über ihre künftigen bürgerlichen und politischen Rechte und Pflichten, regen wir in ihr den Eifer an, sich durch nützliche Schriften und Bücher selbst zu unterrichten, geben wir ihr zweckmäßige Uebersichten der Zeitbegebenheiten in besonderen, mündlichen Vorträgen,

damit

Abbildung Seite 137

damit sie dieselben richtig verstehen lernen, und bilden wir sie auf dem Turnplatz vorzugsweise durch militärische Vorübungen und durch Gesang zu würdigen und tapferen Vaterlandsvertheidigern!

So werden wir in dem heranwachsenden Geschlechte ein immer höheres Maaß von gebildeter Einsicht und gestählter Willenskraft erzeugen. Welche Zeit hätte aber je mehr solche Einsicht und Willenskraft in Anspruch genommen, als gerade die jetzige?

Wenn Jeder von uns an den Abenden der Wochentage und an den Sonntags-Vormittagen einige Stunden Unterricht, oder Leitung des Unterrichtskreises selbst, entsagend übernehmen will, so sind wir der obigen Aufgabe gewachsen, denn die Unterrichtssäle im Gymnasium und in den Elementarschulen nebst der Schüler-Bibliothek und den Turngeräthen des Gymnasiums werden uns nicht versagt werden, und ein angemessener, großer Turnplatz für die gesammte städtische Jugend wird sich hoffentlich auch unentgeltlich finden.

Indem ich ersuche, die Vorschläge näher zu prüfen, beehre ich mich zu einer freien Versammlung auf Morgen Mittwoch den 29. März Nachmittags 5 Uhr, im Gymnasium ganz ergebenst einzuladen. Das Ergebniß unserer Berathung wollen wir dann in der morgenden Bürgerversammlung Abends 7 Uhr ungesäumt vorlegen, und wenn diese unsere patriotischen Anerbieten annimmt, so könnten wir uns sofort als „Unterrichts-Ausschuß der Bürgerversammlung der Stadt Hamm" constituiren und unser Werk beginnen.

Hamm, den 28. März 1848.

Abbildung Seite 138

Statuten des Gymnasiasten-Vereins zu Cöln.

Die rechte Zeit zur guten Sache.
Körner.

§. 1. Es wird von Schülern des Friedrich-Wilhelms-Gymnasiums ein Verein gebildet, dessen Mitglieder den beiden Primen und der Obersecunda angehören.

§. 2. Schüler der betreffenden Klassen anderer Gymnasien haben ebenfalls das Recht, Mitglieder des Vereins zu werden.

§. 3. Hauptzweck des Vereins ist: den Mitgliedern desselben durch Uebung im freien Vortrage über alle Zweige der Wissenschaft, so wie über Gegenstände aus dem Gebiete der Literatur, Politik und dem gesellschaftlichen Leben die für das spätere öffentliche und staatliche Leben nothwendige rhetorische Ausbildung zu verschaffen.

§. 4. Fernerer Zweck des Vereines ist: Besprechungen der bestehenden Gymnasial-Verhältnisse vorzunehmen resp. Verbesserungen derselben geeigneten Orts zu beantragen.

§. 5. Der Verein beruht auf gesetzlichem Boden und alle seine Institutionen müssen mit den Gymnasialgesetzen im Einklange stehen.

§. 6. Jedes Mitglied ist berechtigt, neue Mitglieder zur Aufnahme in Vorschlag zu bringen.

§. 7. Hegt irgend ein Mitglied Bedenken gegen die Aufnahme des Vorgeschlagenen, so steht es ihm frei, seine Einwendungen vor Beginn der Abstimmung der Versammlung vorzutragen.

§. 8. Gleicherweise ist jedes Mitglied berechtigt, solche gegen die Aufnahme vorgebrachten Bedenken zu widerlegen.

§. 9. Die Aufnahme wird entschieden durch absolute Stimmenmehrheit.

§. 10. Ueber die vor der Abstimmung gepflogene Diskussion, so wie über die Vota der Einzelnen sind sämmtliche Mitglieder zum strengsten Stillschweigen verpflichtet. Bei der Abstimmung über die Aufnahme dürfen keine Besucher anwesend sein.

§. 11. Jedem Nichtmitgliede ist der Besuch der Versammlungen gestattet, wenn das einführende Mitglied sich für die Haltung des Besuchenden verantwortlich macht.

§. 12. Sämmtlichen Lehrern der beiden hiesigen Gymnasien steht der Zutritt zu den Versammlungen jederzeit offen.

§. 13. Der Vorsitzende kann jedem Nichtmitgliede, dessen Namen ihm vorher genannt worden, auf sein Verlangen das Wort gestatten. An der Abstimmung aber darf kein Nichtmitglied Theil nehmen.

§. 14. Jedes Mitglied hat bei seinem Eintritte ein Eintrittsgeld von fünf Silbergr. zu entrichten, außerdem einen monatlichen Beitrag von fünf Silbergr.

§. 15. Im Falle des Austrittes hat kein Mitglied das Recht, eingezahlte Beiträge zurückzufordern.

§. 16. Die Nichtachtung der einzelnen Paragraphen des Statuts hat eine ernstliche Rüge von Seiten des Vorsitzenden, und im Wiederholungsfalle die Ausschließung des Betreffenden zur Folge.

§. 17. Der Antrag auf Ausschließung muß von wenigstens einem Drittel der anwesenden Mitglieder unterstützt werden.

§. 18. Die Ausschließung wird entschieden durch eine Mehrheit von mindestens zwei Dritteln der Anwesenden.

§. 19. Bei der desfallsigen Abstimmung müssen wenigstens drei Viertel aller Mitglieder anwesend sein.

§. 20. Zur Fassung gültiger Beschlüsse ist die Anwesenheit von mindestens der Hälfte der Mitglieder erforderlich.

§. 21. Abänderung der bestehenden und Hinzufügung neuer Paragraphen bedürfen zur Genehmigung einer Mehrheit von wenigstens zwei Dritteln der Mitglieder.

Abbildung Seite 147

Abbildung Seite 91

~~[illegible] Nr. 27~~ No 9.

24

Der Gymnasial-Director Kapp
an
seine Amtsgenossen, den gesammten Lehrstand der Stadt Hamm.

Die Neuzeit ist auf einmal wie ein Gewitter über Europa, über Deutschland hereingebrochen. Die Gebildeteren sind überrascht, ja bestürzt, die mittleren Klassen der Gesellschaft sind betäubt und beunruhigt, die Massen fragen: Was ist das? Man sehe sich um. Wie viele sind reif für die Bewegungen der Neuzeit? Nun kann man aber nie und nimmermehr zurück; [illegible] be-freit werden. Man kann [illegible] sich nur selbst befreien. Und wie? Nur durch Bildung. Und dazu müssen die Völker und die Einzelnen durch allseitigen, die ganze Jugendzeit umfassenden, den Bedürfnissen der Zeit wie den Entwicklungsstufen der Einzelnen angemessenen Unterricht rascher und ganz besser, als es bisher geschehen, befähigt werden. Es ergeht hiermit der Ruf nach solcher Umgestaltung des bisherigen Systems der National-Erziehung von der Volksschule bis zur Hochschule an den gesammten deutschen Lehrstand, als welchem die Zukunft gehört!

Erwägen wir zugleich den Augenblick, das Bedürfniss der bildungsbedürftigen, männlichen Jugend der ganzen Stadt vom 14. bis zum 21. Jahr und [illegible] Liebe und Treue zu dem gemeinsamen deutschen Vaterlande, unbedingte Achtung vor jeglichem [illegible] und vor dem Gesetz, richtige Auffassung und edles Vertrauen in die Ergebnisse aller Weltbewegungen begründen und verbreiten zu helfen, suchen wir sie auch [illegible] die [illegible] Lücken der bisherigen [illegible] Erziehung in [illegible] einigermaßen auszufüllen!

Belehren wir zunächst diese Jugend in verschiedenen [illegible] über ihre künftigen bürgerlichen und politischen Rechte und Pflichten, regen wir in ihr den Eifer an, sich durch nützliche Schriften und Bücher selbst zu unterrichten, geben wir ihr [illegible] Besprechungen der Zeitbegebenheiten in besonderen, [illegible] Vorträgen,

damit

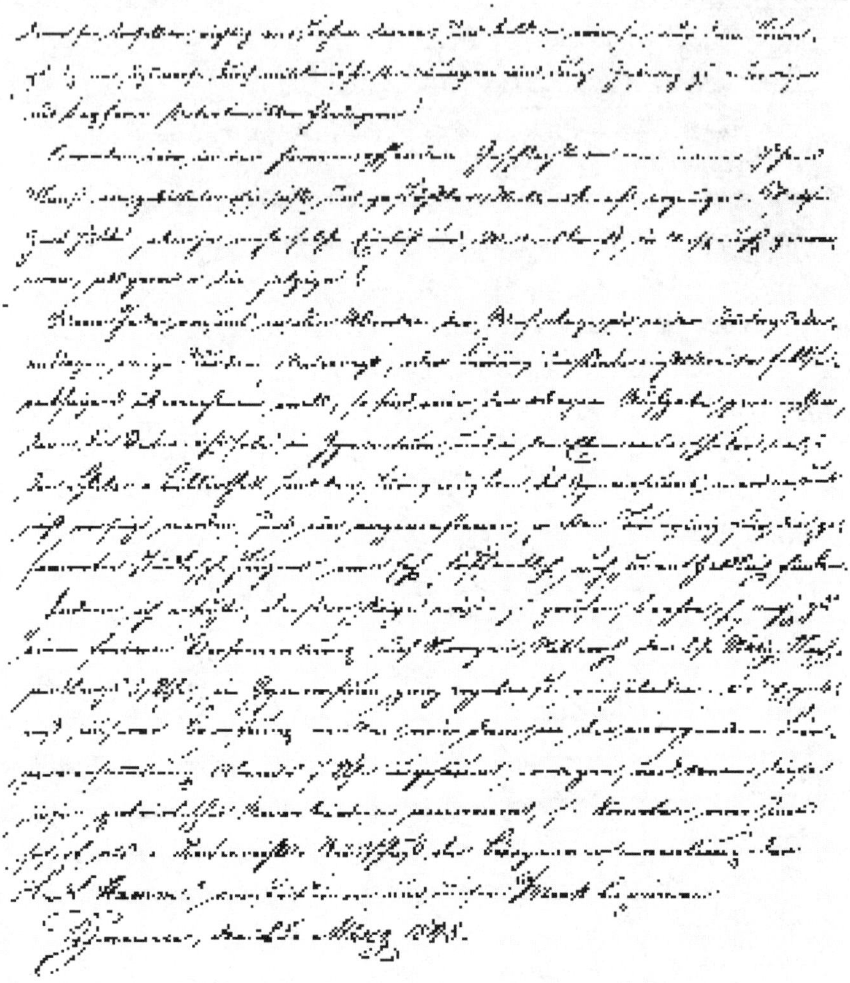

Aufruf Friedrich Kapps an seine Amtsgenossen[11]

die Lehrer sich darum bemühten, in Schule und Unterricht „den Fleiß und die unbefangene Hingebung der Schüler an ihre Aufgabe und deren Erfüllung [sowie ein] bescheidenes und die Grenzen angemessener, jugendlicher Bestrebungen und Beschäftigungen nicht überschreitendes Verhalten" (LHA, 405, 3726, Bl. 157) durchzusetzen. Auf diese Diktion griff Minister LADENBERG in seinem Reskript vom 20. Dezember 1848 wieder zurück, als er verlangte, daß Lehrer sich für das offiziell vorgegebene Erziehungsziel vorbehaltlos einsetzen. Er legte es allerdings noch präziser fest, indem er schrieb: „Der Schule ... ist die Aufgabe gestellt,

[11] Die Transkription ist im Anhang des Beitrags abgedruckt.

die ihr anvertrauten Zöglinge nicht allein mit Kenntnissen ... auszurüsten, sondern auch, was das Wesentlichste ist, sie zu Staatsbürgern zu *erziehen,* welche die Religion, die Sitte und das Gesetz achten, ihr Vaterland und ihren Fürsten lieben, welche den Willen und die Kraft besitzen, ihr eigenes Hauswesen zu leiten und mit edler Hingebung sich dem Wohl der Gemeinde und des Staats zu widmen" (Verfügung des Ministers LADENBERG vom 20. Dezember 1848 bezüglich der politischen Betätigung von Lehrern. In: APEL/KLÖCKER 1986, S. 543 f.). Mit diesen zu keiner Zeit aufgegebenen Leitvorstellungen des Unterrichts mußten Forderungen nach einer freiheitlichen Erziehung kollidieren. Sie mußten bei den vorgesetzten Stellen als Unbotmäßigkeit eingestuft werden. Erwartet wurde statt freien Denkens Folgsamkeit, die Beachtung und Ausführung von Anordnungen. Auch darin drückte sich die von den Lehrern beanstandete Verwaltungs-Bevormundung aus.

Im neuen Vertrauen auf die Bedeutung ihres Standes wendeten sich die Lehrer höherer Schulen nun gegen die staatliche Reglementierung. Sie forderten eine Neuregelung ihres beruflichen Status und lehnten im Juni 1848 den ministeriellen Vorschlag ab, für eine Konferenz über die Neuordnung des höheren Schulwesens Vertreter der Lehrer einzuberufen. Gerade in dem Versuch des Ministeriums, die Konferenzmitglieder auszuwählen, erblickten die Gymnasiallehrer ein Beispiel der tradierten Obrigkeitshaltung; sie argwöhnten zu Recht, das Ministerium wolle mit dem Verfahren Stärke zeigen und die neue Selbständigkeit der Lehrer mißachten. Das damit einsetzende Gerangel um den Wahlmodus wirkte sich letztlich allerdings zum Vorteil der Verwaltung aus. In den monatelangen Auseinandersetzungen verlor der revolutionäre Impetus in der Lehrerschaft an Rückhalt. Die Herbstversammlungen der Gymnasiallehrer waren bereits Rückzugsgefechte, zum Jahresende hielt das Ministerium die Fäden wieder fest in der Hand. LADENBERG konnte als Minister auf die Einhaltung der bestehenden Gesetze pochen und damit Forderungen der Gymnasiallehrer nach einer Neuordnung abweisen.

Besonders interessant für die hier verfolgte Fragestellung ist die Schuldzuweisung, die LADENBERG in dem Dezember-Reskript vornahm. Er unterstrich, daß jeder „Amtsmißbrauch" geahndet werden soll. Das war nach seiner Ansicht dann der Fall, wenn Lehrer so weit gegangen waren, bei der Ausübung ihres Amtes der ihnen anvertrauten Jugend „statt Achtung vor dem Gesetz feindselige Gesinnungen gegen die verfassungsmäßigen Einrichtungen des Landes einzuflößen" (ebd., S. 545). Fand solche Agitation vor Schülern statt? Oder verhielten sich die Gymnasiallehrer in Schule und Unterricht traditionsbewußt und damit systemstabilisierend?[12] Wir können einer Antwort auf die Frage näher kommen, wenn wir das Schülerverhalten in diesem Schuljahr untersuchen.

5. Schülerverhalten zwischen Gehorsam und Widerstand

Für die Schulwirklichkeit des Revolutionsjahres ist bedeutsam, daß Schüler auf ihre Art die Anregungen der politischen Bewegung und die damit verbundenen Auflösungsbestrebungen nutzten, um sich auf der Woge der Revolution politisch zu betätigen, gleichzeitig aber auch Vorteile in Schule und Unterricht für sich herauszuschlagen. Bisher wurde den Vorgängen in Schule und Unterricht jedoch kaum Aufmerksamkeit geschenkt. Gerade das darin verborgene Emanzipationsstreben und die ´Unbotmäßigkeit´ älterer Gymnasiasten durch politisches Engagement bedeuteten für Lehrer und Unterrichtsverwaltung eine neuartige Herausforderung. Die Lehrer mußten sich mit einer Schülerhaltung auseinandersetzen, die nicht einfach – wie gewohnt – als Disziplinstörung abzutun war. Überlieferte Quellen geben eindrucksvolle Belege davon, wie schwer es ihnen fiel, angemessen darauf zu reagieren. Als angemessen wurde von der Unterrichtsverwaltung erwartet, daß die Lehrer ihre Schüler „väterlich" über ihre Pflichten belehrten und damit die bestehende Schulordnung durchsetzten; denn grundsätzlich kollidierten die Ansprüche der Schüler mit den rechtlichen Vorgaben. Nach gültiger Rechtsordnung standen Schüler „als Minderjährige unter der elterlichen Zucht, resp. unter der Erziehungsgewalt ihrer Vormünder und Pfleger oder derjenigen Institute ..., denen sie zur Unterweisung und Erziehung unter den in den Gesetzen der Anstalten enthaltenen Bedingungen anvertraut worden sind" (GStAB, I, Rep76/Abt.VI, Sekt.1 z, Nr. 10, Bd. 2, Bl. 184), wie der preußische Minister am 2. Juni 1848 in einem Schreiben an das Berliner Provinzialschulkollegium festhielt. Der Minister reagierte damit auf ihm vorliegende Petitionen von Gymnasiasten und stellte ausdrücklich fest: Diesen noch unmündigen Jugendlichen könne „das von ihnen in Anspruch genommene Associations- und Petitionsrecht, solange sie eine selbstständige, die Ausübung politischer Rechte bedingende Stellung nicht erworben haben, nicht anvertraut werden" (ebd.). So standen rechtliche Vorschriften und disziplinarische Regeln der Schulen diesem Emanzipationsstreben der Gymnasiasten entgegen. Im einzelnen sind nun drei Schwerpunkte der Schüleraktivitäten zu rekonstruieren:

1. Schülerverhalten während der Märzvorgänge,
2. Widerstand gegen schulische Autoritätsansprüche und

---

[12] Es gibt Amtsenthebungsverfahren z.B. gegen den Direktor des Gymnasiums Hamm FRIEDRICH KAPP. Stärker von Reglementierungen waren die Volksschullehrer betroffen, die in der Tat revolutionärer gesinnt gewesen waren.

3. Vereinsbildungen der Gymnasiasten.
Die Rekonstruktion kann nur gelingen, wenn man die verstreuten Informationen aus den handschriftlichen Jahresberichten der Direktoren an die Unterrichtsverwaltung mit Quellen über einzelne Vorgänge wie etwa Widerstand gegen Anordnungen, Petitionen und Eingaben in einen Zusammenhang bringt. Dann allerdings lassen sich sowohl für den Bereich der preußischen Unterrichtsverwaltung als auch für die bayerischen Schulverhältnisse interessante Belege finden.[13]

5.1 Schülerverhalten während der Märzvorgänge

Daß die revolutionären Vorgänge des März 1848 sich auf das Denken und Handeln der älteren Gymnasiasten auswirkten, belegen mehrere Berichte. Auch wenn Direktoren in ihrem Jahresbericht für das Schuljahr 1847/48[14] betonen, daß „in dem verflossenen, an bösen Einflüssen so reichen Jahr" die Mehrzahl der Schüler sich bemüht habe, „durch Zucht und sittliches Betragen der Schule keine Unehre zu bringen"[15], ist davon auszugehen, daß die politischen Ereignisse den Schulalltag in einigen Städten stark beeinflußten. Die Direktoren der beiden Kölner Gymnasien wurden in dieser Frage deutlich: Sie stellten übereinstimmend fest, daß in der Stadt heftigste Agitationen bekanntlich auch auf die älteren Gymnasiasten ansteckend gewirkt hätten und daß es nun notwendig gewesen sei, „die uns anvertraute Jugend um jeden Preis vor Verirrungen zu bewahren, die, da sie sich häufig unter dem für das Jünglingsalter so verlockenden Aushängeschild eines hochherzigen Patriotismus darstellten, nur umso leichter die Schüler, zumal die erwachsenen, in Bahnen reißen konnten, auf denen sie ihr nächstes Ziel verfehlten und einer sittlichen Verwilderung entgegengingen...".[16] Daß man die Disziplinierung der Jugend mit den Hinweisen auf ihre rechtliche Unmündigkeit durchgesetzt und besonders den Wirtshausbesuch kontrolliert habe, ist anderen Quellen zu entnehmen. Insgesamt zeichnen die rheinischen Direktoren in ihren Berichten ein Bild von schwierigen Situationen, in denen sie

---

13 Für Preußen wurde in Unterlagen der rheinischen Unterrichtsverwaltung (LHA) und in Beständen des GStAB recherchiert. Für Bayern wurden Akten Münchener Gymnasien eingesehen (HStAM und StAMünchen). Hier ist die Recherche besonders schwierig, da die Akten des Kultusministeriums durch hohe Kriegsverluste nur in Restbeständen vorliegen.

14 Die Jahresberichte wurden als Übersicht über die Entwicklung der Anstalt nach Abschluß des Schuljahres verfaßt. Das Schuljahr dauerte von September bis August, so daß mit August/September als Abfassungszeitraum zu rechnen ist. Die Berichte wurden also etwa ein halbes Jahr nach den Vorgängen geschrieben.

15 So der Direktor des Bonner Gymnasiums (LHA, 405, 3921).

16 So der Direktor des Friedrich-Wilhelm-Gymnasiums in seinem Jahresbericht (LHA, 405, 4580).

jedoch durch Belehrung und Diskussion mit den Schülern einsichtiges Verhalten erreicht hätten. Direktoren und Lehrer bemühten sich nach eigener Darstellung in erster Linie darum, die Beteiligung der Schüler an öffentlichen politischen Veranstaltungen zu verhindern.

Revolutionäre Vorgänge spielten sich auch in Bayern ab. Aus München liegt ein Beispiel dafür vor, daß eine solche Disziplinierung nicht immer gelang. Dies ist einem Antrag zu entnehmen, den der Rektor des alten Gymnasiums München am 6. April 1848 an seine vorgesetzte Behörde einreichte. Er bittet ausdrücklich darum, das erste Semester des Schuljahres 1847/48 vorzeitig schließen zu dürfen, da „seit dem Beginn der öffentlichen Ruhestörung in hiesiger Hauptstadt ... auch die studierende Jugend des diesseitigen Gymnasiums so außerordentlich aufgeregt und von ihren Studien auf die äußeren Begebenheiten mit Leib und Seele abgewendet und der Art damit beschäftigt [ist], daß es für Lehrer und Rektorat nicht nur höchst schwierig sondern beinahe zur Unmöglichkeit geworden ist, nur einigermaßen noch den gewöhnlichen Gang der Studien und die nöthige Ordnung einzuhalten".[17] Deshalb beantrage die Schulleitung, das Semester acht Tage früher als üblich schließen zu dürfen. Dann würden sich die Schüler trennen und in ihre Heimatgemeinden zurückkehren, womit die gegenseitigen Absprachen aufhörten und eine allgemeine Beruhigung der gymnasialen Situation eintrete. Dem Antrag wurde sofort entsprochen. Daß diese Entscheidung dringlich war, zeigt der Schlußbericht über das Schuljahr vom 30. August 1848, in dem es heißt: Die „Störungen und Verhöhnungen der öffentlichen Ruhe und Ordnung in hiesiger Hauptstadt [haben] die Zügel des Gehorsams auch bei einem Teil der Schüler gelöst – es fehlte auch am alten Gymnasium nicht an Katzenmusik und dgl." (StAMünchen, RA 3422). Am Rand findet sich die Bemerkung: „Fenstereinwerfen", ein Hinweis darauf, daß auch Zerstörungen vorfielen, gegen die die Lehrer nicht zuverlässig einschreiten konnten. Die revolutionäre Situation hatte also dazu beigetragen, den Anspruch der Lehrer auf Anerkennung ihrer Autorität stärker als bisher üblich zu untergraben und die Unterrichtsführung erheblich zu erschweren.

5.2 Widerstand gegen die Schulautorität

Daß Schüler gegen das System Schule und seine Vertreter, die Lehrer, aufmucken, gehört zur Selbstverständlichkeit, seit es Schulen gibt. Als Beispiel dafür kann gelten, daß die Institutionalisierung der Gymnasien in den deutschen Staaten ständig von Verfügungen und Verschärfungen disziplinarischer Vorschriften begleitet wird. Schulordnungen und Verbo-

---

[17] StAMünchen, RA 3422. Der Bericht befindet sich auch in der Akte: Wilhelm-Gymnasium 746.

te, das Tabakrauchen und den Wirtshausbesuch betreffend, Vorschriften für die außerschulische Lebensweise und den Schulfleiß, werden immer wieder erneuert und verfeinert, ohne jedoch Übertretungen verhindern zu können. Im Revolutionsjahr führten politische Orientierungen der Schüler jedoch zu einer neuen Form des Widerstands, mit dem die Lehrer erst umzugehen lernen mußten.

Auch die Einflüsse der Straße wirkten sich auf das Schulleben aus. Mehrfach liest man in Jahresberichten, daß Gymnasiasten sog. Straßenliteratur, wahrscheinlich Flugblätter oder politische Schriften, gelesen hätten. Die Aufgabe der Schule habe darin bestanden, sie von dieser Lektüre abzuhalten und wieder auf schulische Studien zu konzentrieren. Auch wollten sich Schüler an politischen Veranstaltungen beteiligen und verlangten daher die Erlaubnis, politischen Clubs beizutreten oder deren Versammlungen zu besuchen. Dies wird grundsätzlich verweigert, wohl mit dem Hinweis auf die juristische Unmündigkeit der Schüler und auf ihre Pflichten als Gymnasiasten. Ein Vorfall am Kölnischen Gymnasium zeigt, daß die Gymnasiasten sich gerade in diesen Tagen als mündig empfanden: Als die Unterprimaner wegen schlechten Benehmens Ende März von der allgemeinen Kollekte für die Berliner Verwundeten und Hinterbliebenen ausgeschlossen wurden, beschlossen sie, eine eigene Kollekte zu veranstalten und teilten dies dem Direktor mit. Auf derartige Formen des Widerstandes war man nicht vorbereitet. Interessant ist allerdings, daß die Lehrer unterschiedlich reagierten. Die Verfechter einer strengen Disziplinarordnung traten für den Schulverweis dieser Schüler ein; andere gaben aber zu bedenken, daß derartige Ansätze zur Selbstorganisation bei den Schülern nicht grundsätzlich zu verurteilen, vielmehr belehrend auf den rechten Weg zu bringen seien; denn sie enthielten auch etwas Gutes. Auch das Ministerium bezog zu diesem Zeitpunkt eine vorsichtigere Position, wie man der Reaktion auf die eingegangenen Petitionen der Gymnasiasten entnehmen kann: Zwar müsse den Petenten deutlich gemacht werden, daß ihr Verhalten mit ihrer Schülerrolle unvereinbar sei, aber gleichzeitig müßten die Direktoren und Lehrer versuchen, „sich auf die Gemüther ihrer Zöglinge einen solchen Einfluß zu verschaffen, daß sie bereitwillig ihren Rath befolgen und erkennen, daß tüchtige Charaktere für die spätere Theilnahme an den öffentlichen Angelegenheiten sich nur entwickeln können, wenn die Jugend sich beherrschen lernt und innerhalb der von der Schule gezogenen Grenzen sich durch angestrengten Fleiß, Liebe zur Ordnung und Reinheit der Sitten bewährt".[18]

---

[18] So im Schreiben vom 2. Juni 1848 an das Kön. Prov.-Schulkoll. Berlin. GStAB, I, Rep76/Abt. VI, Sekt. 1 z, Nr. 10, Bd. 2, Bl. 184.

Mit dieser Aufforderung richtete sich das Ministerium gegen die Petitionen und Gesuche der Schüler, die aus verschiedenen Städten der Monarchie an den König oder das Ministerium seit Mai 1848 eingegangen waren. Schüler beschwerten sich darin über ihre Lehrer. So klagten Breslauer Gymnasiasten, daß sie „unter dem furchtbarsten Drucke, unter den schändlichsten Mißhandlungen und Willkühr der respecktiven Lehrer der Stadt Breslau" stünden; ... ihre Behandlung als Schüler sei „im Allgemeinen eine höchst Erniedrigende"[19]. Derartige Eingaben galten als unbotmäßig; sie belästigten die obere Behörde und waren von Mitgliedern der Gesellschaft verfaßt, die weder als „befugt noch [als] politisch [befähigt angesehen wurden,] dergleichen Adressen zu berathen und vorzulegen".[20] Deshalb wurden die Unterrichtsverwaltungen angewiesen, die Schüler wieder auf ein angemessenes Verhalten zu verpflichten. Der vorliegenden Überlieferung zufolge scheint dies gelungen zu sein.

Daß der Widerstand gegen die Schulautorität auch ein gemeinsames Handeln in der Öffentlichkeit auslösen konnte, ist ein Spezifikum des Schülerverhaltens dieser Zeit. In München veröffentlichten Gymnasiasten nach einer Auseinandersetzung mit dem Rektor des Gymnasiums am 19. Mai 1848 eine Darstellung im „Münchener Tagblatt", die dort unter der Rubrik „Einlauf" abgedruckt wurde. Sie lautete:
„Unter welch' sklavenmäßiger Behandlung die Schüler des hiesigen alten Gymnasiums stehen, ist eine längst hinlänglich bekannte Sache. Aber eine wahre Schmach ist es, daß an dem Tage, an welchem zur Feier der Eröffnung des Bundestags ein National-Fest in der Menterschwaige [stattfand], zu dem alle Teutsche eingeladen wurden, am Gymnasium Classe gehalten wurde. Sind die hiesigen Gymnasiasten keine Teutsche? Dieses nun brachte eine allgemeine Entrüstung hervor. Von einigen Classen wurden Deputationen an das Rektorat geschickt, ohne etwas auszurichten. Da erhob sich die zweite Classe A, in welcher Herr Professor Fischer Religion dociren sollte und verlangte mit Gewalt Vakanz. Der wackere Herr Professor Fischer hielt eine kleine Rede, in der er unter anderem sagte, er sey selbst Teutscher, wie die Gymnasiasten. Er würde gerne die Classe frei geben, wenn er nicht vom Herrn Rektor (Fröhlich) den ausdrücklichen Auftrag erhalten hätte, Classe zu halten. Er entschloß sich aber dazu, sogleich zum Herrn Rektor zu gehen, um in die Bitten des ganzen Gymnasiums einzustimmen (Allgemeiner Beifall.) Bald darauf kam derselbe in Begleitung des Herrn Rektors, der eine Strafpredigt hielt und (o der Schmach!) sogar jeden, der nicht willig das Buch herauslegte, (was aber keiner that), mit Dimission drohte. – Es wäre jetzt überhaupt höchste Zeit, daß sich die Gymnasiasten von dem Jo-

---

[19] ebd., Bl. 182.
[20] Randbemerkung zu der Eingabe, ebd.

che, das sie drückt, befreiten. (Aber natürlich nur auf gesetzlichem Wege.)" (Münchener Tagblatt 1848, S. 712)

Einlauf.

407. Frage. Wessen Standes ist denn jetzt die Marie Lehneis, welche in mehreren öffentlichen Blättern ihr neues Verkaufs-Lokal ankündigte? Hat selbe vielleicht eine Handlungs-Lizenz? Oder führt sie einen Großhandel? Oder ist sie eine Priechlers- oder Käskäuflerswittwe?

Mehrere Freunde ihres verstorbenen Mannes, des bürgerl. Webermeisters Sebastian Lehneis.

408. †† Wir erhalten folgendes Schreiben: München den 19. Mai 1848. Unter welch' sklavenmäßiger Behandlung die Schüler des hiesigen alten Gymnasiums stehen, ist eine längst hinlänglich bekannte Sache. Aber eine wahre Schmach ist es, daß an dem Tage, an welchem zur Feier der Eröffnung des Bundestags ein National-Fest in der Menterschwaige, zu dem alle Teutsche eingeladen wurden, am Gymnasium Classe gehalten wurde. Sind die hiesigen Gymnasiasten keine Teutsche? Dieses nun brachte eine allgemeine Entrüstung hervor. Von einigen Classen wurden Deputationen an das Rektorat geschickt, ohne etwas auszurichten. Da erhob sich die zweite Classe A, in welcher Herr Professor Fischer Religion dociren sollte und verlangte mit Gewalt Vakanz. Der wackere Herr Professor Fischer hielt eine kleine Rede, in der er unter anderem sagte, Er sey selbst Teutscher, wie die Gymnasiasten. Er würde gerne die Classe frei geben, wenn er nicht vom Herrn Rektor (Fröhlich) den ausdrücklichen Auftrag erhalten hätte, Classe zu halten. Er entschloß sich aber dazu, sogleich zum Herrn Rektor zu gehen, um in die Bitten des ganzen Gymnasiums einzustimmen. (Allgemeiner Beifall.) Bald darauf kam derselbe in Begleitung des Herrn Rektors, der eine Strafpredigt hielt und (o der Schmach!) sogar jeden, der nicht willig das Buch herauslegte (was aber keiner that), mit Dimission drohte. — Es wäre jetzt überhaupt höchste Zeit, daß sich die Gymnasiasten von dem Joche, das sie drückt, befreiten. (Aber natürlich nur auf gesetzlichem Wege.)

409. Die Preßfreiheit ist da, um jeden Unfug zu beleuchten, komme er, von welcher Seite er wolle. Es ist leicht möglich, daß uns mehr Einquartierung treffen kann; es ist nothwendig, daß aber auch hiebei gleichheitliche Last jeder gemeinschaftlich trage, nicht einige vergessen werden durch Winkelzüge, wie der ehemalige Handelsmann A..... ...r in der Müllerstraße sich frei zu machen suchte durch den Vorwand, er wäre kein Handelsmann, so daß hiedurch der Einsender dieses zwei Mann noch um halb sechs Uhr (durch einen gefälligeren Nachbar zum Mittag ausgespeist) zu ihrem neuen Quartiergeber führen sah; es ist dieß eine Schande und ein Unrecht, welches offenbar von der Behörde an einen solchen Mann bestraft werden soll durch doppelte Einquartierung beim nächsten Fall.

410. Die Unterschrift des Gedichtes im Tagblatte vom 20. Mai sollte anstatt C. r. Cl heißen Chr. H.

Der Vorgang ist deshalb so interessant und bemerkenswert, weil er eine neue Qualität des Schülerprotestes zeigt: Man wendet sich an die Öffentlichkeit, um für die ´gerechte´ Sache zu werben. Hier ist erkennbar, wie Schüler die neue Pressefreiheit interpretierten und für ihre Angelegenheit zu nutzen versuchten. Die Schulleitung mußte die Veröffentlichung jedoch als besonderen Affront ansehen, zumal die Gymnasiasten ankündigten, daß sie sich von dem sie drückenden Joch dieser Schule befreien wollten. Die Schüler traten damit aus ihrer gebundenen Lebenswelt heraus und erhoben öffentlich Beschuldigungen gegen die schulische Praxis. Das war ein unerhörter Vorgang. Damit überschritten sie die ihnen durch die Schülerrolle vorgegebenen Grenzen. Auf diese Weise war schulische Autorität noch nicht in Frage gestellt worden.

5.3 Mitgliedschaft und Bildung von Vereinen

Gymnasiasten hatten schon immer Vereinigungen gebildet, die sich meistens an studentischen Verbindungen orientierten. Sofern über diese Vereine berichtet wird, werden Lebensregeln und Organisationsformen überliefert, die als Ausdruck zunehmender Selbständigkeit im öffentlichen Leben anzusehen sind. Die Jugendlichen organisierten ihr Leben verantwortlich selbst; sie gaben sich Regeln des Umgangs und legten Strafen bei Übertretung dieser Vorgaben fest. Solche Vereinigungen dienten entweder als literarische Zirkel der Weiterbildung oder sie regulierten den beliebten Wirtshausbesuch, der als Abwechslung in der Freizeit höchst erwünscht war. In jedem Fall drückte die Mitgliedschaft den Anspruch aus, gegenüber der unmündigen Schülerrolle auch Selbstbestimmung als Jugendliche zu üben.

1848 wurden politische Vereine für die älteren Gymnasiasten interessant. Noch im November fragte das Schul-Collegium der Provinz Brandenburg im Ministerium an, ob Gymnasiasten an politischen Vereinen teilnehmen dürften, wenn ihnen dies ihre Eltern oder Vormünder erlaubten.[21] Der Minister war eindeutig dagegen. Er untersagte eine Teilnahme der Schüler an politischen Vereinen selbst dann, wenn die Eltern dies genehmigten. In seinem Bescheid argumentierte er damit, daß dies nicht „im Interesse der den öffentlichen Lehranstalten obliegenden erziehenden Fürsorge für die ihnen anvertraute Jugend [liege]".[22] Die Lehrer sollten statt dessen auf die Durchsetzung der schulischen Erziehung achten.

Trotzdem gab es Ansätze zu einer Selbstorganisation älterer Gymnasiasten.[23] Ein mir bekanntes Beispiel ist der Gymnasiastenverein des Friedrich-Wilhelm-Gymnasiums zu Köln, dessen gedruckte Statuten in den Schulakten überliefert sind.[24] Schüler der oberen Klassen hatten sich Mitte des Jahres 1848 zu einem „Gymnasiasten-Verein" zusammengetan und bis ins kleinste die Mitgliedschaft, die Vereinsleitung und das Vereinsleben durch Vorschriften geregelt. Der Hauptzweck dieses Vereins, dem nur Gymnasiasten der Sekunda und Prima beitreten durften, bestand darin, „den Mitgliedern desselben durch Uebung im freien Vortrage über alle Zweige der Wissenschaft, so wie über Gegenstände aus dem Gebiete der Literatur, Politik und dem gesellschaftlichen Leben die für das spätere öffentliche und staatliche Leben nothwendige rhetorische Ausbildung zu verschaffen." (§ 3) Dieser Zweck konnte den Lehrern eigentlich nur recht sein, hatten die Schüler mit der Entfaltung sprachlichen Könnens doch ein wesentliches Bildungsziel der Demokratie

---

[21] Der Vorgang befindet sich in: GStAB, I, Rep 76/Abt. VI, Sekt.1 z, Nr. 10, Bd. 2, Bl. 196 ff. Er trägt die Randbemerkung, daß dies „allerdings!" versagt werden müsse.

[22] ebd., Bl. 199.

[23] Vgl. die Bemerkung von JEISMANN (1996, S. 569), der jedoch keine Dokumente oder Quellen benennt.

[24] Überliefert in der Akte HASK, 561, 443. Die folgenden Zitate folgen dem dort vorhandenen Original, das wiederabgedruckt wurde in APEL/KLÖCKER 1986, S. 553 - 559. An dieser Stelle findet man auch die Lehrermeinungen zu diesem Gymnasiastenverein, soweit sie in den Konferenzprotokollen überliefert sind.

Statuten des Gymnasiasten-Vereins zu Cöln.

Die rechte Zeit zur guten Sache.

Körner.

§. 1. Es wird von Schülern des Friedrich-Wilhelms-Gymnasiums ein Verein gebildet, dessen Mitglieder den beiden Primen und der Obersecunda angehören.

§. 2. Schüler der betreffenden Klassen anderer Gymnasien haben ebenfalls das Recht, Mitglieder des Vereins zu werden.

§. 3. Hauptzweck des Vereins ist: den Mitgliedern desselben durch Uebung im freien Vortrage über alle Zweige der Wissenschaft, so wie über Gegenstände aus dem Gebiete der Literatur, Politik und dem gesellschaftlichen Leben die für das spätere öffentliche und staatliche Leben nothwendige rhetorische Ausbildung zu verschaffen.

§. 4. Fernerer Zweck des Vereines ist: Besprechungen der bestehenden Gymnasial-Verhältnisse vorzunehmen resp. Verbesserungen derselben geeigneten Orts zu beantragen.

§. 5. Der Verein beruht auf gesetzlichem Boden und alle seine Institutionen müssen mit den Gymnasialgesetzen im Einklange stehen.

§. 6. Jedes Mitglied ist berechtigt, neue Mitglieder zur Aufnahme in Vorschlag zu bringen.

§. 7. Hegt irgend ein Mitglied Bedenken gegen die Aufnahme des Vorgeschlagenen, so steht es ihm frei, seine Einwendungen vor Beginn der Abstimmung der Versammlung vorzutragen.

§. 8. Gleicherweise ist jedes Mitglied berechtigt, solche gegen die Aufnahme vorgebrachten Bedenken zu widerlegen.

§. 9. Die Aufnahme wird entschieden durch absolute Stimmenmehrheit.

§. 10. Ueber die vor der Abstimmung gepflogene Diskussion, so wie über die Vota der Einzelnen sind sämmtliche Mitglieder zum strengsten Stillschweigen verpflichtet. Bei der Abstimmung über die Aufnahme dürfen keine Besucher anwesend sein.

§. 11. Jedem Nichtmitgliede ist der Besuch der Versammlungen gestattet, wenn das einführende Mitglied sich für die Haltung des Besuchenden verantwortlich macht.

§. 12. Sämmtlichen Lehrern der beiden hiesigen Gymnasien steht der Zutritt zu den Versammlungen jederzeit offen.

§. 13. Der Vorsitzende kann jedem Nichtmitgliede, dessen Namen ihm vorher genannt worden, auf sein Verlangen das Wort gestatten. An der Abstimmung aber darf kein Nichtmitglied Theil nehmen.

§. 14. Jedes Mitglied hat bei seinem Eintritte ein Eintrittsgeld von fünf Silbergr. zu entrichten, außerdem einen monatlichen Beitrag von fünf Silbergr.

§. 15. Im Falle des Austrittes hat kein Mitglied das Recht, eingezahlte Beiträge zurückzufordern.

§. 16. Die Nichtachtung der einzelnen Paragraphen des Statuts hat eine ernstliche Rüge von Seiten des Vorsitzenden, und im Wiederholungsfalle die Ausschließung des Betreffenden zur Folge.

§. 17. Der Antrag auf Ausschließung muß von wenigstens einem Drittel der anwesenden Mitglieder unterstützt werden.

§. 18. Die Ausschließung wird entschieden durch eine Mehrheit von mindestens zwei Dritteln der Anwesenden.

§. 19. Bei der desfallsigen Abstimmung müssen wenigstens drei Viertel aller Mitglieder anwesend sein.

§. 20. Zur Fassung gültiger Beschlüsse ist die Anwesenheit von mindestens der Hälfte der Mitglieder erforderlich.

§. 21. Abänderung der bestehenden und Hinzufügung neuer Paragraphen bedürfen zur Genehmigung einer Mehrheit von wenigstens zwei Dritteln der Mitglieder.

Statuten des Gymnasiasten-Vereins des Friedrich-Wilhelm-Gymnasiums zu Köln (1848) erkannt und es in die eigene Hand genommen, das durch die Form des Unterrichts bestehende Defizit der Ausbildung durch Übungen aufzuheben. Allerdings störte die Lehrer der Bezug des Vereinslebens auf Politik und Gesellschaft. Man ging davon aus, die im Verein gehaltenen Reden selbst dann nicht genügend kontrollieren zu können, wenn man das in § 12 der Statuten verbriefte Recht nutzte, jederzeit an den Versammlungen teilnehmen zu dürfen. Außerdem war auch in diesem Fall die Kollision mit der rechtlichen Stellung der Schüler gegeben. Daß Schüler selbstverantwortliches Handeln beanspruchten, die Redeübungen auf politische und gesellschaftliche Themen ausdehnen wollten und diesen Anspruch auch äußerlich in 78 gründlich formulierten Paragraphen zur Regelung des Vereinslebens darstellten, war für traditionelles Denken einfach unerhört. Zudem forderte der an zweiter Stelle genannte „fernere Zweck" die Lehrer ganz besonders heraus; denn die Gymnasiasten legten fest, neben politischer Diskussion auch noch „Besprechungen der bestehenden Gymnasial-Verhältnisse vorzunehmen resp. Verbesserungen derselben geeigneten Orts zu beantragen" (§ 4). Das bedeutete Schulkritik von Schülerseite, wie sie auch aus anderen Quellen dieser Zeit bekannt ist. Die Eingaben der Schüler, auf die das Ministerium reagierte, enthielten ebenfalls Schülerurteile über das Lehrerverhalten und die Zwänge des Unterrichts. Gerade das aber wurde den Schülern nicht zugestanden. Über Schule zu urteilen, fiel nicht in ihre Kompetenz und konnte nicht akzeptiert werden. So stellte die Lehrerkonferenz des Friedrich-Wilhelm-Gymnasiums zu Köln am 27. Juli 1848 fest: Der Verein könne aufgrund der vorgelegten Statuten nicht genehmigt werden. „Namentlich steht der Genehmigung entgegen, daß Gegenstände in den Bereich der Vereinsthätigkeit gezogen sind, welche außerhalb des Gesichtskreises und der Befugnis eines Gymnasiasten liegen, wie Besprechungen der bestehenden Gymnasial-Verhältnisse und Beantragung der Verbesserung derselben" (Protokoll der Lehrerkonferenz am Friedrich-Wilhelm-Gymnasium zu Köln vom 27. Juli 1848. In: APEL/KLÖCKER 1986, S. 559). Aber nicht nur die Überschreitung der Kompetenz, auch die Öffnung des Vereins für Schüler anderer Gymnasien betrachteten die Lehrer als einen Unsicherheitsfaktor. Diese böten keine Gewähr für den „im Verein herrschenden Geist", den man sonst vielleicht noch beeinflussen zu können glaubte. Gleichwohl erkannte ein Teil des Kollegiums in diesem Entwurf auch „gute Keime" (ebd., S. 560), die weiter entwickelt werden sollten. Durch wohlwollende Zurechtweisung und väterliche Belehrung könne man auf die betreffenden Schüler sicher so einwirken, daß ihre Entwicklung im erwünschten Sinne fortschreite.

Die Statuten des Kölner Gymnasiastenvereins sind ein einmaliges Beispiel dafür, wie höhere Schüler Möglichkeiten der freien Versammlungen zu nutzen versuchten und wie sie bis ins einzelne Vorstandsarbeit, Aufnahme von Mitgliedern, Versammlungsordnungen, Vorträge und Anträge, Redeformen, Fragestellungen und Abstimmungen sowie Wahlen zum Vorstand einschließlich der Protokollführung festlegten. Die Orientierung an Vereinsführungen der Erwachsenen ist offenkundig. Der Gymnasiasten-Verein sollte nicht nur das rhetorische Können üben lassen; er sollte auch Formen politischen Handelns vorbereiten und zur Teilnahme am öffentlichen Leben befähigen. Er war als eine Institution der Jugend für die Vorbereitung des Übertritts ins junge Erwachsenenalter konzipiert. Insofern wirkte er auf die Lehrer geradezu als Ausdruck revolutionärer Gesinnung. Deshalb waren sich die Lehrer beider Gymnasien in ihrem Urteil über den Gymnasiastenverein weitgehend einig: Der Verein sprengte bestehende Ordnungen und durfte nicht zugelassen werden.

6. Gymnasiallehrer und Gymnasiasten im Revolutionsjahr

Im Rückblick scheinen die Verhältnisse an den höheren Schulen während der revolutionären Monate des Jahres 1848 stellenweise von einer erheblichen Unruhe geprägt gewesen zu sein. Unter den Lehrern bestand Uneinigkeit in der Bewertung der politischen Situation. Das zeigt sich auch in der Reaktion auf Schülerverhalten. Repräsentanten einer streng verstandenen Ordnung standen jenen gegenüber, die in den Äußerungen älterer Schüler brauchbare Ansätze zur Entwicklung eines jugendlichen Selbstverständnisses erblickten. Die Vertreter beider Gruppen hatten aber ein gemeinsames Problem. Sie standen vor erheblichen pädagogischen Herausforderungen. Schule und Unterricht forderten täglich angemessene Maßnahmen, um mit überraschenden Vorgängen umzugehen. Immerhin trug die Politisierung des Lehrerhandelns dazu bei, das professionelle Selbstverständnis „angesichts erstmals deutlich artikulierter demokratischer Forderungen eher berufsständisch [zu] verfestig[en]" (TENORTH 1987, S. 264). Zwischen einigen Vertretern der Höheren Bürgerschulen und des Gymnasiums war es sogar zu Solidarisierungen gekommen, die jedoch nur kurzfristig Bestand hatten. Blicken wir abschließend noch einmal auf die Schüler. Den Quellen ist zu entnehmen, daß die älteren Gymnasiasten die politischen Vorgänge und die daran anschließenden unruhigen Monate sehr intensiv erlebten. Für einige bot sich die Gelegenheit, verantwortliches Handeln in politischer Absicht zu erproben; allerdings wurden sie schnell wieder auf die ihnen zukommende Ebene der Unselbständigkeit im politischen Feld zurückbeordert. Am Münchener Wilhelm-Gymnasium, dessen Gymnasiasten durch die Veröffentlichung ihres Anliegens im „Münchener Tagblatt" auf sich aufmerksam gemacht hatten, mußten Abiturienten im November ihren Abituraufsatz u. a. zu dem Thema „Betrachtungen über die Freiheit. a) die wahre, b) die falsche Freiheit" schreiben (StA München, Wilhelm Gymnasium 748). Ein Schüler stellte nach einem Loblied auf die Freiheit und nach einem Hinweis auf deren Gefahren die wahre und die falsche Freiheit dar: Wahre Freiheit – so seine Gedanken – ist gesetzlich verbrieft, wird als solche von allen anerkannt und vom Staat geschützt. Falsche Freiheit zeigt sich als Ausnutzung der Schwäche von Vorgesetzten, als übertriebene öffentliche Kritik des allgemein Anerkannten. Sie erweist sich als Überschätzung der Selbstgesetzgebung des Menschen (ebd.). Hatte er aus Erfahrung gelernt?

Abkürzungen

GStAB – Geheimes Staatsarchiv Berlin
HASK – Historisches Archiv der Stadt Köln
HStAM – Bayerisches Hauptstaatsarchiv München
LHA – Landeshauptarchiv Koblenz
StAMünchen – Bayerisches Staatsarchiv München
StAM – Staatsarchiv Münster

Archivalien, hier insbesondere die Spezialakten des LHA (Best. 405, 540) und des StAM (Provinzialschulkollegium 1716, Die Reorganisation des höheren Schulwesens 1848) sowie einzelne Verwaltungs- und Gymnasialakten (Jahresberichte, Unterlagen zu den Versammlungen, Konferenzbücher sowie Vorgänge zum Schülerverhalten).

Literatur

ABELS, KURT: Zur Geschichte des Deutschunterrichts im Vormärz. Köln/Wien 1986.
APEL, HANS JÜRGEN: Das preußische Gymnasium in den Rheinlanden und Westfalen 1814 - 1848. Köln – Wien 1984.
APEL, HANS JÜRGEN: „Wirkungskreis" und „Lebenslage". Eine Studie zur Berufs- und Lebenssituation rheinisch-westfälischer Gymnasiallehrer im Vormärz. In: Archiv für Kulturgeschichte, 67. Bd. 1985, H. 1, S. 161 - 205.
APEL, HANS JÜRGEN/KLÖCKER, MICHAEL: Schulwirklichkeit in Rheinpreußen. Köln – Wien 1986.
APPENS, WILHELM: Die pädagogischen Bewegungen des Jahres 1848. Elberfeld 1914.
BAUMGART, FRANZJÖRG: Zwischen Reform und Reaktion: preußische Schulpolitik 1806 - 1859. Darmstadt 1990.
BERG, CHRISTA: Staat und Schule oder Staatsschule? Königstein 1980.
BÖLLING, RAINER: Sozialgeschichte der deutschen Lehrer: ein Überblick von 1800 bis zur Gegenwart. Göttingen 1983.
DROYSEN, JOHANN GUSTAV: Historik. Vorlesungen über Enzyklopädie und Methodologie der Geschichte. 8. Aufl. München 1977.

JEISMANN, KARL-ERNST: Das preußische Gymnasium in Staat und Gesellschaft. Bd. 2: Höhere Bildung zwischen Reform und Reaktion 1817 - 1859. Stuttgart 1996.

KRAUL, MARGRET: Gymnasium und Gesellschaft im Vormärz: neuhumanistische Einheitsschule, städtische Gesellschaft und soziale Herkunft der Schüler. Göttingen 1980.

LÜTTGERT, GOTTLIEB: Preußens Unterrichtskämpfe in der Bewegung von 1848. Berlin 1924.

MÜLLER, DETLEF K.: Sozialstruktur und Schulsystem: Aspekte zum Strukturwandel des Schulwesens im 19. Jahrhundert. Göttingen 1977.

PAULSEN, FRIEDRICH: Geschichte des gelehrten Unterrichts. Bd. II. 3. Aufl. Berlin 1921.

TENORTH, HEINZ-ELMAR: Lehrerberuf und Lehrerbildung. In: Handbuch der deutschen Bildungsgeschichte. Bd. III: 1800 - 1870. Hrsg. von JEISMANN, K.-E./LUNDGREEN, P. München 1987, S. 250 - 269.

WOLLSTEIN, GÜNTER: Deutsche Geschichte 1848/49. Gescheiterte Revolution in Mitteleuropa. Stuttgart 1986.

Anhang

Der Gymnasial-Direktor Kapp
an
seine Amtsgenossen, den gesammten Lehrstand der Stadt Hamm.

Die Freiheit ist auf einmal wie ein Gewitter über Europa, über Deutschland hereingebrochen. Die Gebildeteren sind überrascht, ja bestürzt, die mittleren Klaßen der Gesellschaft sind betäubt und beunruhigt, die Massen fragen: Was ist das? Man sehe sich um. Wie viele sind reif für die Segnungen der Freiheit? Nun kann man aber nie und nimmermehr von außen her befreit werden. Man kann wahrhaft sich nur selbst befreien. Und wie? Nur durch Bildung. Und dazu müßen die Völker und die Einzelnen durch allseitigen, die ganze Jugendzeit umfaßenden, den Bedürfnissen der Zeit, wie den Entwicklungsstufen der Einzelnen angemeßenen Unterricht eiligst und zwar beßer, als es bisher geschehen, befähigt werden. Es ergeht hiermit der Ruf nach solcher Neugestaltung auch des bisherigen Systems der National-Erziehung von der Volksschule bis zur Hochschule an den gesammten deutschen Lehrstand, als welchem die Zukunft gehört!

Ergreifen wir sogleich den Augenblick, das Nächste, die bildungsbedürftige, männliche Jugend der ganzen Stadt vom 14. bis zum 21. Jahr, um auch unserseits unverbrüchliche Liebe und Treue zu dem gemeinsamen deutschen Vaterland, unbedingte Achtung vor jeglicher Ordnung und vor dem Gesetz, ruhige Anschauung und edles Vertrauen in diese größeste aller Weltbewegungen begründen und verbreiten zu helfen. Suchen wir so nach Kräften die nächste Lücke der bisherigen öffentlichen Erziehung wenigstens einigermaßen auszufüllen!

Belehren wir zunächst diese Jugend in verschiedenen Unterrichtskreisen über ihre künftigen bürgerlichen und politischen Rechte und Pflichten, regen wir in ihr den Eifer an, sich durch nützliche Schriften und Bücher selbst zu unterrichten, geben wir ihr zweckmäßige Uebersichten der Zeitbegebenheiten in besonderen, mündlichen Vorträgen, damit sie dieselben richtig verstehen lernen, und bilden wir sie auf dem Turnplatz vorzugsweise durch militärische Vorübungen und durch Gesang zu würdigen und tapfern Vaterlandsvertheidigern!

So werden wir in den heranwachsenden Geschlechtern ein immer höheres Maaß von gebildeter Einsicht und gestählter Willenskraft erzeugen. Welche Zeit hätte aber je mehr solche Einsicht und Willenskraft in Anspruch genommen, als gerade die jetzige?

Wenn Jeder von uns an den Abenden der Wochentage und an den Sonntags-Vormittagen einige Stunden Unterricht, oder Leitung der Unterrichtskreise selbstentsagend übernehmen will, so sind wir der obigen Aufgabe gewachsen, denn die Unterrichtssäle im Gymnasium und in den Elementarschulen nebst der Schüler-Bibliothek und den Turngeräthen des Gymnasiums werden uns nicht versagt werden, und ein angemeßener, großer Turnplatz für die gesammte städtische Jugend wird sich hoffentlich auch unentgeldlich finden. Indem ich ersuche, die Vorschläge näher zu prüfen, beehre ich mich zu einer freien Versammlung auf Morgen Mittwoch den 29. März, Nachmittags 5 Uhr, im Gymnasium ganz ergebenst einzuladen. Das Ergebnis unserer Berathung wollen wir dann in der morgenden Bürgerversammlung Abends 7 Uhr ungesäumt vorlegen, und wenn diese unser patriotisches Anerbieten annimmt, so könnten wir uns sofort als „Unterrichts-Ausschuß der Bürgerversammlung der Stadt Hamm" constituiren und unser Werk beginnen.

Hamm, den 28. März 1848

Abbildungsverzeichnis

Autorenverzeichnis

Apel, Hans Jürgen, Prof. Dr., Universität Bayreuth, Lehrstuhl für Schulpädagogik

Baader, Meike Sophia, Dr., Universität Potsdam, Institut für Pädagogik

Fleischer, Horst, Direktor des Thüringer Landesmuseums Heidecksburg Rudolstadt

Grunder, Hans-Ulrich, Prof. Dr., Universität Tübingen, Institut für Erziehungswissenschaft

Heiland, Helmut, Prof. Dr., Gerhard-Mercator Universität/Gesamthochschule Duisburg, Fachbereich Erziehungswissenschaft-Psychologie

Kemnitz, Heidemarie, PD Dr., Humboldt-Universität zu Berlin, Institut für Allgemeine Pädagogik

Zwischen Kunst und Pädagogik

Zur Geschichte des Schulwandbildes in der Schweiz und in Deutschland.
Hrsg. von Christian Ritzi und Ulrich Wiegmann.
1998. 164 Seiten mit zahlr. Abb. Kt. ISBN 3896760572. FPr. DM 26,—

Die Beziehung zwischen Kunst und Pädagogik war selten fruchtbarer als im ausgehenden 18. Jahrhundert. Die Ausdrucksmittel der Kunst entsprachen in kongenialer Weise den Zielsetzungen der Pädagogik. Einen Höhepunkt bildete die Symbiose aus den Illustrationen Daniel Chodowieckis und den Texten Johann B. Basedows. Die Kupferstiche, zunächst als Buchillustration bestimmt, wurden auch als Schulwandbilder verwandt.

Bald danach entfernten sich Kunstschaffende und Pädagogen mehr und mehr voneinander – die Pädagogen wurden immer bestimmender in ihren Gestaltungsvorschriften, während die Künstler nach neuen Ausdrucksmitteln suchten, die der pädagogischen Prämisse der Anschaulichkeit kaum noch entsprachen. Die Qualität der Schulwandbilder ging deshalb in deutschen Schulen selten über kunsthandwerkliche Solidität hinaus.

Ganz anders die Entwicklung der Schweiz. Hier gingen Kunstschaffende und Pädagogen zwischen 1935 und 1995 eine neue fruchtbare Beziehung ein. Unter dem Zeichen der „Geistigen Landesverteidigung" wurde eine Initiative gestartet, in deren Verlauf Schweizer Künstler ihre heimatliche Welt, ihre Lebensform und ihre Denkart als Schulwandbilder darstellen konnten.

Seit den späten sechziger Jahren begannen allerdings die allgemein verbindlichen Vorstellungen zunehmend zu fehlen, was das Spannungsverhältnis zwischen der von den Künstlern geforderten Autonomie in ihrem Schaffen einerseits und den pädagogischen Zielen der Lehrerschaft andererseits immer stärker belastete. 1995 wurden die letzten von Künstlern geschaffenen Schweizer Schulwandbilder produziert.

Mit Beiträgen von **Hans-Ulrich Grunder, Wingolf Lehnemann, Walter Müller, Marianne Ruhloff, Martina Späni** und **Matthias Vogel** sowie Reprints von dem Philanthropen **Stuve** und dem Seminarlehrer **Eiler**.

Wolfgang Fischer

Kleine Texte zur Pädagogik in der Antike

1997. 228 Seiten. Kt. ISBN 3896760157. FPr. DM 29,80

Das Buch enthält sieben Abhandlungen zur Pädagogik im Altertum, ergänzt durch ein Glossar. Vier Studien beschäftigen sich mit der Gestalt und der Tätigkeit des Sokrates, je eine mit Senecas vermeintlicher Befürwortung der Willensbildung, mit Platons Gleichsetzung von Bildung und Philosophieren sowie mit der griechischen Knabenliebe als pädagogisches Phänomen.

Alle Arbeiten verfolgen ein systematisch-pädagogisches Interesse und wollen erst in zweiter Linie als historische Beiträge verstanden werden. Die Kontrastierung der Pädagogik der Gegenwart mit jener der Antike dürfte der Schärfung des Problembewußtseins dienlich sein, ohne daß von einer Kontinuität oder einem Fortschritt in der Geschichte die Rede sein kann.

Schneider Verlag Hohengehren
Wilhelmstr. 13; D-73666 Baltmannsweiler

Bibliographie Bildungsgeschichte 1997/98

Hrsg. vom Deutschen Institut für Internat. Pädagogische Forschung. Bibliothek für Bildungsgeschichtliche Forschung.

1998. XII, 390 Seiten. Kt. 390 Seiten mit Diskette. ISBN 3896761110. FPr. DM 75,—; im Abonnement DM 50,—

Die Bibliographie Bildungsgeschichte erscheint seit 1994/95 einmal im Jahr. Im vorliegenden 4. Jahrgang werden 2079 Neuerscheinungen (Monographien, Aufsätze aus Zeitschriften und Sammelbänden) sowie 240 Rezensionen nachgewiesen. Seit der Herausgabe des 3. Jahrgangs gibt es die Möglichkeit, in der Bibliographie verzeichnete Aufsätze online zu bestellen

Über die Internet-Adresse HTTP://WWW.DIPF.DE/INFOTHEK/BESTELL2.HTM ist der Aufsatzbestelldienst erreichbar. Jede Benutzerin und jeder Benutzer der Bibliographie kann somit, sofern ein Internetanschluß vorhanden ist, per PC jeden in der Bibliographie verzeichneten Aufsatz bestellen. In eine Eingabemaske wird die laufende Nummer des Titels aus der Bibliographie sowie der dazugehörige Autor bzw. der Kurztitel eingetragen. In einem zweiten Formular werden die Absenderangaben und die gewünschte Zusendeart der Kopie erfragt. Zur Auswahl stehen derzeit Fax oder Post. Wenn die Eingabefelder ausgefüllt sind, ist nur noch das Anklicken der Schaltfläche „Absenden“ erforderlich, um die Bestellung per E-Mail zu übermitteln. Die Bestellung geht an die Bibliothek für Bildungsgeschichtliche Forschung (BBF) und wird dort bearbeitet.

Gerhard Kuhlemann

Pestalozzi in unserer Zeit

Literatur und Themen rund um seinen 250. Geburtstag

1998. X, 307 Seiten. Kt. ISBN 3896760505. FPr. DM 39,80

Pestalozzi galt über Jahrzehnte als Begründer der Pädagogik und als Propagandist einer allgemeinen Bildung für alle Menschen. Das Gedenkjahr 1996 (250. Geburtstag) hat den „Mythos“ Pestalozzi und Pestalozzis Rezeption in den Mittelpunkt einer kritischen Forschungsdiskussion gestellt. Zugleich ist nach 70 Jahren die Kritische Gesamtausgabe von Pestalozzis Werken und Briefen in 45 Bänden abgeschlossen und legt eine erneute Auseinandersetzung mit Gedanken und Vorstellungen des Autors nahe, um Grundlegendes und Zeitgebundenes zu trennen und um Pestalozzis Beitrag zur Entstehung und Entwicklung pädagogischen Denkens neu zu gewichten. Die aktuelle Forschungsliteratur und ihre Themen zu sichten, zu analysieren und einzuordnen, ist das Ziel dieser Veröffentlichung.

Reinhard Golz – Werner Korthaase – Erich Schäfer (Hrsg.)

Comenius und unsere Zeit

Geschichtliches, Bedenkenswertes und Bibliographisches

1996. 376 Seiten mit 56 Abbildungen. Gebunden. ISBN 3871169994. FPr. DM 39,80

Schneider Verlag Hohengehren
Wilhelmstr. 13; D-73666 Baltmannsweiler